À Michaels Keating

Avec mes hommages

LES ANNÉES SANS GUIDE

Le Coffre à outils du chercheur débutant. Guide d'initiation au travail intellectuel, Toronto, Oxford University Press, 1989.

Constructions identitaires : questionnements théoriques et études de cas, avec Bogumil Jewsie-wicki, Sainte-Foy, CÉLAT, 1992, coll. « Actes du CÉLAT », 6.

La Question identitaire au Canada francophone : récits, parcours, enjeux, hors-lieux, avec la collab. de Roger Bernard, Sainte-Foy, Presses de l'Université Laval, 1994, coll. « Culture française d'Amérique ».

La Condition québécoise. Enjeux et horizons d'une société en devenir, avec Gilles Breton et Jean-Marie Fecteau, Montréal, VLB éditeur, 1994, coll. « Essais critiques ».

L'Histoire en partage. Usages de l'histoire et mises en discours du passé, avec Bogumil Jewsie-wicki, Paris, L'Harmattan, 1996.

« Les discours de l'histoire et le passé enveloppé », édition spéciale de la revue *Discours social/Social Discourse,* avec Caroline Désy, vol. 8, n° 1/2 (1996).

Jocelyn Létourneau

LES ANNÉES SANS GUIDE

Le Canada à l'ère de l'économie migrante

Boréal

Les Éditions du Boréal sont inscrites au Programme de subvention
globale du Conseil des Arts du Canada et reçoivent l'appui de la SODEC.

Conception graphique : Gianni Caccia

Diffusion au Canada : Dimedia
Diffusion et distribution en Europe : Les Éditions du Seuil

Cet ouvrage a été publié grâce à une subvention de la Fédération
des sciences humaines et sociales, dont les fonds proviennent
du Conseil de recherches en sciences humaines du Canada.

Données de catalogage avant publication (Canada)

Létourneau, Jocelyn, 1956-

   Les Années sans guide. Le Canada à l'ère de l'économie migrante

   Comprend des références bibliogr.

   ISBN 2-89052-772-7

   1. Canada – Conditions économiques – 1945 - . II. Titre.

HC115.L417   1996   330. 971'06   C96-0940696-7

À Esther,
à Lavinia, à Gaultier, à Saskia et à Nathaniel.

AVANT-PROPOS

Cet ouvrage a pour fondement un ensemble de communications scientifiques présentées dans divers forums au Canada mais surtout à l'étranger. L'intérêt manifesté par les collègues participant aux colloques et aux séminaires au sein desquels j'ai pu exposer mes idées a beaucoup à voir avec la décision de rédiger le présent essai. J'aimerais en particulier remercier Alan Hallsworth, Frank Ankersmit, Gilles Bourque, Gilles Breton, Dominique Colas, Simon Langlois, Mario Rapoport et François Rocher pour leurs remarques obligeantes.

Je sais gré à Robert Boyer, à Bogumil Jewsiewicki et à Guy Laforest qui, après avoir lu une version préliminaire du manuscrit, m'ont encouragé à l'augmenter et à le publier. Sans nécessairement partager toutes mes vues, ils ont cru que l'argumentation centrale valait la peine d'être rendue publique et soumise à la discussion. Il va de soi que j'assume seul l'entière responsabilité du contenu de cet ouvrage.

Pour mener à bien mon travail, j'ai pu profiter d'un congé sabbatique que m'a accordé l'Université Laval pendant l'année universitaire 1994-1995. J'ai terminé le manuscrit alors que j'étais *fellow* au Zentrum für interdisziplinäre Forschung de l'Universität Bielefeld, en Allemagne. Ces deux institutions, ainsi que le CÉLAT auquel je suis rattaché comme chercheur, ont droit à toute ma reconnaissance.

Il en va de même pour le Conseil de recherches en sciences humaines du Canada et pour le Fonds consolidé d'aide à la recherche du ministère de l'Enseignement supérieur et de la Technologie du Québec. Au cours des dernières années, ces organismes subventionnaires ont considérablement appuyé mes efforts de recherche. On trouvera exposé dans le présent ouvrage une problématique

générale visant à féconder les résultats de travaux empiriques auxquels je me suis livré, en compagnie de Gilles Breton et de Bogumil
Jewsiewicki, dans le cadre de projets intitulés « Entre la mondialisation et l'individuation : horizons de l'État-nation contemporain » et
« Consciences d'appartenances : entre l'histoire et le présent, l'individuel et le collectif, le local et le global, sur le mode narratif et
performatif ».

Le lecteur remarquera que la majorité des tableaux insérés au
chapitre 5 font état de données s'arrêtant en 1993. Cela est attribuable à l'accessibilité des informations, notamment à la possibilité
de reconstituer des séries longues, de même qu'à mon souci de
présenter des chiffres définitifs plutôt que prévisionnels. Cela dit, les
phénomènes et les processus décrits à la lumière des données
portant sur le premier tiers des années 1990 n'ont fait que se confirmer ou s'accentuer par la suite. Les analyses proposées dans les
pages qui suivent restent donc valables pour que l'on puisse aborder
les situations marquant le milieu de la décennie.

Cet ouvrage peut être lu en s'en tenant au texte principal. On trouvera, dans les notes en fin de volume, les références aux publications
pertinentes, des arguments de second ordre servant à justifier mes
positions et des intuitions qui appelleraient sans doute de nouvelles
recherches. La bibliographie, fort longue, sera utile au chercheur désireux d'aller au-delà du propos soumis à son jugement critique.

INTRODUCTION

La notion de crise avec laquelle bien des commentateurs, analystes suspicieux ou idéologues sans nuance, envisagent l'évolution économique et sociale actuelle du Canada est fautive pour plusieurs raisons. Elle laisse croire d'abord que cette socioéconomie « fonctionne » mal et ce, par rapport à une époque précédente où elle progressait apparemment au diapason des attentes des planificateurs. Deuxièmement, la notion de crise suggère l'idée que tout va de travers pour tout le monde. Enfin, elle porte à penser qu'il s'agirait de corriger les déficiences courantes à partir d'un modèle éprouvé de croissance pour sortir du marasme, faire rebondir les indices et ramener la stabilité comme au beau temps de l'après-guerre.

Certes, il est possible de dire, si l'on veut s'en tenir à une explication simple, que la condition présente du Canada, sur le plan économique et social, tient à un ensemble de facteurs circonscrits et bien connus : par exemple, au déficit accumulé des administrations publiques et à la faible productivité dans le secteur des services sociaux et dans celui des services domestiques ; à l'instabilité des ménages et à l'augmentation de l'offre de main-d'œuvre sur le marché de l'emploi ; au décrochage des jeunes et à l'évasion fiscale ; au vieillissement de la population et à la politique monétaire préconisée par la banque centrale ; et ainsi de suite. On pourrait même arguer que l'évolution incertaine du Canada découle du fait qu'un certain nombre de facteurs empiriques qui ont joué un rôle sans précédent de levier économique et social dans la période d'après-guerre — pensons notamment au coût bas de l'énergie, à la reconstruction européenne et japonaise, à la formation des ménages et à l'expansion démographique dans les années 1950 et 1960, pour ne nommer que ceux-là — sont aujourd'hui disparus.

Il n'est évidemment pas dans notre intention de nier ou de sous-estimer ces éléments pour comprendre la situation qui prévaut maintenant au Canada. Cela dit, nous entendons dépasser ce diagnostic primaire. Nous partons en effet de l'idée que les sociétés occidentales, et notamment le Canada, sont marquées par des transformations majeures, qu'elles génèrent et qu'elles subissent, et qui affectent décisivement leur marche historique. Ces transformations concernent au premier chef le système du capital, dont les articulations axiales et les dynamismes principaux ne sont plus les mêmes que précédemment. Elles touchent aussi au rapport de l'instance étatique à la société civile, donc au mode institué de la régulation publique. Il n'est pas jusqu'aux formes existantes de la stratification sociale, comme d'ailleurs les identités que l'on avait vu se forger au cœur des États contemporains, qui ne soient significativement altérées, l'effet net de ces mutations étant de provoquer de nouvelles fractures au sein du tissu social et de la société politique.

Bref, c'est toute la structure des sociétés capitalistes telles qu'elles s'étaient développées dans la période d'après-guerre qui est à l'heure présente bouleversée. Au point qu'il faille adopter un point de vue analytique différent pour embrasser l'ensemble des dynamismes qui sont en train de s'instaurer à l'échelle du monde et à celle des États-nations. L'époque actuelle, que l'on associe à la modernité avancée, voire à l'hypermodernité, est celle aussi de l'avènement de la « société flexible ». Pour marquer la spécificité de cette société dans laquelle nous vivons, nous la qualifierons de postkeynésienne.

Puisqu'il s'agit d'une notion centrale à la thèse exposée dans cet ouvrage, il convient de préciser ce que nous entendons par société postkeynésienne. Essentiellement, il s'agit de décrire par là une entité sociétale qui n'est plus caractérisée, comme cela était *grosso modo* le cas entre les années 1940 et 1980, par des dynamismes de recentrement, de massification, de convergence, d'équilibre endogène, de standardisation et de macro-interactions programmées. Telle que nous l'envisageons et l'employons, la notion de postkeynésianisme n'a pas d'envergure théorique comparable à celle de postmodernisme, que nous ne reprenons pas à notre compte. Elle a d'abord une portée instrumentale. Elle sert à comprendre pratiquement, dans la perspective de ce que sont en train de devenir les sociétés industrialisées d'Amérique du Nord et d'Europe de l'Ouest surtout, les transformations qui affectent leur matérialité, et ce, tant sur le plan économique et social que sur le plan politique, civique et symbolique.

Selon la perspective que nous préconisons, le développement des sociétés occidentales contemporaines ne se fait pas en rupture avec ce qui les précédait. La métamorphose sociétale s'effectue suivant un processus rampant et non systématique. D'où l'intérêt d'une notion intermédiaire, sans prétention universelle et qui exprime bien le caractère transitoire de la mutation amorcée. Ces avantages ressortent à la notion de postkeynésianisme. Celle-ci ne renvoie pas à une transformation radicale des logiques de constitution de la réalité sociale propre à la modernité. Elle marque la mutation organisationnelle, procédurale et opérationnelle des sociétés capitalistes. Il n'est pas dit que, dans le cours de son évolution, cette mutation ne débouchera pas sur un bouleversement plus profond, voire irréversible des sociétés contemporaines. Au point que l'on doive décrire l'ampleur du changement par le recours à un concept fort, celui de postmodernité par exemple. Si nous suivons un auteur comme Michel Freitag dans sa description des caractéristiques formelles et des modalités dominantes de la régulation dans les sociétés contemporaines, nous n'endossons pas l'interprétation globale qu'il leur donne ni ne reprenons à notre compte le caractère révolutionnaire qu'il leur accole. La postmodernité suppose en effet une « détraditionalisation » des sociétés que nous ne croyons pas encore survenue[1]. Nous envisageons le postkeynésianisme comme une mutation empirique des sociétés capitalistes, dans le sens de l'hypermodernité tout au plus.

Dans notre esprit, la société postkeynésienne se configure à la faveur du déploiement et de l'affirmation, à l'échelle mondiale et au cœur des États-nations contemporains, de ce que nous appelons l'économie migrante et de l'ensemble des formes de régulation qui lui sont associées. Elle s'institue au fur et à mesure que s'accentuent des logiques de représentation sociale et d'expression identificatoire qui modifient l'agenda politique des groupes en conflit au sein de la sphère publique. Elle se développe enfin à proportion que se répandent, comme principes d'organisation économique et sociale, ces matrices idéologiques fondatrices de notre époque et annonciatrices du XXIᵉ siècle que sont la « Perfoptimalisation », la « Statentreprise », la Raison instrumentale et la Technoscience.

Envisager la question sous l'angle que nous préconisons dans cet ouvrage empêche l'observateur d'être surpris par certains phénomènes troublants de notre époque : une mise en marge de près du tiers de la population des bénéfices engendrés par l'accroissement de la richesse collective ; une répartition différente du développement économique au sein de l'espace mondial et infranational ; l'apparition de signes évidents de déclin au cœur de zones autrefois associées à une croissance économique forte ; l'expansion significative des marchés informels alors que le système institué fonctionne apparemment au ralenti ; une exacerbation des régionalismes, des nationalismes et des ethnicismes au moment même où s'étend l'espace contrôlé par le capital transnationalisé, etc.

Adopter le point de vue analytique qui est le nôtre permet également à l'observateur de s'immuniser contre les discours creux et les sempiternelles doléances de décideurs et de « débatteurs » qui s'entredéchirent sur la place publique. Ceux-ci, continuant de scruter le monde dans un rétroviseur qui leur donne un bon aperçu de ce qu'était le passé ou envisageant l'avenir sous l'angle de l'utopie économiste, proposent des solutions naïves pour guérir les plaies du Canada. Foncer tête baissée dans la concurrence avec les scrupules d'un compétiteur au moment où la tyrannie des marchés s'exerce en produisant le meilleur et le pire, tel est le modèle qui sert de boussole aux uns. Établir des principes de régulation marqués par l'idéologie de la symétrie à une époque où les problèmes, dispersés, appellent des solutions diversifiées, telle est l'optique préconisée par les autres. Enraciner un projet de transformation sociétale dans un imaginaire de la solidarité collective au moment où l'individualisme et le corporatisme fleurissent à toute enseigne, tel est la vision idéaliste portée par les troisièmes. Dans tous les cas s'évertuent des intervenants en proie aux vertiges de celui qui parie sur l'avenir sans être bien sûr de la mise qu'il place...

L'idée n'est pas de prétendre qu'il est facile de naviguer en cette ère de mutations. Le monde est en train de se recomposer sous des formes qui ne sont pas reconnaissables par celui qui, pour les saisir, s'en remet à des schémas pourtant éprouvés de fonctionnement des systèmes ou à des catégories devenues classiques de mise en représentation des flux économiques et démographiques, par exemple. Le défi de l'analyste consiste dès lors à se rebrancher sur le présent en essayant de l'épier dans ses formes émergentes et en évitant le plus possible de le stigmatiser à travers les figures de l'ancien — manie fréquente qui fait voir bien des aléas et des dysfonctionnements là où c'est plutôt du nouveau qui affleure. Un tel exercice intellectuel n'est pas simple puisqu'il suppose le développement, chez l'observateur, d'une attitude de découvreur, ce qui est une démarche assez périlleuse. Avancer en territoire mal connu en essayant d'établir des connexions entre autant de phénomènes qui naissent simultanément sans toujours montrer des signes apparents ou évidents de liaison, telle est l'ambition du présent ouvrage.

★

C'est en cherchant à cerner les modalités nouvelles du système du capital en cette fin de siècle que nous amorcerons notre périple au cœur du postkeynésianisme. À cet égard, nous parlerons d'économie migrante pour décrire les logiques d'accumulation qui, favorisées notamment par les stratégies de déploiement des firmes dans l'espace transnationalisé de la production et de la circulation marchande, marquent décisivement l'évolution économique du monde contemporain. Ces logiques d'accumulation font que le cycle de valorisation d'une part grandissante de capitaux ne respecte plus du tout le cadre « national », déjouant par là les régulations de type keynésien mises au point après la Seconde Guerre mondiale. Ces logiques d'accumulation font aussi que la dynamique établie de la reproduction de la force de travail, de plus en plus marquée par les incidences de la globalisation, est sensiblement affectée. Cette situation n'est pas sans favoriser l'apparition d'une nouvelle architecture de la stratification sociale avec, pour lignes principales de fracture, l'appartenance des individus à des réseaux de « migrants » ou d'« enracinés ».

Parler de transnationalisation du capital et de mondialisation de l'économie ne signifie pas que l'on assistera prochainement à la formation d'un espace politique planétaire. Au contraire — et cela n'a rien d'un paradoxe —, en exacerbant les rapports de concurrence entre les États, d'une part, et en étant beaucoup moins contraint qu'auparavant par les dotations factorielles des espaces à travers lesquels il circule pour s'y fixer ponctuellement, d'autre part, le capital migrant et volant accentue les tensions entre les groupes en ce qui touche à leur positionnement plus ou moins avantageux dans le cycle de la migration. De même, il accroît les déphasages entre les régions du monde au point de reconfigurer l'espace international non plus sur le principe d'une opposition fixe entre un « premier monde développé » et un « tiers monde en développement », mais suivant une dynamique mouvante qui crée des zones fortes et des zones faibles pas toujours situées là où l'on s'attendrait à les trouver. Loin de les atténuer, l'économie migrante appelle de nouvelles logiques de séparation, de fragmentation, de polarisation et de différenciation sociales et spatiales. C'est par rapport à ces logiques que doivent être comprises nombre de luttes de factions qui agitent le monde, et le Canada, à l'heure actuelle.

L'économie migrante, telle qu'elle est en train de se configurer à l'échelle mondiale, pèse lourdement sur les modalités existantes de la régulation étatique dans les États-nations constitués. Cela dit, il est certainement exagéré de prétendre que l'époque actuelle coïncide avec un désengagement des appareils d'État sur le plan de la régulation des rapports économiques et sociaux. Ce retrait relatif prend plutôt l'aspect d'un redéploiement de l'intervention publique dans le sens de l'avènement d'une régulation différenciée et ciblée. Celle-ci sanctionne au cœur de l'espace public les conséquences et les conditions posées par le cycle de la reproduction du capital migrant et volant. Elle traduit en même temps les pressions occasionnées par de nouveaux acteurs sociaux désireux d'inscrire les conditions spécifiques de leur promotion et de leur valorisation dans les cadres de la reproduction des entités étatiques ou supraétatiques. Il est important de saisir les conséquences engendrées par l'apparition d'un tel mode de régulation dont les formes institutionnalisées se confirment de plus en plus lorsqu'on observe les tendances prises par les politiques de formation de la main-d'œuvre et de gestion des démunis, par celles touchant à l'aménagement de l'espace et par celles relatives à la circulation transfrontalière des individus. D'ores et déjà, on peut constater, au sein même des États-nations contemporains, un renforcement des lignes de fracture propres à la société postkeynésienne, un effilochage grandissant de l'espace public et une amplification de la fragmentation du sujet politique. L'effet de ces déstructurations est certainement d'engendrer des difficultés notables sur le plan de la production de l'unité et de l'identité au sein des États existants. De ce point de vue, le Canada représente un exemple de choix bien qu'il n'ait rien d'un cas extrême.

Force est d'ailleurs d'admettre que la dynamique des identifications, des appartenances et des allégeances est en voie de recomposition marquée à l'ère du postkeynésianisme. Elle l'est notamment à la suite des chambardements survenus dans l'architecture de la stratification sociale. La fragilisation économique des classes moyennes, l'accroissement significatif du nombre des disqualifiés et des désaffiliés, la survalorisation des experts et des techniciens œuvrant dans les réseaux internationaux et la dévalorisation conséquente de l'intendance locale et de la main-d'œuvre enracinée, l'apparition d'une nouvelle catégorie sociale constituée par les travailleurs autonomes et mobiles vendant leurs compétences sur un marché de l'emploi en perpétuelle restructuration, l'importance grandissante acquise par la main-d'œuvre migrante au titre de laquelle figure le néo-lumpenprolétariat international mis en circulation par les grands et les petits réseaux mafieux, représentent autant d'indices qui témoignent de l'émergence d'un modèle original de différenciation sociale. De cette fragmentation nouvelle du tissu social sourdent des oppositions et des luttes pour l'accès aux richesses collectives transitant par les appareils publics. À leur tour, ces luttes engendrent des regroupements de personnes qui, en s'animant sur la scène politique ou à travers de puissants *lobbies*, cherchent à infléchir les processus publics de décision en faveur de leurs intérêts particuliers. De manière générale, c'est toute la dynamique de la représentation au sein de l'agora qui est bouleversée et qui est reconvertie pour le bénéfice principal de ceux qui, par l'acquisition d'une voix politico-médiatique, obtiennent une place de choix dans les jeux d'influences.

La dynamique des identifications, des appartenances et des allégeances au sein de la société postkeynésienne subit d'importantes mutations pour une autre raison. Celle-là est liée à la position occupée par les individus dans le mouvement de la mondialisation, tant sur le plan économique et politique que sur le plan culturel.

Par exemple, ceux et celles qui forment l'embryon d'une classe
internationaliste et qui s'identifient fortement à la « culture Benetton » ont puissamment développé ce que l'on appellera une identité
professionnelle associée à la culture mondialiste. Cette culture, qui
est également celle de l'être performant et entrepreneur de sa propre
existence, sanctionne une formidable mutation de l'imaginaire collectif au sein des sociétés contemporaines. De centré qu'il était
autour des idées de répartition, d'équilibrage, d'égalitarisme, de
développement sociétal, d'enrichissement collectif et de droit au
bien-être, tous critères définissant une société politique fondée sur
l'acte participatif, cet imaginaire a évolué vers les idées d'audace,
d'adaptation, d'ambition, de rendement, de hiérarchisation et de
mérite. Or, ce nouveau *criterium* n'est pas sans favoriser l'avènement
d'une espèce de société politique par action au sein de laquelle
l'obtention d'une place exige pratiquement de l'individu qu'il se
conçoive et se comporte comme un entrepreneur évoluant dans
l'espace-temps de la compétition internationale, nouveau socle
obligé de l'identité « haut de gamme ».

De même, l'apparition d'acteurs qui se mobilisent autour de
questions dépassant largement l'espace de régulation et de légitimation de l'État-nation (par exemple, le sida, l'écologie, le développement durable, le pacifisme, les droits de l'individu, la pauvreté),
a considérablement élargi l'éventail des allégeances politiques et
civiques qui se manifestaient au sein des entités nationales. L'hégémonisation, au cœur de l'espace public et de l'horizon réflexif des
sociétés postkeynésiennes, de cette figure de proue que représente
l'être performant évoluant au sein des marchés mondialisés, d'une
part, et l'importance grandissante acquise par ceux que l'on nom-
mera les acteurs postnationalistes et transétatiques, d'autre part, ont
ouvert la voie à l'affirmation d'une citoyenneté mondiale. Bien
qu'encore minoritaire dans le champ politique, celle-ci n'en est pas
moins l'expression d'un processus social réel qui s'enracine dans des
réseaux d'action et de pouvoir en voie d'affirmation. À travers leurs
revendications, les participants de ces réseaux tracent la voie à une
redéfinition spatiale des grands enjeux de la vie politique selon un
ordre du jour qui intègre nombre de questions d'ordre supranational.

Il semble d'ailleurs — et nous aborderons aussi cette réalité —
que la citoyenneté soit en train de se recomposer empiriquement

autour d'une structure duale sanctionnant les nouveaux paramètres de l'« inclusion » et de l'« exclusion » au sein des sociétés post-keynésiennes. D'un côté, il y a les citoyens « gagnants ». Ceux-ci ont effectivement les moyens de se positionner, dans l'arène publi-médiatique et sur les territoires clefs de la sociation, en tant qu'interlocuteurs dotés d'une puissance d'intervention. Ils sont capables aussi d'infléchir les processus réflexifs en fonction de leurs attentes, de leurs besoins et des formes de leur mobilisation qui trouvent largement écho auprès des gouvernements nationaux et supranationaux. De l'autre côté, on retrouve les citoyens « perdants ». Ceux-là subissent les processus réflexifs et ne bénéficient que faiblement ou marginalement de la richesse créée. Le plus souvent, ils cherchent à compenser leurs pertes matérielles et symboliques en réinventant certaines dimensions de la vie en société à partir d'une reconquête de leur milieu immédiat de communalisation. Toute cette dynamique de la recomposition de la citoyenneté se déroule dans le cadre de joutes houleuses entre les participants. Elle n'est pas sans entraîner, chez les uns et les autres, en fonction de la conjoncture concrète des rapports de force et de la stratégie politico-discursive des acteurs, des comportements que l'on qualifiera de nationalistes ou de mondialistes, de corporatistes ou de libéralistes, de réactionnaires ou de progressistes. C'est autour de ces débats que se recompose largement la vie politique au pays.

*

Bien que cet ouvrage consiste en un essai, nous nous sommes gardé de sortir d'un espace lucide de réflexion et de prospective. La thèse qui y est développée repose sur la prise en compte d'un grand nombre de données qualitatives et quantitatives. Celles-ci ont été analysées et mises en relation en vue de découvrir le sens apparent de l'évolution actuelle et prochaine du Canada.

La majorité des notions insérées dans l'argumentation de ce livre renvoient à un mode de pensée multipolaire plutôt que binaire, évolutif plutôt que figé, complexe plutôt que simple. L'idée n'est pas de démissionner devant la compréhension des choses. Il faut reconnaître cependant que la rhétorique des oppositions dialectiques et que les théories des grands équilibres qui ont tant marqué la pensée occidentale au cours des deux derniers siècles arrivent mal à saisir la mouvance désordonnée et fluide du monde actuel. Pour être adéquatement cernée, celle-ci appelle une certaine révolution lexicale de même qu'une rupture avec la panoplie des schèmes cognitifs, des métarécits et des métaphores qui ont principalement fondé les représentations du monde prévalant en Occident depuis que quelques penseurs célèbres du XIXe siècle les ont élaborées. Sans prétendre faire œuvre majeure sur ce plan, nous espérons tout au moins ouvrir certaines portes du côté de l'innovation.

Inévitablement, le sujet de cet ouvrage nous plonge au cœur du débat portant sur l'avenir du Canada; plus précisément, au centre de la querelle touchant aux avantages ou aux insuffisances du régime fédéral et, dans ce contexte, à la question de l'autonomie provinciale. Nous n'avons pas cherché à éviter la complexité de cette matière. Toutefois, au lieu de reprendre les arguments connus des protagonistes, nous avons, à partir d'une problématique différente, modifié l'angle de notre regard.

Pour aborder la condition actuelle du Canada, marquée par des phénomènes de polarisation, de fragmentation et de dislocation de différentes natures et intensités, nous nous sommes consciemment situé dans la perspective des mutations connues par le capitalisme en cette fin de siècle, tant sur le plan économique et spatial que sur le plan social, politique et civique. Notre intention n'a pas été de proposer un modèle formel des transformations en cours, mais d'identifier un certain nombre de processus qui apparaissent au cœur de la mutation des sociétés occidentales contemporaines. La signification de ces processus n'est jamais absolue et univoque, mais relative et ambivalente : nous en proposons une interprétation possible en espérant qu'elle soit éclairante. C'est l'objet de la première partie du livre. Cette procédure nous a permis de déboucher, dans un second temps, sur une lecture lucide de la situation canadienne. En conclusion, nous avons essayé d'être conséquent par rapport à notre projet en proposant une piste pour envisager l'avenir du pays.

Car le Canada aura un avenir. On peut même penser que le Québec, à moins qu'il ne s'engage résolument sur la voie de l'indépendance, sera au cœur de l'édification du pays de demain. Il est aisé de comprendre pourquoi. En tant que démarche visant à provoquer la mutation du régime canadien dans le sens de l'établissement d'un nouveau lien confédéral au pays — un lien traduisant le déplacement réel des frontières de l'*empowerment* entre les provinces et Ottawa —, le référendum d'octobre 1995 sur la souveraineté-partenariat, qui s'est soldé par un verdict on ne peut plus serré entre les camps fédéraliste et souverainiste, trace implicitement les perspectives à venir. Le résultat de cette consultation populaire marque la fin du régime fédéral tel qu'il a existé. Plus que jamais, le Québec devient la clef du Canada. Il est à la fois sa carte d'atout et son *joker*.

Le Québec sera au cœur de la rénovation du Canada non seulement parce qu'il exprime et représente une composante centrale de l'identité de ce pays réel et fictif qui s'étend d'un océan à l'autre et qui cherche à consolider sa spécificité par rapport aux États-Unis, mais aussi parce qu'il est le garant d'un équilibre entre l'Ouest, l'Ontario et l'Est. Plus encore, le Québec apparaît, dans la conjoncture actuelle et compte tenu de la culture politique qui habite ses élites, le gage d'une harmonisation souhaitable entre l'horizon des réformateurs pragmatiques et celui des partisans d'une nouvelle utopie sociétale. Enfin, par les attentes de sa population envers le changement, notion pratique autant qu'allégorique mais en tout cas mobilisatrice, il est à l'avant-garde de l'avènement possible d'un pluralisme fédéral au Canada. À vrai dire, le Québec est la chance du Canada en même temps qu'il est son butoir. Terre de *leadership* depuis une trentaine d'années, il est l'élan nécessaire à la reconstruction d'un pays. Refuser d'admettre cette évidence, c'est s'exposer à tourner en rond.

Certes, les tensions, les tergiversations et les frustrations réciproques resteront au cœur de la relation difficile, tantôt marquée par la collaboration et tantôt par la concurrence, qu'entretiendront les partenaires canadiens et québécois indissociablement liés dans la construction de l'avenir. Dans la perspective où le Canada demeurera une entité indivise sur le plan politique, on peut même penser que les heurts entre les provinces ou les régions se multiplieront et s'exacerberont au fur et à mesure que, subissant les dynamismes positifs ou négatifs de l'économie migrante, elles réagiront et entreront dans des rapports de confrontation les unes envers les autres, et avec le gouvernement fédéral. Certains indices laissent penser que ces affrontements sont sur le point de s'envenimer, ouvrant la porte à une remise en cause possible, quoique graduelle, du fédéralisme canadien. Les budgets déposés en février 1995 et 1996 par Paul

Martin, ministre des Finances, représentent un pas dans le sens d'un assouplissement des modalités d'administration du régime. Il en est de même de l'ouverture manifestée par Ottawa en ce qui a trait à la gestion des programmes de formation professionnelle. Reste à voir si cette tendance — motivée par un désir de réduire le déficit plutôt qu'inspirée par une nouvelle métavision du Canada — se maintiendra au point de déboucher sur une répartition des pouvoirs qui coïncidera avec les attentes pragmatiques et symboliques d'une majorité de Québécois.

Quoi qu'il en soit, le résultat du référendum d'octobre 1995 aura nécessairement pour conséquence d'inciter les parties à renouveler les grands arrangements administratifs et institutionnels sur lesquels est fondée la fédération. Si l'on ne peut prédire l'issue d'un éventuel processus de révision constitutionnelle, la sagesse d'un côté, la patience de l'autre, devront dans tous les cas inspirer la démarche réflexive des intervenants.

I
LE RÉGIME DE L'ÉCONOMIE MIGRANTE : AU CŒUR DU CAPITALISME FIN DE SIÈCLE

CHAPITRE 1

Panorama de l'économie migrante

Toute analyse des mutations que connaissent actuellement les sociétés occidentales doit prendre en considération les transformations décisives qui marquent le système du capital, c'est-à-dire l'ensemble des articulations et des interactions entre tous les capitaux formant le capital global. Comme chacun sait, ce système est l'un des vecteurs centraux de leur évolution.

À cet égard, il n'est certainement plus possible d'envisager le régime économique qui s'est graduellement mis en place au sein de l'espace mondial — et qui affecte sensiblement le devenir des États-nations contemporains, dont le Canada — à partir des modèles qui avaient permis de représenter ses dynamismes typiques dans la période de l'après-guerre. C'est en usant de la notion d'économie migrante que nous entendons cerner les logiques d'accumulation et de régulation à l'œuvre au sein de ce régime global. Cette notion nous semble utile, car elle permet de penser l'unité du monde dans ses fragmentations et ses polarisations multiples, c'est-à-dire dans ses proximités distantes. Elle permet aussi d'échapper à l'attraction de certaines axiomatiques qui moulent encore largement notre façon d'imaginer la réalité qui nous entoure. Héritées du XIXᵉ siècle, ces axiomatiques, parmi lesquelles on retrouve le concept d'État-nation souverain et celui d'économie internationale, constituent de puissants freins à la perception des mutations qui dérangent l'ordre précaire qui s'était instauré à l'échelle de la planète au sortir de la Seconde Guerre mondiale. Cet ordre, on s'en souviendra, avait été tenu pour indépassable et générateur d'une croissance irréversible.

Logiques planétaires d'accumulation

Dans ses postulats classiques, la science économique se fonde sur une représentation du monde qui, pour comprendre la réalité des échanges internationaux de biens et de services, insiste sur les dotations factorielles et sur les avantages comparatifs de nations entrant dans des rapports de collaboration mutuellement bénéfiques[1]. Dans ce scénario de concurrence pure et parfaite, l'écart sur le plan des prix relatifs d'autarcie, l'inégal accès des pays à la technologie et la spécificité respective des fonctions de production nationales sont, en quelque sorte, les principes explicatifs de l'existence, de l'orientation et de la nature des transactions économiques entre les États.

En introduisant les notions d'avantages compétitifs, de concurrence imparfaite, de configuration spécifique des structures de marché, etc., les nouvelles théories du commerce international ont pris certaines distances par rapport aux thèses habituelles. Mais elles se situent néanmoins dans le prolongement de modèles élaborés pour rendre compte des dynamismes qui se manifestent au sein d'économies fermées, homogènes, présentant des équilibres stables et des enchaînements macroéconomiques longs et convergents. Là réside leurs limites : ces nouvelles théories arrivent difficilement à sortir de l'axiomatique de l'État souverain et de la perspective macroscopique de l'espace national pour fonder leurs raisonnements économiques. Par ailleurs, elles saisissent mal l'importance acquise par l'agent entreprise, notamment les firmes transnationalisées ou mondialisées, dans l'orientation des flux d'échanges internationaux et dans la détermination des spécialisations et des compétitivités ponctuelles et instables qui marquent actuellement les rapports économiques entre les pays.

La notion d'économie migrante, sans contredire la réalité des États souverains et sans nier non plus la capacité régulatrice des institutions qu'ils ont mises en place, relativise considérablement l'idée d'autonomie traditionnellement associée à leur existence.

En régime d'économie migrante, les États continuent en effet de régir les flux de main-d'œuvre et les mouvements de population au sein de l'espace territorial sur lequel ils ont juridiction. Ils assurent également en partie, par le biais de différents mécanismes économiques et extra-économiques, les conditions de reproduction de la force de travail qui y circule. Troisièmement, ils prennent à leur charge un moment du cycle de reproduction des capitaux qui sont déjà présents dans l'espace qu'ils administrent ou qui décident de s'y installer pour une raison ou une autre.

Mais le cycle en entier de reproduction d'une part grandissante de ces capitaux — nous les nommons migrants et volants; voir encart — échappe à leur autorité et à leurs réglementations.

En déplacement continuel, ceux-ci, devenus «nomades», n'entretiennent plus de rapport de fidélité à leur État d'origine[2]. Ils n'obéissent qu'à un principe de gouverne et d'allocation, celui des conditions optimales présidant à leur mise en valeur et à leur rentabilité. Or, ces conditions sont mouvantes dans le temps et dans l'espace. À l'heure actuelle, les capitaux les plus performants sont ceux qui sont investis dans des entreprises réunies en réseau et qui procèdent à la réorganisation continuelle de leurs activités en fonction de l'évolution rapide des marchés. Ces stratégies ont pour effet de provoquer le roulement continuel des facteurs de production dans l'espace, optimisant ainsi la mobilité du capital et créant une mobilité virtuelle du travail. Les capitaux les plus performants sont également ceux qui peuvent profiter, à la faveur d'une répartition stratégique des opérations des entreprises dans l'espace, des avantages consentis par les gouvernements nationaux ou locaux entrant en concurrence pour les attirer. S'il est exagéré de prétendre que le capital bénéficie d'une indépendance totale par rapport à ces acteurs, la capacité qu'il a de se déplacer dans l'espace en procédant à la délocalisation complète de ses activités ou en créant ailleurs de nouvelles unités de production, modifie substantiellement, à son avantage, le pouvoir de négociation qu'il détient face à ses interlocuteurs «enracinés». À un premier niveau, l'économie migrante marque un déplacement décisif de l'impulsion capitaliste hors du champ de régulation de l'État-nation souverain. Cela atrophie considérablement la marge de manœuvre dont disposent les gouvernements pour anticiper et a fortiori pour régler les flux de toutes sortes, positifs ou négatifs, qui traversent leurs frontières. Comme on le verra plus loin, l'État n'est toutefois pas hors jeu. Sa pratique régulatrice s'effectue plutôt positivement dans le sens du processus général de la mondialisation. Elle vise à créer des cohésions systémiques et des avantages compétitifs qui sont attrayants pour les capitaux en transit.

L'économie migrante remet également en cause l'importance des dotations factorielles héritées ou créées comme fondement de la position concurrentielle relative des États. De même, elle diminue

Capitaux migrants et volants

Dans cet ouvrage, nous établissons un certain nombre de différenciations au sein du capital-argent (que nous distinguons de la force de travail ou de l'expertise comme capital), de manière à mieux saisir les spécificités du régime de l'économie migrante. Nous parlons ainsi, pour cerner l'une des partitions centrales au sein du capital industriel et du capital commercial dans ce régime, de capital « enraciné » et de capital « migrant » et, pour saisir l'une des tendances majeures de l'évolution du capital financier, nous introduisons la notion utilitaire de capital « volant ». Celle-ci désigne l'ensemble des capitaux spéculatifs à l'origine de l'émergence d'une véritable économie virtuelle.

Le capital enraciné est celui dont les conditions de reproduction sont liées à l'accomplissement de bouclages économiques et sociaux (approvisionnement/production/consommation) au sein d'un espace restreint qui est pour lui une totalité opérationnelle. Le capital migrant se différencie du premier, avec lequel il peut néanmoins entretenir des rapports économiques, par le fait que ses conditions de reproduction sont entièrement ou partiellement transnationalisées ou mondialisées. Il trouve au sein de cet espace macroscopique sa totalité opérationnelle. Fait à remarquer, nous ne reprenons pas la distinction traditionnelle entre capital « domestique » et capital « étranger ». Ces catégories n'ont plus d'intérêt du point de vue de la théorie de l'accumulation et de la régulation en régime d'économie migrante. C'est en effet le circuit spatial de reproduction des capitaux qui constitue désormais, sur ce plan, le critère déterminant.

L'une des hypothèses centrales que nous avançons dans ce travail veut que les impulsions dominantes qui commandent l'évolution économique et sociale des États occidentaux à l'heure actuelle soient de plus en plus liées aux conditions de reproduction du capital migrant et volant.

la portée effective des avantages comparatifs existants comme principe de localisation des facteurs de production et d'orientation des flux d'échanges dans l'espace[3]. La circulation intensive des capitaux et de la force de travail spécialisée à travers le monde, dans une économie de plus en plus marquée par la production de biens artificiels et par la prestation de services intangibles, autorise en effet des configurations de rencontre entre le capital et le travail qui trahissent les paramètres habituels d'enracinement géographique de ces facteurs de production. La ressource humaine mobile, couplée à une infrastructure légère soutenue par des services transnationaux de distribution informatisés, facilite grandement les opérations de délocalisation et de fragmentation spatiale des activités de production des firmes. Plus encore, cette situation rend possible l'apparition de véritables entreprises virtuelles. Exploitant au maximum les possibilités offertes par l'existence des réseaux productifs, celles-ci se structurent le temps d'un projet en profitant de l'efficacité optimale engendrée par le partenariat industriel et en axant exclusivement leurs stratégies de développement et d'implantation sur la recherche opportuniste d'occasions d'affaires. Ces entreprises virtuelles représentent l'une des formes organisationnelles extrêmes de ce vers quoi tend l'économie migrante, soit le chaos, c'est-à-dire la mouvance et l'émergence perpétuelle comme principe structurant de l'action entrepreneuriale et de la culture managériale. Cette mouvance modifie évidemment la dynamique de localisation des firmes au sein de l'espace réel. Elle inscrit aussi le principe de la fluidité industrielle au cœur de leurs stratégies de déploiement. À nouveau, cette situation n'est pas sans miner sérieusement la capacité régulatrice des gouvernements nationaux.

Une géographie différente de la croissance

Nombreux sont les auteurs qui s'accordent sur ce point : les logiques d'accumulation propres au régime de l'économie migrante influent significativement, en bien ou en mal, en plus ou en moins, sur les équilibres macroéconomiques qui se manifestent au sein des formations nationales[4]. Elles modifient aussi la dynamique existante des rapports internationaux de concurrence.

La configuration actuelle des rapports économiques internationaux et les jeux de la concurrence favorisent en effet la recréation de l'espace économique mondial en des zones fortes et en des zones faibles qui ne coïncident pas nécessairement avec le modèle bien connu, statique et tranché, opposant les pays du « premier monde » à ceux du « tiers monde ». Cette image classique de la subordination des États les uns par rapport aux autres est de moins en moins valable, les frontières étant elles-mêmes devenues des structures mouvantes de configurations spatiales conjoncturelles. Au cœur des pays précédemment bénéficiaires du fordisme se développent des formes de dégradation sociale et des zones de déphasage économique qui témoignent de l'établissement de nouveaux circuits du capital modifiant le paysage acquis des relations d'échanges infra et internationaux. De même, nombre de zones à forte croissance, caractérisées par la présence d'industries fabriquant des biens à haute intensité technologique et employant de la main-d'œuvre spécialisée, se retrouvent à l'intérieur d'États plus tôt qualifiés de « périphériques » ou de « subordonnés ». Au point qu'il devient difficile d'établir quelque configuration fixe à la division internationale du travail et aux rapports d'hégémonie entre les États. Les mouvements de capitaux et les flux réguliers ou illégaux de main-d'œuvre chambardent la hiérarchie prévalant entre les pays sur le plan de leurs caractéristiques développementales. Ils inaugurent une ère marquée par l'effondrement en un seul monde, plein d'asymétries, des trois ou quatre qui gravitaient précédemment autour d'une économie dominante, celle des États-Unis[5].

Il ne s'agit évidemment pas de prétendre que l'Inde et l'Allemagne, pour prendre des cas extrêmes, seront marquées demain par les mêmes tendances et convergeront vers des formes semblables de développement. Au contraire, des écarts majeurs, enracinés dans l'histoire et l'identité économique des régions, continueront de se manifester au sein de l'espace mondial. Ces écarts seront accentués par les stratégies nationales d'États cherchant à protéger les intérêts spécifiques qu'ils représentent. Comme on le sait, le protectionnisme économique est partie prenante de l'ordre global comme le sont les recentrements nationalitaires. Par ailleurs, la primauté acquise par les firmes originaires d'Amérique du Nord, d'Europe de l'Ouest et du Japon dans la maîtrise des procédés technologiques à l'origine de la production des nouveaux biens entrant dans la norme de consommation en émergence (si tant est qu'elle émerge effectivement !),

confirmera la domination des zones du « Nord » sur celles du « Sud »
à court et moyen terme.

Cela dit, l'économie migrante modifie déjà les paramètres existants du développement et de la croissance au sein des « pays dominants » en amplifiant les phénomènes de déphasage et de disparité
en leur sein. L'interconnexion de zones économiques appartenant à
des espaces nationaux différents engendre des effets de croissance
bilatéraux ou multilatéraux qui ne coïncident pas avec les territorialités nationales ni ne profitent aux États dans leur ensemble. Ces
polarisations et ces interconnexions président, depuis une vingtaine
d'années, à la structuration d'un tout nouveau *pattern* géographique
de croissance et de développement à travers le monde et à l'intérieur
des États. Pour le saisir et en comprendre les dynamismes, il faut
abandonner les catégories habituelles d'États nationaux, de centre et
de périphérie, de pays avancés ou en retard, et recourir à celles de
métropoles mondialisées, d'axes économiques vitaux, de zones de
sous-traitance, d'enclaves de haute technologie, de régions liées, de
réseaux hiérarchisés de centres productifs, etc. C'est dans ce cadre
que s'effectue la spécialisation économique des régions et que se
confirme ou que s'étiole leur identité économique[6]. Dans l'établissement de cette configuration spatiale éclatée et mouvante, les firmes
transnationales et mondiales jouent un rôle majeur, sinon moteur.

Les firmes transnationales, agents de la mondialisation

En régime d'économie migrante, le cycle de reproduction d'une
large partie du capital industriel, qu'il soit investi dans les grandes ou
les petites firmes[7], dans le secteur industriel ou commercial, est en effet
mondialisé ou tend de plus en plus à l'être. Cela est vrai aussi pour le
capital financier dans la mesure où les banques, les maisons de cour-
tage et les sociétés de gestion de fonds mutuels ont depuis longtemps
transnationalisé leurs activités de prêts, ainsi que leurs transactions de
titres et leurs placements. Cette tendance à la mondialisation des capitaux tient à l'effet général d'intégration provoqué par l'ensemble des
liaisons et des échanges entre les entreprises. Gravitant les unes autour
des autres, celles-ci sont littéralement aspirées dans le champ d'attraction du « système global » et ce, directement ou par la bande. Le régime
de l'économie migrante est également marqué par des rapports concurrentiels, par des types d'action entrepreneuriale et par des pratiques

de gestion commerciale qui ont fortement évolué si on les compare à ceux qui prédominaient au cours de la phase antérieure du capitalisme, celle du fordisme.

Sur le plan des rapports de concurrence, les politiques de déréglementation mises de l'avant par les administrations publiques, d'une part, et l'arrivée sur les marchés d'entreprises agressives, innovatrices et performantes très souvent originaires d'Asie, d'autre part, ont ouvert la porte à une recrudescence des antagonismes entre les capitaux. Accentués par de spectaculaires opérations de prises de contrôle, ces affrontements ont ébranlé ou entraîné la déstructuration de bien des entreprises géantes ou ronflantes qui avaient trouvé leur « vitesse de croisière », engourdies qu'elles étaient par le chant doucereux d'une inflation qui gonflait sans grands efforts les bilans et les marges bénéficiaires. Cette concurrence accrue a par ailleurs provoqué l'élimination des capitaux moribonds, voire leur délocalisation vers d'autres zones. Elle a aussi amené les conseils d'administration des grandes firmes à revoir substantiellement leurs modes de planification, leurs traditions de gestion et leurs stratégies d'opération. Le dégraissage, la remise en cause des procédures d'administration de type bureaucratique et la recherche d'une productivité accrue par la réorganisation des processus de travail ont été au cœur des stratégies de relance des groupes industriels. Ces stratégies ont largement reposé sur le paradigme communicationnel et informationnel, sur la recherche d'alliances tactiques, sur le fractionnement dynamique et articulé des grands ensembles et sur la sous-traitance. Toutes ces réactions ont eu des effets négatifs sur l'emploi, tant chez les travailleurs spécialisés que chez les cols blancs.

L'amplification de la concurrence découlant de la mondialisation de l'économie et de la restructuration spatiale des réseaux d'échanges a surtout amené les entreprises à revoir leurs stratégies d'implantation et d'opération à travers le monde. Au lieu comme auparavant de commercer à l'échelle internationale en se rapportant néanmoins à une économie nationale d'appartenance, celle où était établi leur quartier général — ce qui les incitait à maintenir, pour des raisons d'identification positive à un État-nation, certaines activités dans leur espace « nourricier » qui était aussi leur principal marché —, ces entreprises sont devenues migrantes, faisant du nomadisme réel ou virtuel le principe de leur gouverne. Ce nomadisme s'est exprimé dans la mise au point de systèmes de production et d'échanges trouvant leur logique principale dans la cohérence générale des opérations internes de la firme elle-même ou d'un réseau de firmes, et dans la cohérence générale des opérations de la firme ou du réseau par rapport à ses concurrentes dans un espace mondialisé.

Dans un tel « système », les mouvements de capitaux et la réorganisation des activités de production dans l'espace sont fréquents. Ils ont peu à voir avec les exigences de l'appartenance nationale des entreprises ou avec les dotations factorielles ou les spécialisations optimales acquises par les États. En fait, les logiques présidant aux flux d'investissement, aux approvisionnements internationaux et aux délocalisations de toutes sortes tiennent aux stratégies de transnationalisation des firmes et à l'optimisation du fonctionnement du réseau. Elles découlent aussi des pressions occasionnées par la concurrence mondiale. Il est important de bien saisir la portée de ce phénomène que nous décrivons symboliquement par le terme de « nomadisme », car il renvoie à une modification significative du procès de reproduction du capital-argent à la suite de l'importance acquise par le capital migrant et volant dans la direction et la structuration générale de ce procès.

Emporté et orienté par les firmes transnationales, ce procès a de plus en plus l'espace mondial comme horizon. Non seulement la circulation de l'argent et des marchandises se fait à cette échelle, mais la mise en œuvre des procès de production et la réalisation du procès de consommation (structuration des marchés) y tendent également. Il n'est pas jusqu'à la configuration des marchés de l'emploi qui ne soit affectée par cette donne — ce que nous verrons plus loin. Les conséquences de ce réalignement mondial du cycle de reproduction du capital-argent sont majeures :

— D'abord, compte tenu que la détermination et la distribution des spécialisations industrielles dans l'espace mondial sont fonction des stratégies de déploiement des firmes au sein de zones précises sélectionnées pour leurs avantages concurrentiels ponctuels ou traditionnels, et compte tenu aussi que la circulation des marchandises, des capitaux et de la force de travail par-dessus les frontières rend malléable les modèles acquis de spécialisations économiques de même que les déphasages de compétences entre les nations, c'est la dynamique des rapports économiques internationaux et intranationaux qui est bouleversée. Suivant l'hypothèse émise par Salais et Storper, cette dynamique serait intimement liée à l'existence de « mondes différents de production ». Ainsi, il n'y aurait plus de croissance nationale dirigée d'en haut, mais une croissance appuyée sur une variété de développements économiques autonomes, situés, auto-entretenus le long de familles de produits particuliers et caractérisés par une innovation continue en leur sein. Chacun de ces « mondes », quoique enraciné « nationalement », mettrait en jeu des ensembles d'entreprises et de personnes d'envergure variable (locale, nationale, internationale). Ils mettraient à contribution l'action de l'État pour les soutenir et les coordonner, mais selon des conventions différentes de celles de la croissance passée. Surtout, ils insèreraient l'économie considérée au sein de l'économie internationale grâce à l'identité que leurs spécialisations respectives procureraient aux régions ou aux nations qui les abritent[8]. Chose certaine, à l'heure actuelle, les connexions économiques horizontales, d'ordre international, se renforcent au détriment des solidarités nationales.

—Ensuite, l'adéquation relative entre le procès de production et le procès de consommation, si importante pour l'équilibre général des économies nationales à l'époque du fordisme, peut désormais se réaliser à l'échelle de la planète. Cela fait que la contrainte de la demande pour les firmes transnationalisées ne se fait plus sentir, ou beaucoup moins qu'auparavant, à l'échelle de l'État-nation. Certes, le dynamisme du marché originel (« domestique ») reste pour ces firmes un facteur important de compétitivité et de rentabilité. Mais c'est le marché mondial qui est devenu pour elles une totalité signifiante et opérationnelle, car les marchés nationaux n'existent plus comme des enclaves protégées ni comme des entités dominées par les champions locaux. En fait, ces marchés ont pris la forme de créneaux internationaux plus ou moins vastes au sein desquels s'imposent des réseaux de petites ou de grandes entreprises transnationales[9]. Contrairement à la tendance précédente, la conquête du marché intérieur n'est plus un préalable inconditionnel à l'expansion internationale. À l'heure actuelle, les firmes les plus performantes sont celles qui arrivent à capter les signaux lancés par les marchés les plus prospères, lesquels sont situés en différents coins de la planète, notamment en Amérique du Nord, en Europe de l'Ouest et au Japon. Pour y arriver, elles délocalisent ou reproduisent, au sein de chacun de ces trois marchés, des fonctions importantes de leur organisation, celles en particulier qui ont trait à la recherche et au développement, de même qu'à la production et à la prestation de services. C'est à partir de leur implantation dans l'une ou l'autre de ces trois macrozones, et après y avoir développé des produits novateurs, que les firmes tentent ensuite de s'imposer au cœur des marchés concurrents du « Nord » et, presque simultanément maintenant, au sein des autres marchés appartenant au système global d'interactions. Selon les stratégies pratiquées par les firmes et la nature des produits lancés, ceux-ci sont fabriqués dans des zones du « Nord » ou ailleurs dans le monde. Jusqu'à récemment, la tendance était de produire en dehors des « pays économiquement dominants » les biens ayant atteint un stade avancé dans leur cycle de vie. Cette tendance n'est cependant ni générale ni inéluctable.

Dans tous les cas, le but visé est de sonder et de satisfaire les marchés les plus vastes en même temps que d'en tirer profit à partir de chassés-croisés d'intrants et d'extrants, de productions et de consommations en provenance de plusieurs points du globe.

Sur le plan du calcul économique, la logique suivie par les entreprises est limpide : se ménager ou accéder à des réserves de marché et de facteurs de production à coûts fortement différenciés, de manière à profiter de ces différenciations dans le cadre de stratégies concurrentielles mondiales[10].

Mutations dans le système du capital

Ce qu'on appelle la mondialisation de l'économie ne se réduit pas à la transnationalisation des échanges et des flux. Cette mondialisation traduit le fait qu'un ensemble de processus constitutifs d'un monde vécu ne font qu'un en temps réel sur toute la planète. Elle crée *de facto* un nouveau monde vécu et idéel au sein duquel s'animent des masses de gens et de firmes qui participent d'une socioéconomie en voie d'affermissement et dont les rythmes sont différents d'autres mondes vécus dans lesquels continuent d'évoluer une multitude d'acteurs qui ne sont qu'indirectement touchés par les attentes et les contraintes de l'ordre global.

La mondialisation n'entraîne ni la destruction obligée ni la transformation complète des autres régimes de production et d'accumulation qui se sont développés au cours des temps. Pour le moment, il faut la concevoir comme un processus équivoque et relatif de mutation des sociétés capitalistes et industrielles. Cette mutation n'est ni absolue, ni catégorique, ni surtout achevée. Il ne fait aucun doute cependant que le régime économique qu'elle instaure est en train d'acquérir une position de surdétermination par rapport à tous les autres en les aspirant dans son sillage et en les soumettant à ses logiques hégémoniques.

L'une des conséquences majeures de la mondialisation est certainement de modifier la dynamique inhérente au système du capital qui prévalait après la Seconde Guerre mondiale dans les pays marqués par le fordisme[11].

À cette époque, l'articulation axiale du système se réalisait à l'intérieur des espaces nationaux, bien que la circulation de l'argent et des marchandises ait lieu aussi à l'échelle internationale. Le procès de reconstitution de la force de travail, coïncidant avec la macro-reconstruction du mode de vie populaire, s'effectuait de manière durable, massifiée et expansionniste dans le cadre du procès de reproduction du capital. Le bouleversement continuel de la sphère privée par la logique marchande était l'une des pierres angulaires sur laquelle reposait le système. La révolutionnarisation de la norme sociale de consommation (à distinguer de la simple diversification de la demande) rendait en effet possible l'articulation vertueuse du cycle de reproduction du capital à travers les sections I et II du procès de la production économique. Cela engendrait des effets de croissance longs, réguliers et généralisés au sein de l'économie. L'existence ou la constitution de filières productives fonctionnant surtout à l'échelle nationale facilitait la diffusion de ces effets de croissance par tout l'espace national. Là où ils se manifestaient le moins, ces effets étaient compensés par l'intervention systématique de l'État à titre de grand agent régulateur. L'augmentation de la productivité multifactorielle dans les secteurs traditionnels (agriculture et industrie), d'une part, et l'extension du rapport salarial et des rapports marchands dans le champ social (dont rendait compte la croissance des services), d'autre part, alimentaient toute la dynamique économique. Par les logiques accompagnant sa mise en œuvre, le procès de production favorisait lui aussi l'intégration du procès de reconstitution de la force de travail dans le cycle général de la reproduction du capital. Entre 1945 et 1975, la tendance dominante dans les pays industrialisés était en effet à l'amalgamation de la main-d'œuvre autour d'un noyau *leader* fortement revendicatif constitué par les travailleurs des grandes entreprises et les employés de l'État. Dans l'ensemble, les dynamismes marquant le système du capital au sortir de la Seconde Guerre mondiale ressemblaient à ceux qui caractérisent le processus physique d'effondrement sur eux-mêmes des trous noirs. La circulation intensive des facteurs et des acteurs produisait une espèce de dynamique centripète accentuant à son tour l'attraction et l'agrégation des particules vers le centre. L'institutionnalisation des diverses composantes du rapport salarial ne faisait que cimenter le tout[12].

Or, depuis le début des années 1980, ce sont des phénomènes différents que l'on voit naître. Le système du capital n'opère plus de la même manière. Ainsi, son articulation axiale s'effectue désormais dans l'espace mondial. C'est à cette échelle que se produit l'unité de fonctionnement des interactions économiques. D'où l'idée d'en parler comme d'un système global, voire planétaire. La globalisation des processus productifs pratiquée par les grandes firmes, d'une part, et l'articulation des stratégies d'expansion des petites entreprises aux marchés mondiaux, d'autre part, ont contribué à diminuer l'ampleur et l'intensité des boucles vertueuses qui se manifestaient plus tôt entre les sections I et II de la production *dans un cadre national*. La répartition des activités de production entre des espaces spécialisés fortement intégrés à l'échelle mondiale fait que des complémentarités macroéconomiques, profitables à des firmes et à des zones surtout, stimulent des espaces localisés sans provoquer ces enchaînements longs, harmonieux et générateurs d'effets d'entraînement qui étaient caractéristiques du fordisme. Au contraire, les enchaînements découlant de ces complémentarités sont courts, chaotiques et n'irradient que très peu la périphérie des zones ou les secteurs amonts et avals des industries qui en bénéficient parce qu'elles sont partie prenante d'un « bouclage vertueux mondial ». C'est dans un rapport entre le local et le global que se font dorénavant sentir les complémentarités économiques et que s'effectue le développement des zones industrielles. En pratique, les flux productifs ont tendance à suivre des logiques de concentration spatiale donnant lieu à l'apparition de districts industriels articulés à des réseaux globaux dominés par une firme amirale transnationale[13].

Cette dynamique a fortement affecté l'existence et la fonctionnalité des filières productives et des « grappes industrielles » localisées au sein d'un même espace national.

Dans le système actuel du capital, la force de travail existe à la fois sous la forme de bassins fragmentés nationaux et comme une entité mondiale de consommation. Certes, cela a toujours été en partie le cas, mais il est clair que les vingt dernières années ont coïncidé avec une amplification remarquable du phénomène, celui-ci étant facilité par l'abaissement des coûts de transport et par la réduction conséquente des distances économiques. Pour le capital, les marchés de consommation sont globalisés. L'émergence actuelle de classes moyennes dans les nouveaux pays industrialisés et dans les anciennes périphéries constitue autant d'occasions d'affaires pour écouler des gammes de produits et de services appartenant à la norme sociale de consommation en vigueur au « centre »[14].

Fait à signaler, la globalisation des marchés ne se traduit pas par une recrudescence des emplois au « centre ». Elle n'entraîne pas non plus, sur une base élargie, ce que l'on appelle la délocalisation de la production vers la « périphérie ». En fait, les biens offerts à la consommation dans les pays situés hors du « centre » sont très souvent fabriqués dans les États de la « périphérie » ou dans les nouveaux pays industrialisés. Si bien qu'il est inexact de soutenir que l'extension du marché mondial et que l'incorporation de consommateurs toujours plus nombreux dans l'espace capitaliste pourraient résoudre les problèmes structurels de croissance et d'emploi dans les « anciens pays industrialisés ». Cela se ferait si tous les biens écoulés sur le marché mondial étaient produits au « centre », ce qui n'est pas le cas. Par ailleurs, contrairement à ce que l'on croit communément, les nouveaux pays industrialisés arrivent mal pour l'instant à concurrencer leurs compétiteurs du « centre » sur le plan des nouveaux biens de consommation lancés sur le marché. Jusqu'ici tout au moins, le renouvellement des normes de consommation au « centre », y compris au Japon, ne s'est pas fait à partir de tendances émergeant dans la « périphérie ». C'est plutôt le contraire qui est arrivé. On peut penser qu'il en sera de même au moment où l'on tirera amplement profit des applications engendrées par la quatrième révolution technologique, laquelle est fondée sur la microélectronique, la génétique, les alliages nouveau genre et le laser. En pratique, le mythe du « premier monde », à copier ou à rattraper, c'est selon, reste omniprésent sur le globe.

Sauf pour des secteurs précis, les travailleurs de la « périphérie » n'entrent pas en concurrence avec ceux du « centre ». Prétendre le contraire est faire preuve de simplisme. En réalité, ce sont les travailleurs du « centre » qui se concurrencent les uns les autres comme conséquence de l'intégration des marchés au « Nord » et des pratiques de localisation spatiale des entreprises. Le déclin relatif de l'industrie manufacturière au « centre » découle beaucoup moins de la délocalisation de la production vers la « périphérie » que de l'augmentation de la productivité dans ce secteur. Il tient aussi à la saturation des marchés et au renouvellement lent et inégal des modèles structurels de consommation dans les « anciens pays industrialisés ». On oublie trop souvent ce qui paraît essentiel : l'expansion des économies du « centre » et la croissance des emplois au « Nord » restent fondamentalement attachées à la révolutionnarisation des conditions de production et des modes de vie dans cette mégazone.

À cet égard, il faut savoir que la « révolutionnarisation » de la norme sociale de consommation » se fait de manière fort contrastée et inégale dans les pays du « Nord »[15]. Ce phénomène est le résultat d'une dynamique qui apparaît comme centrale au système du capital en émergence. Au lieu comme auparavant d'engendrer des effets d'amalgamation des acteurs et des facteurs, la mise en œuvre du procès de production provoque une dispersion et une fragmentation structurelle. À la périphérie d'un noyau de permanents gravite désormais une masse de travailleurs occupant des fonctions d'emplois plus ou moins complexes, mais en tout cas marquées par une même caractéristique, celle d'être exercées sur une base cyclique, temporaire, contractuelle, intérimaire, parcellisée, émiettée, etc. Si bien que, contrairement à ce qui se passait à l'ère du fordisme, le procès de reconstitution de la force de travail s'effectue maintenant, pour une portion significative du salariat, de manière intermittente, relâchée et flexible dans le procès de reproduction du capital. Cette tendance, anticipée par les théoriciens de la segmentation du marché du travail[16], s'est accentuée au point de devenir l'une des composantes majeures du nouveau régime économique. Certes, personne ne prétendra que le travail est « en train de perdre son emploi ». Mais à l'heure de l'« entreprise dispersée », ses formes sont de plus en plus éclatées. Le salariat semble marqué par une dynamique de nucléarisation/périphérisation qui n'apparaît pas comme le fruit d'une adaptation conjoncturelle — donc réversible — du marché de l'emploi, mais comme l'expression de sa mutation structurelle. Or, au lieu de produire du recentrement, cette dynamique de fragmentation accentue la différenciation et la dualisation sociale (encart), voire la désaffiliation et l'exclusion de certains segments de la force de travail. Il est difficile de prévoir les conséquences d'un approfondissement de cette tendance à la centrifugation. Mais il est clair qu'elle diminue les chances d'une reprise durable. L'inégalité socio-économique mine les fondements de la croissance.

Cependant, on aurait tort de croire que le système actuel du capital ne génère pas de croissance. Celle-ci se manifeste toutefois sous la forme de cycles économiques brusques, variables en intensité et sans direction précise. Cette situation tient à plusieurs facteurs, notamment à l'importance grandissante qu'a pris la production de

Dualisation sociale

Puisque nous employons à maintes reprises la notion de dualisation dans cet ouvrage, il importe, à défaut de la définir normativement, de préciser au moins le registre analytique auquel elle appartient. Dans notre esprit, la dualisation ne décrit pas un processus de segmentation achevé et étanche, ni ne renvoie à quelque idée de partition institutionnalisée. Par dualisation sociale, nous entendons que, dans la société actuelle, il y a déstabilisation relative de la condition salariale et dégradation relative d'un modèle établi de structuration sociale. Cette déstabilisation et cette dégradation s'effectuent dans le sens d'une focalisation tendancielle des acteurs dans des territoires de production, de consommation et de socialisation/sociation par rapport auxquels ils définissent leurs statuts et leur identité, et vivent empiriquement leurs citoyennetés différentielles. En termes clairs, dans le cadre d'un continuum de positions sociales, il y a apparition d'un éventail d'états de dépossession sociale et de déficits d'intégration — y compris par rapport au futur — qui traduisent l'émergence de deux grands mondes vécus, celui des « gagnants » et celui des « perdants ». Ces mondes, auxquels sont temporairement ou structurellement reliés les acteurs, ne sont pas fermés l'un à l'autre. Ils marquent cependant l'apparition de formes de dissociation au sein de l'espace social et civique, dissociation assimilée par les acteurs sur le mode de ruptures d'égalité perçue et vécue.

biens et de services intangibles dans l'ensemble de l'économie, de même qu'à la reconformation apparente des besoins autour de nouvelles valeurs plus immatérielles[17]. On se rappellera qu'en régime fordiste, les marchandises centrales à la norme de consommation qui se développait avaient pour conséquence de relancer continuellement le cycle productif à la suite des effets de propagation qu'elles généraient vers les autres secteurs de l'activité économique[18]. Or, tel n'est pas le cas avec les « biens » qui apparaissent comme structurants du régime d'existence en train de s'imposer, soit les communications informatisées, les ondes, les informations télétransportées et les divertissements de tous genres. Non seulement la production de ces biens exige moins d'intrants matériels et d'infrastructures qu'auparavant, mais leur consommation ne semble pas provoquer, pour l'instant du moins, un réaménagement des cadres de vie de l'ordre de celui qui était survenu à l'époque du fordisme[19]. On pourrait penser que ce régime d'existence se situe dans la « queue » de la comète fordiste plutôt qu'il ne rend compte d'une transformation structurelle du mode de vie.

Dans les sociétés contemporaines, le régime d'existence des individus et des ménages tend à laisser une large place à la consommation de technoplaisirs et de flux sensoriels de toutes sortes. Par définition, ceux-ci sont volatils et précaires, spontanés et partiellement immatériels. Surtout, ils exigent d'être perpétuellement renouvelés et améliorés pour satisfaire les exigences de clients devenus particulièrement attentifs à leurs pratiques de consommation. Si le fordisme, comme on l'a dit tantôt, avait coïncidé avec une phase de macroreconstruction du mode de vie populaire (prédominance des biens immobiliers dans la norme de consommation, modification significative des infrastructures matérielles et des cadres de vie, des « contenants durs », pourrait-on dire aussi), la phase actuelle est associée à la microconstruction d'une pluralité de régimes d'existence à géométrie variable et centrés sur des biens qui, tout en étant complémentaires des précédents ou adaptables aux cadres existants, n'ont ni la même longévité, ni la même « consistance ». À vrai dire, ces « biens » sont de plus en plus des services[20], des informations et des loisirs que l'on achète et que l'on consomme pour meubler son ego, pour assouvir ses fantasmes et avoir du *fun*, pour obtenir conseil en vue d'offrir un meilleur rendement, pour reposer son corps ou pour détourner son esprit des grisailles de la condition humaine[21]. Sans porter de jugement sur la valeur de ces consommations éphémères dont la nature coïncide certainement avec la phase actuelle du cycle de vie de la génération des *baby boomers,* force est de dire qu'elles contribuent à l'instauration d'un régime de croissance qui évolue en dents de scie, les reprises étant toujours d'ordre sectorielle plutôt que générale, courtes plutôt que longues, saccadées plutôt que régulières. C'est que les effets multiplicateurs de ces consommations « molles » n'ont ni la même intensité, ni la même envergure que ceux qui étaient caractéristiques des « consommations fordistes » — dont le potentiel économique semble maintenant épuisé au « Nord ». Contrairement à ce que prétendent bien des observateurs, l'évolution tourmentée qui marque les économies industrielles contemporaines n'est pas la manifestation ponctuelle d'un cycle bas ou le résultat de politiques mal ciblées de la part des décideurs — quoiqu'ils aient du mal à saisir la logique des variations économiques et à les régulariser. Il s'agit de l'un des avatars du système du capital à l'ère de l'économie migrante et informationnelle.

Une autre raison expliquant l'évolution convulsive de la croissance actuelle tient à la vitesse d'obsolescence extrêmement rapide des produits et services lancés sur le marché. Le temps qui sépare le moment initial du cycle de vie de ces produits (innovation), son pic (commercialisation et distribution) et sa fin (apparition d'un produit concurrent, épuisement d'un marché de toute façon éphémère, nouvelle innovation) est court. La disparition ou le remplacement de ces produits s'effectue brutalement. Au lieu de suivre la courbe d'une montagne aux pentes douces et au sommet arrondi, le cycle d'affaires induit par ce cycle d'obsolescence des produits a la forme d'un triangle aux angles obtus et dont l'une des droites tombe pratiquement à 90 degrés. Cette situation renforce évidemment le principe d'une croissance saccadée.

Pour les entreprises évoluant dans ce contexte d'économies d'échelle, de dimensions et de cycle rapide, l'avantage concurrentiel réside de plus en plus dans leur capacité à disposer, à traiter et à faire circuler de l'information, tant en aval du procès de production qu'en amont, en vue d'optimiser l'adéquation entre les biens fabriqués et les marchés de consommation. Puisque ces marchés évoluent continuellement, qu'il sont « spécifiés » plutôt que massifiés et qu'ils ne sont plus soumis aux diktats de monopoles imposant leurs lignes[22], il est essentiel pour les firmes d'anticiper le plus possible les préférences des consommateurs pour les apprivoiser. D'où l'importance de recueillir et d'interpréter correctement les données disponibles les concernant, l'individu étant pratiquement devenu, par ses caractéristiques singulières, un « petit marché » à conquérir[23]. De nouveau, l'idée n'est pas de prétendre que ces tendances n'étaient pas déjà inscrites au cœur du fordisme. Ce régime économique reposait en effet sur le roulement et le renouvellement incessant des productions et des consommations. À l'heure actuelle, il appert toutefois que le rythme d'introduction des nouveaux biens et services sur les marchés dépasse de loin la vitesse avec laquelle se transforment les pratiques et la norme sociale de consommation.

L'époque actuelle est d'ailleurs marquée par d'importants décalages entre différentes temporalités. Ainsi, le rythme d'évolution technologique est beaucoup plus rapide que les temporalités opérationnelles utilisées par les entreprises pour initier et réaliser des projets. La vélocité du développement technologique ne s'accorde pas non plus avec certaines dispositions importantes du système juridico-économique, par exemple celles touchant aux conditions d'amortissement des dépenses d'équipement. Pis encore, la temporalité des systèmes organisationnels et celle des systèmes socioéconomiques, lentes et lourdes à se modifier, sont en tension continuelle avec celle des systèmes technologiques. La mondialité ajoute à la difficulté d'articulation fonctionnelle de toutes ces temporalités en augmentant le coefficient d'hétérogénéité spatiale. Que dire à propos du degré de complexification supplémentaire apporté par la virtualité à toutes ces temporalités empiriques? On peut penser que les décalages de temporalités qui marquent les sociétés capitalistes en cette fin de siècle pèsent lourdement dans les désynchronisations et déphasages de toutes natures qui se manifestent en leur sein[24].

Au chapitre des pratiques de consommation en tout cas, peu nombreux sont ceux qui peuvent suivre l'évolution consommatoire actuelle dans le paroxysme de son affolement. D'autant plus que les nouveaux modes de rémunération ne favorisent pas, sur le plan macroéconomique, l'arrimage de la production à la consommation à une base stable. Si on examine les choses au ras des pratiques, les structures de consommation tendent à se différencier, voire à se dualiser dans les pays du « centre ». D'un côté, il y a les personnes dont le régime d'existence reste en étroite continuité avec celui qui s'était imposé au cours des cinquante dernières années, tout en connaissant des ratés ; de l'autre, on retrouve ceux qui, grâce aux moyens ultramodernes de télécommunication, voient leur vie privée être davantage soumise au règne du capital. Largement adeptes du télétravail à domicile (total ou partiel), ils font de leur milieu de vie un espace de réalisation personnelle et de promotion professionnelle, confondant allégrement ces deux finalités de l'existence. Loin de pratiquer quelque *cocooning* nouveau genre (débranchement), ils vivent au contraire les premières manifestations de la domotique, forme en devenir du « surbranchement[25] ». Connaissant une intensification de leur rythme d'existence, ils sont projetés dans l'espace-temps de la mondialité, pénétrant de cette manière une nouvelle socialité et bâtissant en conséquence leur imaginaire. En tant que gagnants dans le système qui s'affirme, leur reproduction s'effectue de manière durable dans le cycle de reproduction du capital alors que celle des premiers s'y fait de manière plus irrégulière, précarisée et « flexible ». Cette dynamique est à l'origine des nouvelles conditions qui marquent le monde du salariat en régime d'économie migrante.

CHAPITRE 2

« Migrants » et « enracinés » : les nouvelles catégories sociales

On s'était habitué en Occident à ce que la reproduction de la force de travail se fasse de manière prédominante dans le salariat et dans un cadre de régulation territoriale bien défini, celui de l'État-nation. La sédentarisation historique du prolétariat et sa transformation graduelle en classe moyenne, sous l'effet de ses luttes et de son intégration dans les conditions générales de l'accumulation, avaient d'ailleurs joué un rôle majeur dans la consolidation des États-nations en tant qu'espaces économiques et politiques recentrés sur eux-mêmes et produisant des effets de massification.

Or, l'avènement d'une économie migrante et globale modifie cette donnée. Celle-ci pose en effet les conditions objectives d'une dissociation tendancielle du cycle de reproduction du capital d'avec celui de la force de travail sociale dans un cadre national. L'articulation axiale du système s'effectue désormais à l'échelle mondiale. En liant son cycle de reproduction à un système d'interactions planétaires, une portion significative des capitaux individuels déporte hors de l'espace national les périls inhérents à sa reproduction, soit le chômage d'une part, et l'absence de consommation des ménages et des individus dans l'économie capitaliste d'autre part.

En pratique, le cycle de reproduction des capitaux participant de l'économie migrante et globale peut s'effectuer malgré l'amplification du chômage et de la demande agrégée à l'échelle « nationale ».

On saisit aisément les répercussions de cette situation : du point de vue du système du capital en émergence, les conditions objectives sont posées pour qu'il y ait précarisation accentuée du cycle de reproduction de la force de travail sans que cette précarisation affecte de manière fondamentale la reproduction du capital dominée par les logiques d'accumulation du capital migrant et volant.

Le rapport capital/travail dans l'ordre global

Pour les capitaux qui se déploient aux quatre coins de la planète, la force de travail existe désormais comme une entité globale. Elle constitue un réservoir de main-d'œuvre et une masse de consommateurs potentiels dont il est possible, dans le cadre de stratégies mondialistes, de tirer profit des caractéristiques particulières en même temps que des effets de nombre. De son côté, la main-d'œuvre ne cesse pas d'être régie par des « régulations nationales ». Elle ne peut circuler comme bon lui semble. Elle existe toujours réellement sous la forme de bassins séparés et fragmentés dans l'espace. Il s'agit là d'une situation dont les capitaux transnationalisés peuvent tirer parti comme jamais auparavant et qu'ils exploitent effectivement à leur avantage.

Certes, malgré l'ampleur prise par la globalisation des processus productifs et par l'intégration des marchés, la planète n'est pas devenue le terrain d'évolution de tous les capitaux individuels. La « formation sociale nationale » reste le lieu privilégié où une forte proportion d'entre eux — nous les nommons « enracinés » — circulent et se reproduisent. Ces capitaux jouent un rôle névralgique dans la situation économique générale prévalant au sein des États. Est-il nécessaire de rappeler à quel point les petites et moyennes entreprises œuvrant dans le secteur des services non exportables ont été de grandes créatrices d'emplois au cours de la dernière décennie[1] ? Si l'espace mondial est le terrain où se jouent et se résolvent les rapports de concurrence les plus spectaculaires, ceux dont les répercussions sur le plan politique et médiatique sont les plus fortes, ce monde de la production où évoluent principalement de grandes firmes et de petites firmes qui ont pénétré des créneaux étroits et spécialisés n'est pas le seul responsable de la richesse créée au sein des nations. Fustigeant les ténors de la thèse de la compétitivité internationale à tout prix, Paul Krugman soutenait l'idée, dans un livre à saveur polémiste, que l'augmentation du niveau de vie, à l'intérieur d'un espace national, était lié beaucoup plus à l'accroissement de la productivité qu'à la conquête de marchés extérieurs[2]. Selon lui, il était vain d'arrimer les politiques économiques nationales aux seuls intérêts des exportateurs, car ceux-ci ne déterminaient pas la condition économique des États. Bien que cette position ne soit pas incontestable[3], surtout dans le cas du Canada, elle a au moins le mérite de souligner que l'option défendue par les *strategist traders* n'est pas une option qui soit profitable à tous les secteurs de la société.

Si le cadre local/national reste, pour nombre de capitaux enracinés, le lieu principal, voire exclusif, de leur valorisation, l'État national n'est pas non plus éliminé, loin de là, en tant qu'agent régulateur et structure référentielle pour la force de travail « vulnérabilisée » par suite des dynamismes inhérents à l'économie migrante. Il reste, à travers les mécanismes de sécurité sociale, un support fondamental de reproduction qui permet aux personnes d'assurer les soudures entre leurs périodes d'emploi et de chômage. Mais c'est là précisément que le bât blesse : en même temps qu'elles sont de moins en moins capables de maîtriser les tendances erratiques et chaotiques de l'économie migrante ou d'en récupérer les bénéfices potentiels, les administrations publiques se trouvent avec la pénible et onéreuse responsabilité d'entretenir, pour des périodes de plus en plus longues, la masse grandissante de précarisés et de désaffiliés engendrée par les nouvelles conditions découlant du cycle de reproduction des capitaux et par le système du capital lui-même.

Peu nombreux sont les observateurs qui acceptent d'envisager le problème de l'emploi et du chômage dans une perspective mondialiste. Cette perspective analytique ne semble pas justifiée parce que la régulation de la force de travail reste l'apanage des États-nations et que les politiques d'adaptation ou de régénération de la main-d'œuvre sont le fait des administrations publiques nationales. Jusqu'ici, les interventions de ces dernières n'ont toutefois donné lieu qu'à des résultats mitigés, et l'on devine pourquoi. C'est que l'économie migrante, en ne produisant pas d'équilibres stables au sein des espaces nationaux, déjoue l'imaginaire acquis du fonctionnement des circuits capitalistes. De même, elle paralyse les effets d'induction espérés par les décideurs à la suite de l'application des théories classiques touchant à la structuration et à la régulation des marchés du travail. Or, ces marchés se configurent de plus en plus à partir d'impulsions exogènes renvoyant elles-mêmes à une circulation globalisée des flux.

Acteurs gagnants ou perdants dans le régime naissant

Si l'on ne peut parler d'un marché mondial de l'emploi, le travail, comme le capital, existe déjà en tant que flux transnationalisés, réels ou virtuels[4]. Le capital, on le sait, recherche une mobilité optimale. En régime d'économie migrante, ses déplacements sont encore plus fréquents parce qu'ils sont facilités par la technique et par la « virtualisation » des processus productifs. Ils s'orientent en outre vers toutes les directions profitables, dans la totalité de l'espace « disponible ». Le capital — nous parlons ici du capital migrant — déplace avec lui une partie de la force de travail spécialisée dont il a besoin pour raccourcir ou rendre plus efficaces ses rotations. Ces travailleurs ne sont pas que des cadres qui sillonnent le monde dans des avions supersoniques. Une grande partie de ceux que l'on appelle les travailleurs à propre compte, monopatrons, conseillers et contractuels, font partie des régiments de « nomades » qui accompagnent le cycle de reproduction du capital migrant dans l'espace infra et international. La main-d'œuvre « enracinée », celle dont le capital migrant n'a besoin que ponctuellement, en des phases précises, pour achever sa rotation, subit négativement tout le cycle de la migration[5]. Cette différenciation entre une force de travail spécialisée, composée d'experts de tous genres qui sont en déplacement continu et qui vendent chèrement leurs compétences, leurs idées ou leurs talents (doit-on voir là l'émergence d'une nouvelle diaspora ?), et une main-d'œuvre spatialement beaucoup plus stable et dépendante de l'itinéraire louvoyant des capitaux, est à l'origine des formes nouvelles de stratification sociale à l'œuvre au sein des sociétés salariales.

Le schéma 1 fournit une représentation statique des partitions sociales et de la stratification sociale qu'entraîne le régime de l'économie migrante dans les États occidentaux contemporains marqués par l'hypermodernité. L'espace social est « coupé en deux » par une ligne de fracture qui illustre le processus en cours de dualisation de

Schéma 1

Formes de la stratification sociale
en régime d'économie migrante

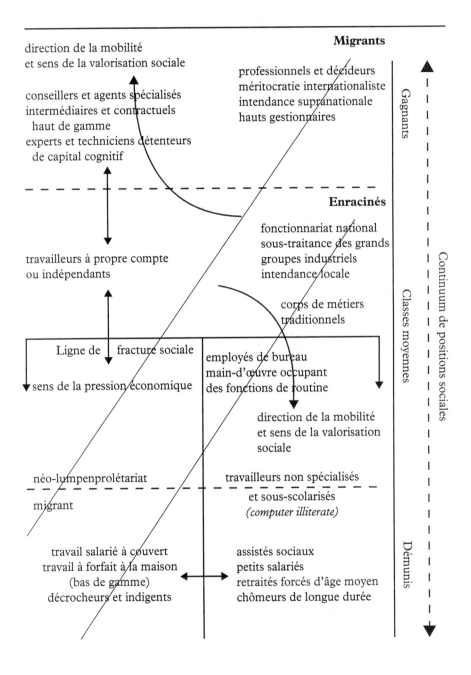

la société. Celui-ci, on l'a dit précédemment, rend compte de la formation de territoires concomitants de sociation et de socialisation. Plus largement, il traduit et consolide la structuration de deux grands mondes vécus[6]. Suivant notre schéma, l'espace social est également traversé par deux axes le long desquels se situent les catégories sociales selon qu'elles appartiennent aux réseaux de « migrants » ou d'« enracinés ».

Les réseaux de migrants regroupent l'ensemble des catégories sociales participantes des processus migrateurs. Ceux-ci ont beaucoup à voir avec l'internationalisation du capital et ses redéploiements dans l'espace mondial et infranational. Dans les réseaux de migrants circulent bien sûr les méritocrates internationaux, sorte d'intendance mondiale soutenue par les gouvernements et les organismes supranationaux. Mais s'y trouvent aussi de plus en plus les techniciens et les experts, spécialistes aguerris ou en formation, détenteurs de capital cognitif, qui s'insèrent dans des réseaux internationaux en s'y déplaçant de corps et d'esprit. Il semble d'ailleurs qu'un véritable marché transnational du travail soit en voie de constitution pour les détenteurs de compétences intellectuelles et d'expertises recherchées. Son existence est notamment facilitée par les législations nationales et internationales touchant à la circulation des spécialistes et des « gens d'affaires ». Il va sans dire que ce marché, très compétitif pour les acteurs qui y participent (Experts, États, Entreprises — le trio gagnant dans l'arène mondiale), se structure autour de points nodaux qui sont très inégalement répartis sur la planète. La très grande majorité de ces points nodaux sont situés dans les zones fortes du « Nord », grandes cités cosmopolites ou « enclaves de matière grise ». C'est en direction de ces points nodaux que s'effectue l'« évasion de cerveaux » dont sont victimes bien des États de par le monde, en particulier ceux du continent africain.

Font également partie de la métacatégorie des « migrants », du côté des « gagnants », les cadres, les décideurs, les dirigeants, les conseillers, les agents spécialisés, les intermédiaires et les mono-entrepreneurs de tous genres. Ceux-ci circulent réellement ou virtuellement dans l'espace inter ou infranational, par l'entremise des moyens de transport rapide et des technologies modernes de communication, à la recherche d'occasions d'affaires, y compris celle de vendre leurs services professionnels aux plus offrants. Tous ces travailleurs — si ce générique convient bien pour décrire leur condition — peuvent, en tant qu'individus singuliers se percevant comme des experts dans l'ordre des occupations, profiter de la mondialisation du cycle de reproduction des capitaux et tirer parti de la culture de l'initiative personnelle qui l'accompagne. Ils occupent, en regard des processus décisionnels et opérationnels qui marquent les sociétés occidentales contemporaines, des positions de contrôle et bénéficient d'une autonomie dans leur fonction. Ils forment largement ce que l'on a commencé d'appeler, aux États-Unis, l'*overclass*[7].

Dans les réseaux de migrants se trouve aussi cette masse d'ouvriers déracinés, sorte de néo-lumpenprolétariat mondialisé, qui transite de par la planète à la recherche d'emplois. À ce titre, il faut notamment inclure les réfugiés qui sont de plus en plus des migrants économiques. Portés notamment par les mafias, qui jouent un rôle non négligeable dans certaines ramifications de l'économie migrante, cette force de travail sert de main-d'œuvre à bon marché aux capitaux qui sont investis dans des activités illégales ou dangereuses, déplaisantes ou mal rémunérées, et ce, partout dans le monde[8]. Tous les États industrialisés cherchent, d'une manière ou d'une autre, en fonction de leurs besoins du moment et de leurs «traditions nationales», à tirer parti des migrations de travailleurs internationaux au sein de leur espace en même temps qu'à les régulariser[9].

Il n'existe pas pour l'instant d'antagonisme social ou politique, ni de concurrence économique, entre les catégories participantes des réseaux migrateurs, dont certaines apparaissent « gagnantes » alors que les autres semblent «perdantes». Leur expansion polarisée, à l'un et à l'autre bout de l'échelle de la stratification sociale, exprime pour ainsi dire les deux faces d'un même processus : celui de l'accroissement simultané, dans les États postkeynésiens, des fonctions professionnelles de gérance et celles, moins illustres mais tout aussi importantes, de besogne. Cette situation est d'ailleurs intimement liée au fait que l'économie migrante favorise le développement interrelié, au cœur même des zones du « Nord » et notamment dans certaines grandes villes, des secteurs de pointe et des secteurs informels. Au sein de ces derniers s'engagent quantité de travailleurs migrants qui trouvent dans le petit commerce de détail et dans les manufactures illicites, versions modernes des anciennes *sweatshops*, des emplois qui, nonobstant leur caractère aliénant, leur permettent d'améliorer relativement leurs conditions d'existence[10]. Certains analystes avancent même l'idée que la présence massive d'immigrants légaux et illégaux dans les grandes cités cosmopolites est une façon de restaurer la compétitivité perdue des zones du « Nord » sur celles du « Sud » au regard de la production de certains biens traditionnels exigeant de courts délais de livraison. En d'autres termes, les cités globales, par les activités qu'elles concentrent, seraient à la fois les « centres » et les « périphéries » du monde dans le système du capital en émergence[11].

Dans les réseaux d'« enracinés » évoluent des catégories sociales qui n'ont pas d'affinités particulières et qui entretiennent même des rapports d'opposition. En pratique, elles sont toutefois marquées par une même condition objective, celle de leur dévalorisation relative ; et, pour les individus ou les familles les moins fortunés dans le contexte actuel d'instabilité des marchés du travail, celle de leur dérive tendancielle vers des statuts d'existence précaires. Parmi ces catégories sociales, on trouve les employés des fonctions publiques et parapubliques « nationales ». Ceux-là sont largement victimes des nouveaux modes de gestion pratiqués par les cadres et les managers qui administrent au quotidien les appareils d'État[12]. On y rencontre aussi la plupart des travailleurs appartenant aux corps de métiers traditionnels. Dans la période d'après-guerre, ces deux groupes avaient connu une augmentation substantielle de leurs effectifs et s'étaient retrouvés au cœur de la mobilisation et des revendications syndicales. Ils occupaient une place centrale dans le système d'actions et de représentations façonnant l'État keynésien. Ils sont aujourd'hui en perte de vitesse parce que les emplois qui les faisaient vivre disparaissent rapidement et ne sont pas remplacés par des activités ayant le même contenu ou la même forme. Dans les réseaux d'« enracinés » se regroupent également les travailleurs des grandes, moyennes et petites entreprises privées qui occupent des fonctions d'intendance et des emplois de bureau ou dès emplois routiniers. Ceux-là sont particulièrement touchés par la restructuration du marché de l'emploi et par les opérations de dégraissage auxquelles se livrent les entreprises.

Toutes ces catégories sociales formaient le cœur de la classe moyenne. Par le style de vie qu'elles préconisaient, elles soutenaient les modèles de consommation et les valeurs propres au fordisme.

Elles incarnaient aussi les modes de participation civiques propres aux sociétés massifiées. Sachant qu'historiquement les classes moyennes ont été au cœur de l'économie politique de l'État-nation contemporain, dont la forme typique en Occident fut celle de l'État-providence, on peut se demander si le processus de fragilisation qu'elles connaissent et qu'elles assimilent surtout sur le plan de leurs représentations collectives, n'entraînera pas le dépérissement de cette *forme* particulière de l'État. On se rappellera qu'historiquement, c'est la classe moyenne qui a littéralement construit la culture capitaliste. C'est elle aussi qui a posé les conditions objectives du fonctionnement d'une démocratie par le peuple et d'un État assurantiel. À n'en pas douter, les métamorphoses que connaît actuellement la société salariale défient directement les fondements de l'État social.

Dans les réseaux d'« enracinés » se trouvent aussi, mais dans un autre registre de précarisation, les assistés sociaux, les petits salariés, les retraités forcés d'âge moyen, les chômeurs de longue durée et, de plus en plus, les travailleurs non spécialisés et les personnes sous-scolarisées. Souvent victimes de « glissements » vers le bas ou de flottements permanents, ils forment, avec les travailleurs œuvrant à couvert ou à la maison et exécutant des fonctions de tâcherons, les désaffiliés structurels du « système », ceux qui peuplent l'*underclass* et que l'on appelle parfois les exclus[13].

De manière générale, « enracinés » et « migrants » se distinguent sociologiquement et politiquement les uns des autres par leur position de sujets marginalisés ou de *leaders* des processus réflexifs formels grâce auxquels sont dessinées les orientations du devenir collectif. Contrairement aux premiers, les seconds occupent, dans l'ordre du prestige et du pouvoir, une situation enviable. Ils connaissent, sur le plan matériel et symbolique, une mobilité ascendante et une valorisation de leur statut, alors que les autres éprouvent une mobilité stagnante ou descendante et une dévalorisation de leur condition. Seul le cas des travailleurs à propre compte, petits entrepreneurs ou travailleurs autonomes, n'est pas clair à ce chapitre. Dépendant de facteurs qu'ils ne maîtrisent pas toujours, ils sont aspirés du côté des « gagnants » ou sombrent parmi les catégories « perdantes ». Précisons enfin que les désaffiliés structurels du travail salarié, notamment les femmes s'adonnant à la maison à des activités non rémunérées, éprouvent beaucoup de déconsidération et une perte de reconnaissance sociale. Cela n'est pas sans affecter leur statut, parfois leur dignité et fréquemment leur identité sociale.

« Enracinés » et « migrants » entretiennent des rapports de plus en plus opposés, compte tenu de leurs intérêts objectifs divergents et de leur imaginaire antinomique. Leurs différends portent sur des questions d'ordre économique (libéralisation des marchés) et politique (extension et portée de la régulation publique). Les « migrants », adoptant une rhétorique néolibérale fondée sur l'idéologie du pragmatisme, plaident pour moins de gouvernance et pour moins de réglementations. Dans la présente conjoncture, la « révolution du gros bon sens » qu'ils soutiennent et réalisent rejoint les préoccupations d'une proportion importante de citoyens dans leur rôle de payeurs de taxes. Les « enracinés », dont le statut était lié au système du capital à l'ère du fordisme et qui sont dépendants des appareils publics pour leur revenu mensuel (salaires ou transferts), veulent conserver leurs acquis. Évidemment, dans la mesure où une forte proportion des richesses collectives continue à transiter par l'État sous la forme de recettes ou de dépenses, les uns et les autres font valoir leurs droits auprès de l'autorité publique qu'ils considèrent comme une mère nourricière et qu'ils utilisent comme instrument de leur promotion. De même, ce n'est pas parce qu'ils lient leur devenir à des enjeux transétatiques ou postnationalistes que les « migrants » abandonnent toute allégeance à un État-nation d'appartenance[14]. En fait, c'est souvent le contraire qui se produit. On ne doit pas se méprendre, l'édification d'un ordre mondial se fait dans le cadre de joutes concurrentielles et de rapports de force qui opposent des personnalités et des acteurs collectifs pour lesquels le territoire d'origine ou d'adhésion reste un point d'appui pour se hisser plus haut que le voisin ou, le cas échéant, pour se réenraciner advenant qu'une tempête survienne à l'horizon. L'économie migrante n'abolit pas les frontières ni ne fait disparaître la référence étatico-nationale. Elle bouleverse toutefois les topographies politiques existantes et chambarde les allégeances et les enracinements identitaires — ce que nous verrons plus bas.

C'est dans ce cadre que s'effectue la fragilisation ou, pour user d'une expression plus technique, la bipolarisation de la classe moyenne[15]. Un petit segment, compte tenu de sa place dans les structures décisionnelles et opérationnelles, rejoint matériellement et statutairement les couches de « migrants » (celles d'« en haut », il va sans dire). Il entretient envers elles des rapports de dépendance et de subordination tout en se situant dans son orbite idéologique et culturelle. La plus grande portion de la classe moyenne subit toutefois la pression du régime de l'économie migrante dans le sens d'une stabilisation, d'une précarisation ou d'une diminution de son train de vie, d'un tassement de ses aspirations et d'une dévalorisation de sa culture fondée sur des critères de massification, d'universalité et d'homogénéité. À vrai dire, les membres de la classe moyenne stagnent ou s'enlisent, surtout si l'on envisage leur condition dans une perspective évolutive, à partir des revenus qu'ils cumulent — ou cumulent moins — en longue période[16]. N'était-ce des transferts publics — qui trahissent le portrait de la situation économique des ménages et des individus dès lors qu'on agrège ces transferts à l'échelle « instantanée » de leurs revenus, perdant ainsi la perspective de longue durée de leur cycle de vie —, plusieurs s'enfonceraient carrément. C'est notamment le cas au Canada. Si la majorité accepte apparemment les logiques sous-tendant le système de stratification sociale en émergence, il se trouve des groupes pour les combattre par une demande de reconnaissance de leur statut professionnel. Cette démarche corporatiste a fortement teintée la pratique syndicale des dernières années. Celle-ci s'est d'ailleurs redéployée en accentuant ses formes catégorielles.

De manière générale, on voit d'après le schéma 1 que le sens de la pression économique et de la dérive tendancielle, pour une majorité d'individus, va objectivement vers celui d'une plus grande difficulté matérielle et d'une plus forte précarité sociale. Bien sûr, certains facteurs qui n'ont rien à voir avec la position effectivement occupée par un individu dans les procès de travail peuvent améliorer ou empirer sa condition. Les gains du conjoint, par exemple, ont une influence positive déterminante chez un grand nombre de familles en ce qui a trait à leur situation matérielle générale et à leur position subjective dans l'échelle de la stratification sociale fondée sur l'avoir. De même, les ménages époux-épouse disposent habituellement d'une stabilité financière et d'une richesse composite supérieures aux personnes seules et aux familles monoparentales, ce qui bonifie leur condition et peut affecter en mieux leur statut. On ne niera pas enfin que les femmes et les membres de certaines communautés ethniques sont sous-représentés dans les catégories sociales formant les « gagnants » et sur-représentés dans celles formant les « perdants ». Cette situation tient largement aux modalités de leur intégration sur les marchés du travail et à leur prépondérance dans les filières dévalorisantes. On retiendra toutefois qu'un grand nombre de personnes connaissent un processus relatif de dégradation économique et social qui sanctionne leur absence de mobilité ou leur mobilité descendante et qui altère leur statut. L'époque actuelle coïncide assurément avec la remontée d'une vulnérabilité de masse.

Objectivement parlant, les dynamismes à l'origine de cette mobilité stagnante ou descendante et de cette perte de statut diffèrent de ceux qui prédominaient à l'ère du fordisme. Par exemple, le fait pour un individu de travailler dans un secteur industriel en particulier, réputé moteur, n'est plus garant de son appartenance au clan des « gagnants ». Cette place est déterminée par sa participation, sous une forme active ou subie, aux processus migrateurs[17], de même qu'aux structures décisionnelles et opérationnelles de l'entreprise ou, plus généralement, de la société. En fait, c'est d'après sa situation dans les réseaux de mise en circulation du savoir et de l'information, qui sont des réseaux de pouvoir dont plusieurs sont mondialisés, qu'émerge ou que bascule un individu. Compte tenu que l'accès à cet univers communicationnel est sélectif et donc inégal entre les personnes et les groupes, on est peut-être près d'assister à l'apparition d'une méga-partition sociale entre, d'un côté, ceux que l'on appellera les « branchés » et, de l'autre, les « court-circuités ». Les premiers formeront l'embryon d'une *information superclass,* alors que les seconds seront à l'origine de la constitution d'une *information underclass.* Jusqu'à un certain point, l'apparition au sein de la force de travail « haut de gamme » d'une foule de conseillers, d'agents et d'intermédiaires spécialisés, tous entrepreneurs individuels désireux d'agir à ce titre ou recyclés dans ces fonctions parce qu'ils ont été évincés d'autres secteurs en tant que cols blancs, traduit bien l'importance que joue l'accès à l'information — à la « conversation globale » disent certains — et à sa gestion comme levier de promotion personnelle et de repositionnement social au sein des hiérarchies associées à la nouvelle socioéconomie en émergence.

Bien sûr, il est important de saisir la notion de « conversation » autrement que dans son acception primaire. Dans notre esprit, l'accès à cette conversation et sa maîtrise renvoient à la mainmise acquise, par des acteurs individuels réunis en réseau élitiste d'inter-promotion, sur les processus de surveillance sociale et de contrôle de l'information qui sont au cœur de la réflexivité dans les sociétés postkeynésiennes. Dans l'ordre social institué par l'affirmation de ces processus comme matrices d'un mode de reproduction sociétale, le groupe dominant n'est plus enraciné dans la propriété des moyens de production, mais dans son monopole de l'expertise traversant toutes les sphères institutionnelles[18]. Ce critère de différenciation est central dans l'émergence du système contemporain de stratification sociale. Celui-ci est en effet largement fondé sur la capacité individuelle de se mouvoir dans le monde réel des occupations en tirant profit de ses talents, de ses diplômes, de ses contacts, des hasards de la vie et ce, dans le cadre de stratégies conscientes d'alliances ou de concurrence. « Mériter ses récompenses » : telle est l'idéologie qui, portée haut et loin par la nouvelle élite, marque l'horizon sociétal de cette fin de siècle.

L'idée n'est pas de dire que les marchés du travail sont tout à coup devenus des espaces libres d'accomplissement personnel et de compétition ouverte. Au contraire, des contraintes structurelles liées au sexe, à la classe et aux réseaux familiaux et parentaux, continuent de s'exercer au cœur de ces marchés. Mais certaines filières traditionnelles de mobilité ascendante, profitables surtout aux classes moyennes, ont été coupées. À une époque où le « chaos » s'est aussi emparé du marché de l'emploi, brisant les modes établis et les trajectoires balisées de promotion personnelle pour une foule d'individus dont la carrière était liée à des règles prescrites d'avancement, la dynamique de la mobilité sociale s'est modifiée. L'initiative personnelle et la réussite individuelle ont repris de l'importance par rapport à certains conditionnements traditionnels de la position des acteurs dans la stratification sociale. Les individus sont maintenant poussés à définir eux-mêmes leur identité professionnelle et à la faire reconnaître dans une interaction qui mobilise autant un capital personnel qu'une compétence technique générale[19]. Le carriérisme est l'idéologie maîtresse de ce système de stratification dont la récompense ultime est la conquête de l'autonomie personnelle, forme de reconnaissance et de prestige qui peut se traduire, pour l'individu, en avantages psychiques et symboliques autant qu'en

espèces sonnantes. Notons par ailleurs que ce « système » de stratification sociale ne fournit pas les bases d'une société politique qui
repose sur l'idéologie des classes ou qui se représente à partir des
catégories traditionnelles de « gauche » et de « droite ». Outre la multiplication des ego-croisades, ce que Yves Barel relie à « l'individualisme de masse », il favorise la croissance des corporatismes et
contribue à l'effervescence de groupes d'intérêts ou de mouvements
sociaux qui axent leurs demandes vers l'obtention de faveurs ponctuelles rencontrant leurs attentes immédiates. Comme on le verra
plus loin, ce sont ces demandes qui déterminent largement l'ordre
du jour politique des sociétés postkeynésiennes.

Revenons à la fragilisation des classes moyennes, qui apparaît
comme un problème important dans les sociétés occidentales. Ses
incidences sont actuellement d'ordre économique. Elles se traduisent
par une faible progression de la demande agrégée qui tient largement
à la stagnation du revenu disponible et à l'endettement des ménages
depuis le début des années 1980[20]. La fragilisation des classes
moyennes dénote la vulnérabilité relative de certaines couches de la
population et l'insécurité financière grandissante dont sont victimes
les familles, en particulier les jeunes couples. Cette vulnérabilité et
cette insécurité découlent de plusieurs causes, notamment de la
migration continuelle des capitaux d'une zone à l'autre. Selon l'argumentation que nous avons développée précédemment, cette
migration entraîne l'utilisation d'une partie de la force de travail
vers un mode précarisé, lequel traduit en même temps la dévalorisation de cette force de travail comme une tendance inéluctable de
la lutte des capitaux dans la transformation des normes de production. Cette dévalorisation de la force de travail, sorte de *zapping*
social de travailleurs interchangeables effectué par des entreprises à
la recherche d'une mobilité et d'une flexibilité optimale de la main-
d'œuvre dans le cadre de procès de production entièrement contrô-
lés par le capital, y compris sous le couvert de cercles de qualité et
autres artifices productivistes, rejoint l'un des principes fondamentaux de la concurrence à l'ère du postfordisme, soit la dévalorisation
continuelle du capital comme stratégie de survie des capitaux individuels menacés de disparition. En pratique, la précarisation est
devenue le lot quotidien de millions de personnes qui constituent
une masse en voie de désaffiliation plus ou moins grande[21].

Cette mise en marge (ou en attente ?) de régiments de travailleurs sans emploi, invalidés socialement, n'est pas un état provisoire qui marque le dysfonctionnement résiduel du système. Elle apparaît de plus en plus comme une tendance lourde du développement des sociétés occidentales contemporaines. Cette tendance est pour l'instant partiellement contenue par le recours à certains mécanismes de défense qui rétroagissent sur la structure sociale en atténuant les effets les plus cuisants causés par la nouvelle configuration sociale. La participation soutenue des deux conjoints d'une même famille au marché du travail salarié est certainement le remède le plus utilisé pour se prémunir contre l'instabilité économique[22] ; de même le cumul d'emplois, dont l'attrait ne se limite plus, dit-on, aux travailleurs des groupes inférieurs de la main-d'œuvre[23]. L'allongement de la jeunesse, qui tient lieu de moratoire à l'entrée dans la vie adulte, joue aussi le rôle de rempart contre l'incertitude[24]. L'amplification des transferts intergénérationnels intrafamiliaux entre les anciennes couches sociales et les nouvelles est un autre levier dont bénéficie une partie des jeunes couples pour maintenir leur niveau de vie. La fréquentation des centres d'écoulement, le flânage du côté des marchés aux puces et la pratique efficace du géo-consommatisme constituent autant de stratagèmes utilisés par les ménages et les individus pour optimiser les retombées de leurs dépenses de consommation et se protéger contre la dégradation de leur pouvoir d'achat. Enfin, parmi les mécanismes de défense les plus éprouvés contre la précarisation, il y a le travail au noir, l'entraide gratuite, le partage, l'échange de services et l'exploitation des solidarités familiales. Mais l'extension de ces pratiques est contrainte par la puissance de contrôle des appareils bureaucratiques et par les limites financières des possédants. Ainsi, rémunéré au comptant à partir de réserves puisées dans l'épargne, le travail au noir peut difficilement excéder les capacités légales de payer de ceux qui détiennent le *cash*[25]. De même, sauf pour certaines colonies de marginaux ou d'excentriques déjà gagnées à la pratique du troc, vivre selon ce mode est loin d'être simple. Enfin, il semble fort difficile pour les gens de vaincre leur individualisme et d'oublier la fausse indépendance créée, même en regard des proches, par l'argent. Au total, ces pratiques compensatoires restent aléatoires, au mieux résiduelles.

À côté de ces mécanismes de défense d'ordre privé, auxquels il faudrait ajouter la mission des œuvres de charité, continue d'exister toute une panoplie de supports institutionnels d'ordre public par lesquels on tente tant bien que mal de « gérer » la désaffiliation et la marginalisation à partir de critères technobureaucratiques. Les crédits affectés aux services servent autant à soutenir l'appareil lui-même et ses fonctionnaires que les bénéficiaires qui assistent impuissants au resserrement des critères d'admissibilité aux programmes. Les décideurs, soutenus par une opinion publique qui a cessé d'exercer son esprit critique, embuée qu'elle est de toute évidence par la fièvre de la « performançofolie » et par la riposte facile d'une mise au ban des « perdants », s'entendent pour dire que l'avenir n'est plus du côté de l'intervention étatique. En Amérique du Nord, la stratégie pour lutter contre les effets les plus pernicieux de l'économie migrante et pour profiter de ses avantages semble être celle de la dualisation assumée du marché du travail. Nous y reviendrons.

Des identifications sociopolitiques originales

Concentrons-nous pour l'instant sur la question des identifications émergeant dans les sociétés marquées par le régime de l'économie migrante. Par « identification », nous entendons une allégeance, une sensibilité, une adhésion en élaboration, en évolution ou en recomposition, sorte d'activation personnelle de soi dans des réseaux ou dans des lieux d'interaction et d'interlocution qui sont en même temps des espaces de réciprocité et de reconnaissance mutuelle. La notion d'identité, que nous n'employons pas à dessein ici, renvoie à la fixation de ces identifications, par nature mouvantes, dans des matrices narratives ou politico-institutionnelles qui agissent telles des grammaires de sens octroyé pour ceux qui s'en réclament. Le schéma 2 fait ressortir le lien existant entre les nouvelles formes de stratification économique et sociale à l'œuvre au sein des États soumis à ce régime, et l'apparition d'identifications originales qui traversent l'espace public et modèlent une bonne partie des rapports interpersonnels et des relations sociopolitiques qui s'y déploient. C'est ainsi que la sphère publique et que la société politique de ces États sont marquées par des pôles d'identification qui orientent largement les débats et les conflits qui s'y déroulent. Ces pôles d'identification, qui témoignent de l'apparition de nouveaux acteurs

Schéma 2

Identifications et polarités identificatoires
en régime d'économie migrante

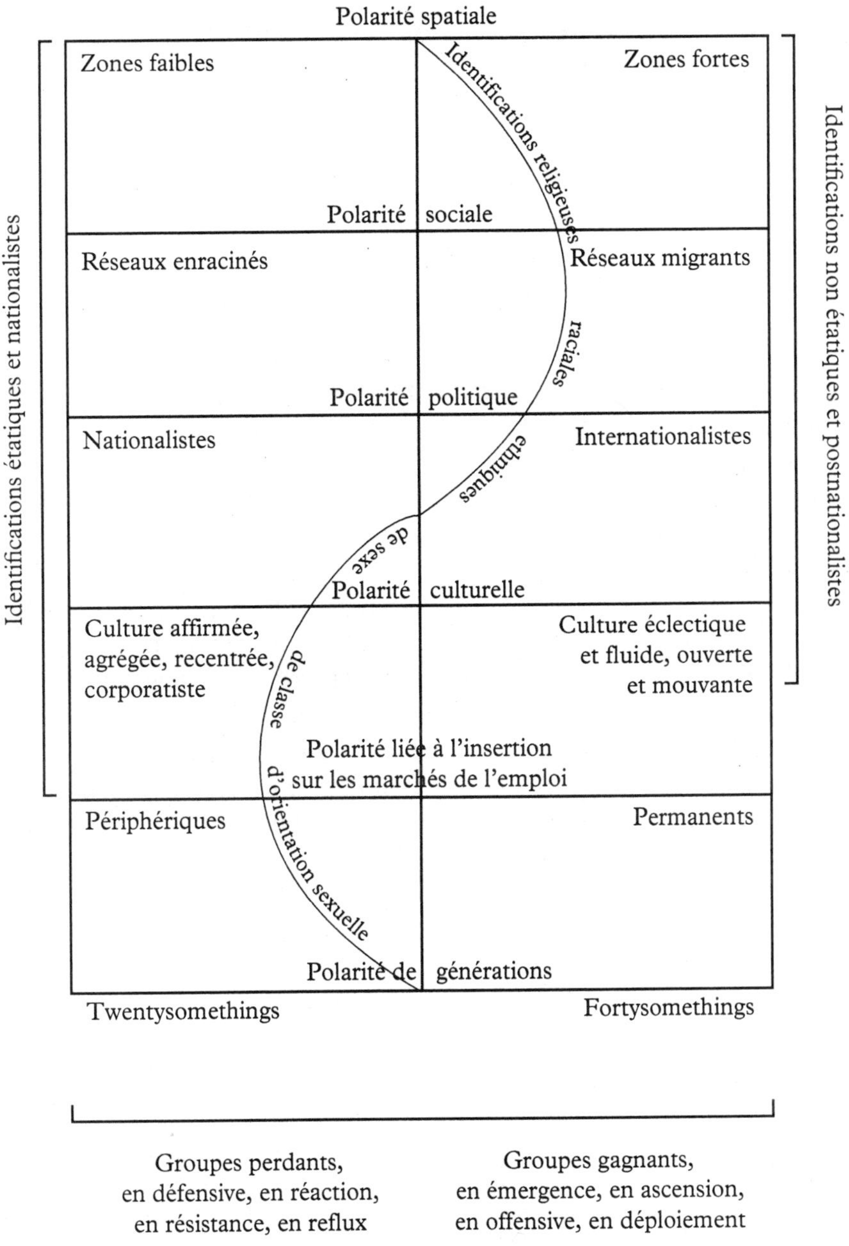

Polarité spatiale

| Zones faibles | | Zones fortes |

Identifications religieuses

Polarité | sociale

| Réseaux enracinés | | Réseaux migrants |

raciales

Polarité | politique

| Nationalistes | | Internationalistes |

ethniques

de sexe

Polarité | culturelle

| Culture affirmée, agrégée, recentrée, corporatiste | | Culture éclectique et fluide, ouverte et mouvante |

de classe

Polarité liée à l'insertion
sur les marchés de l'emploi

d'orientation sexuelle

| Périphériques | | Permanents |

Polarité de | générations

Twentysomethings — Fortysomethings

Identifications étatiques et nationalistes

Identifications non étatiques et postnationalistes

Groupes perdants,
en défensive, en réaction,
en résistance, en reflux

Groupes gagnants,
en émergence, en ascension,
en offensive, en déploiement

politiques sur la scène publique, redéfinissent la nature des allégeances et la dynamique des loyautés politiques qui prévalaient au sein des sociétés. Elles multiplient les cas d'«infidélité identificatoire» et de loyautés plurielles, ce qui est toujours déconcertant pour quiconque veut brosser un tableau statique des appartenances des uns et des autres au sein d'une entité sociopolitique.

On a dit plus haut que les mouvements de capitaux dans l'espace mondial entraînaient la création de zones fortes et favorisaient l'apparition d'acteurs internationaux qui liaient fortement leur promotion personnelle à des enjeux transétatiques, dans le cadre d'une dialectique du local et du global. Le sentiment d'appartenir à des métropoles en expansion, par opposition à des régions excentriques ou périphériques colonisées par les premières ou tout simplement marginalisées, établit une première polarité identificatoire. Celle-ci est liée à un espace circonscrit d'appartenance et à une territorialité d'évolution qui ne coïncident pas nécessairement avec les paramètres référentiels habituels et institués de l'État-nation[26]. Le fait de circuler et d'évoluer dans des réseaux de «migrants» valorisés et ascendants, par rapport à des réseaux d'«enracinés» qui sont déclassés et dépréciés, marque une deuxième polarité identificatoire. Celle-là est liée au réseau social d'appartenance. Une troisième polarité identificatoire, de nature politique cette fois, oppose les transnationalistes aux nationalistes. Les premiers, en tant que participants de réseaux transnationaux en voie d'affirmation, structurent leurs actes et développent leurs aspirations en fonction d'enjeux qui surplombent ou défient la compétence traditionnelle des gouvernements nationaux[27]. Ils préconisent l'approche des allégeances multiples ou éclectiques, fluides ou mouvantes, étroitement liées aux processus d'interrelation et de mobilisation dans lesquels ils sont engagés. Cela ne les empêche pas d'interagir avec les acteurs étatiques. Ils le font toutefois à partir d'aspirations et de réclamations qui les situent en porte à faux face à la logique interventionniste des premiers. Ils existent dans un espace politique qui s'apparente pour l'instant à un «hors-lieu» parce que ses contours sont largement déterritorialisés[28]. Pour parler de ce «hors-lieu», certains ont recours à la notion d'«hyperespace» en la rapprochant de l'idée de «cité globale[29]». Les nationalistes restent pour leur part marqués, sur le plan de leurs pratiques et de leur imaginaire, par l'axiologie étatico-nationalitaire

de même que par l'idée des identités inclusives, recentrées et inté-
grées. C'est ainsi qu'ils défendent leur existence. Ces trois polarités
identificatoires sont à l'origine d'une quatrième, d'ordre culturelle,
qui met dos à dos les partisans de la dérive transculturelle, d'une
part, et ceux qui préconisent la primauté des particularismes nationaux et des ancrages « spécificitaires », d'autre part. Dans tous les
cas, des *establishments* identitaires sont contestés par d'autres en voie
d'émergence[30]. Le but ultime des acteurs, quelle que soit leur allégeance, est de conserver ou de chambarder le système institutionalisé
de bénéfices au cœur duquel se situe toujours l'État national.

À ce stade-ci de son développement, le régime de l'économie
migrante exacerbe deux polarités identificatoires dont il est difficile
de prévoir la tangente qu'elles prendront. La première est liée aux
modalités d'insertion des individus sur les marchés de l'emploi et
renvoie directement aux logiques sous-tendant la mise en œuvre du
procès de production. Elle oppose les « permanents » (ou stables)
aux « périphériques » (ou précarisés). La seconde se réfère à la génération d'appartenance des individus. Dans notre esprit, l'idée de
génération renvoie à une espèce de communauté de destin qui
recoupe largement une catégorie d'âge bien qu'elle ne s'y réduise
pas. Dans la société actuelle, on voit de plus en plus s'opposer, pour
des raisons d'ordre subjectif et structurel, les *Twentysomethings* aux
Fortysomethings. À une époque où les personnes âgées semblent avoir
plus d'avenir que les jeunes, selon la formule crue de Robert Castel,
cet antagonisme, qui prend des allures de joutes discursives acerbes,
ne doit pas surprendre. S'ils sont loin d'être les seuls à connaître
l'incertitude, il appert que les jeunes sont particulièrement victimes
des processus de régression et de « mise en périphérisation » qui
marquent l'avènement de la société duale, flexible et corporatiste.

Le schéma 2 montre aussi que les polarités identificatoires qui
s'expriment en régime d'économie migrante favorisent l'explosion
et l'implosion des États-nations comme « lieu » médian d'intégration
et d'agrégation. Le mouvement est à cet égard nourri par les griefs
des uns et des autres, catégories sociales ou mouvements sociaux,
tous désireux d'inscrire leurs revendications particulières au cœur
du devenir de leur entité de référence, l'État national. Cette situation
paradoxale — explosion et implosion des États-nations d'un côté,
affermissement de ces structures de l'autre — est celle qui définit

peut-être le mieux le caractère contradictoire de l'économie migrante. Ce régime inaugure en effet une ère marquée par le déclin des économies nationales et des politiques économiques nationales. Il n'abolit cependant pas l'État. Au contraire, celui-ci reste au centre d'un système global différencié et articulé au travers et à l'intérieur des frontières nationales[31]. L'économie migrante donne lieu à une exacerbation des stratégies nationales et régionales. Mais en même temps, l'État a de plus en plus de mal à contenir l'effervescence et à discipliner la vigueur émancipatrice, progressiste ou rétrograde c'est selon, de la société civile, de ses dynamismes locaux et internationalistes.

En identifiant les groupes « en ascension » et ceux qui, par rapport aux changements apportés par le régime de l'économie migrante, sont sur la « défensive », nous pouvons, grâce au schéma 2, saisir certains des dynamismes les plus puissants à l'origine des luttes et des conflits qui marquent les sociétés postkeynésiennes. Certes, le jeu des alliances et des confrontations politiques et sociales entre acteurs individuels et collectifs n'est jamais simple à cerner. Aucun schéma ne peut en résumer la complexité. Par ailleurs, les acteurs eux-mêmes bougent sans cesse et n'appartiennent pas irrémédiablement aux mêmes strates, groupes, mouvements ou réseaux. Leurs stratégies subjectives de positionnement dans les méandres de la société les amènent souvent à déborder et à dépasser les lieux d'identification auxquels ils semblent objectivement liés. Plus encore, ces acteurs ne vivent pas toujours sur le mode de la confusion des identifications en apparence contradictoires. Cela dit, les polarités identificatoires révélées par le schéma 2 constituent de notre point de vue des clefs de compréhension majeures pour saisir la tendance actuelle des oppositions au sein des sociétés occidentales. Elles sont les points nodaux à partir desquels se construisent les appartenances et les allégeances des acteurs et se reconforme l'espace du politique.

D'autres attaches et expressions identificatoires existent évidemment au sein des sociétés occidentales contemporaines. Celles-là sont liées aux caractéristiques religieuses, raciales, ethniques, de sexe, de classe, d'orientations sexuelles, etc., des individus. Mais ces identifications apparaissent subordonnées aux premières et ne semblent pas constituer, à elles seules, un critère suffisant ou déterminant d'appartenance des personnes aux métacatégories des « *in* » ou des « *out* »

— suivant les qualificatifs sans appel avec lesquels le discours social les désigne et les sanctionne. En fonction des circonstances et des conjonctures concrètes, elles renforcent le malheur des uns ou améliorent la condition des autres. En pratique, les individus en mobilité ascendante ont tendance à se détacher de certaines de leurs identifications « secondaires » et à se définir en des termes individualistes. Cela est particulièrement vrai pour ce qui est de l'appartenance ethnique, à moins que la mobilité ascendante d'une personne ne dépende d'une stratégie collective ou de l'assistance d'un réseau ethnique. Dans ce cas, l'identification ethnique reste forte. On pourrait voir dans ce phénomène l'indice d'une instrumentalisation rampante des identités, des appartenances et des allégeances, de manière qu'elles servent empiriquement à l'accomplissement socioéconomique de personnes singulières dans un système de stratification hautement individualisé[32]. Dans les sociétés postkeynésiennes, les identifications, comme les individualités, seraient avant tout d'ordre performatif et utilitaire. Jongleries identitaires, jeux d'identités, répertoires identificatoires : tel est apparemment la nouvelle manière d'être, de se révéler et de se raconter en contexte d'hypermodernité[33].

CHAPITRE 3

Régulation étatique
et citoyennetés vécues

Où loge, comment s'exprime et comment s'exerce la régulation étatique en régime d'économie migrante ? Cette question est centrale à l'heure actuelle. L'argumentation développée jusqu'ici permet d'y répondre en partie. Dans ce régime économique, avons-nous dit, l'impulsion principale du système, d'une part, et les périls inhérents au cycle de reproduction d'une portion grandissante de capitaux, d'autre part, sont déportés hors de l'espace de régulation de l'État-nation, dans le marché mondial. C'est dire que la marge de manœuvre des gouvernements qui leur permet d'anticiper, de provoquer ou de régler les flux de toutes sortes, positifs ou négatifs, qui traversent leurs frontières, est considérablement réduite.

La régulation étatique demeure pourtant. Mais elle se fait à l'aune d'une nouvelle axiomatique, celle de la mondialité[1]. Par ses interventions, l'État est agent en même temps que support de diffusion des processus de globalisation. Ceux-ci n'entraînent ni la mort des nationalismes, ni la fin de l'histoire, ni la symétrie des relations internationales. Au contraire, la mondialité exacerbe les rapports conflictuels entre les États-nations. L'idéologie nationale, réaffirmée sous diverses formes (nationalisme offensif ou défensif, idée de la

« nation compétitive », régionalisme supranational ou infranational),
est au cœur de l'économie politique de la mondialité. Ce nationalisme, précisons-le, est un nationalisme qui est au service de l'État
et qui sert à l'installer, à le confirmer ou à le consolider. Il s'agit
d'un harnais idéologique utilisé par certaines classes en vue de servir
le projet politique ou économique qu'elles poursuivent. La fortune
du concept d'État-nation illustre d'ailleurs, bien davantage qu'une
réalité « substantialiste », le désir de faire correspondre une structure
administrative forte — l'État — au territoire dont elle revendique
la gouverne. Ici, le mot « nation » n'est à strictement parler que le
double du mot « État », entendu comme espace gouverné ou à gouverner. L'État-nation dans sa réalité n'est finalement rien d'autre
que l'État au carré : manière pour des classes dominantes de s'assurer une assise, une surface avec ses ressources et sa population[2].

L'axe État-entreprise

Engagés dans des joutes concurrentielles contre des nations voisines ou éloignées, ligués dans leurs stratégies avec de grandes entreprises qui sont effectivement responsables de la création et du transfert de richesses dans l'espace, les États poursuivent, en régime
d'économie migrante, deux objectifs principaux : d'une part, celui
de s'imposer dans les rapports économiques internationaux, lieu
effectif de hiérarchisation des nations entre elles ; d'autre part, celui
de poser, au sein du territoire qu'ils administrent, les conditions les
plus alléchantes pour que le capital migrant et volant s'y implante
ou y demeure. À l'heure actuelle, cela ne fait aucun doute, les décideurs réfléchissent au diapason d'une idéologie unique, celle de faire
de l'espace qu'ils gouvernent la *one best location*[3].

Or, cette fixation idéologique est responsable d'une altération
significative des principes de la régulation publique dans les sociétés
occidentales. À l'encontre de ce qu'elle était plus tôt, la régulation
est orientée vers la course à la compétitivité, à la suprématie et à
l'élitisme beaucoup plus qu'elle n'est centrée sur le développement,
la redistribution et l'universalité. Elle rend compte d'une assimilation
par les pouvoirs publics de la contrainte externe avant la prise en
charge des conditions de l'équilibre interne. La souveraineté juridique de l'État, qui n'est pas formellement remise en cause par l'affirmation des tendances en cours[4], se réduit *de facto,* pour les gouver-

nements, à déterminer souverainement jusqu'où ira leur soumission au capital. Bien que cette soumission soit niée par les décideurs — on parle plutôt d'une recherche positive de crédibilité auprès des partenaires et des marchés —, personne n'est dupe. Ainsi, la capacité des gouvernements d'instituer des barèmes d'imposition convenant à leurs besoins économiques internes est considérablement amoindrie dans le contexte actuel. En régime d'économie migrante, la mobilité du capital est très grande. Celui-ci ne peut être dirigé ou conduit, seulement attiré ou orienté. L'action subjective de l'État se résume en pratique à établir le lien entre ses commettants et les marchés globaux : il s'agit quasiment d'une fonction de courtier. En apparence démissionnaire, décroissante et passive, la régulation étatique prend actuellement l'aspect d'un ensemble de mesures d'adaptation devant la course folle du capital, devant ses injonctions et ses impératifs, ceux-ci étant d'ailleurs relayés par nombre d'organismes internationaux, financiers ou consultatifs, qui imposent aux États souverains leurs logiques contraignantes[5].

Ces mesures d'adaptation sont nombreuses. Elles vont de la privatisation des sociétés d'État à l'allégement de la réglementation visant les entreprises, en passant par la formation de la main-d'œuvre pour les emplois de demain et la réinsertion des chômeurs et des assistés sociaux. « Remettre en question certains acquis pour protéger le plus d'acquis possible », tel est le nouveau credo qui conditionne l'intervention gouvernementale. C'est ce qui fait que le marché de l'emploi public, si dynamique et entraînant il n'y a pas longtemps, stagne ou dépérit — à l'exception notable de l'intendance internationale qui croît au fur et à mesure qu'augmentent les besoins de gouvernance mondiale. Les rapports de force qui marquent actuellement les relations entre les fonctionnaires et les administrations publiques témoignent précisément du fait que les commis de l'État, pour la majorité d'entre eux, appartiennent à des catégories de travailleurs en voie de dévalorisation dans un monde soumis aux diktats de l'économie migrante. Leurs revendications, plus tôt présentées comme le fer de lance de la promotion des droits collectifs des travailleurs, apparaissent de plus en plus, aux yeux de citoyens surtaxés et surimposés dont le ressentiment est à fleur de peau, comme des combats d'arrière-garde visant à protéger des intérêts corporatistes. Cela provoque évidemment la frustration de ceux et de celles qui

n'ont pas, qui n'ont pas eu ou qui n'auront jamais l'avantage d'évoluer dans un secteur d'activités abritées ou supposé l'être. À mesure
que les détenteurs de postes permanents quittent leur emploi, ils
sont d'ailleurs remplacés par une génération de travailleurs plus ou
moins précarisés dont les structures salariales et les conditions normatives d'emploi ne reposent pas sur les mêmes dynamismes que
ceux de leurs prédécesseurs. Bien qu'apparemment « protégée » des
affres de la conjoncture, la fonction publique est touchée par les
vicissitudes d'une régulation dont les tenants et les aboutissants
s'inscrivent dans le contexte de la mondialisation.

Tout en étant réceptive et articulée aux besoins du capital
migrant et volant, la régulation étatique reste aux prises avec le problème de l'entretien partiel des catégories sociales vulnérables ou
qui vivent un déficit plus ou moins grand d'intégration. En considérant l'augmentation du nombre de personnes qui connaissent
cette situation[6], les pressions poussant à la hausse les dépenses
publiques de transferts sont constantes et ne sont pas prêtes de
cesser[7]. La gestion de la désaffiliation est en voie de devenir le défi
numéro un des gouvernements au moment précis où l'État assurantiel semble déstabilisé et où la « société commence à perdre sa bonne
conscience »[8].

À moins que les choses ne changent, le problème de la désinser-
tion sociale deviendra prépondérant au fur et à mesure que la génération des « précarisés » vieillira et atteindra l'âge de la retraite, soit
d'ici une trentaine d'années. Toutes conditions restant égales,
l'épargne accumulée par cette génération sous la forme de régimes
privés de retraite, d'investissements ou de propriétés, d'une part, et
la petitesse relative du patrimoine constitué au cours de la vie active,
d'autre part, seront insuffisants pour leur assurer un niveau de vie
conforme aux aspirations traditionnelles des citoyens des pays
industrialisés[9]. Se posera en même temps le problème des transferts
intergénérationnels intrafamiliaux. Si ces transferts privés, rendus
possible par la croissance générale des années 1940-1970 et par la
fièvre spéculative des années 1980 — dont ont bénéficié une bonne
partie des nouveaux retraités — permettront à une portion de la
génération actuelle des 25-35 ans d'esquiver en partie le marasme
économique, le processus ne pourra être reconduit pour le bénéfice
des petits-enfants. À moins que ne soit instauré un régime fiscal

favorisant une redistribution plus équitable des richesses collectives ou que ne soit établi le principe du revenu minimum garanti — ce qui est tout à fait à l'encontre de la philosophie actuelle des gouvernements —, il y a lieu de croire que la vulnérabilité économique marquera l'horizon d'un nombre grandissant d'individus et de familles au fur et à mesure que les années passeront et que se déploiera, dans toute son étendue, le régime de l'économie migrante. Cet augure se vérifiera particulièrement dans le cas des strates inférieures des classes moyennes. Contrairement à ce que prétendent bien des néolibéralistes impénitents, arguer ainsi ne procède pas d'un pessimisme excessif : nombreux sont les commentateurs qui s'entendent pour dire que les *baby busters* connaîtront, de manière générale, une situation moins avantageuse que les *baby boomers* sur le plan économique. Déjà, jusqu'à ce qu'ils atteignent 35 ans environ, les jeunes Québécois obtiennent moins que les générations précédentes au même âge[10]. Pour la première fois en Amérique du Nord, les jeunes font face à la perspective d'une mobilité socio-intergénérationnelle descendante[11]. C'est d'ailleurs dans cette condition du pire que la génération X, celle des 18-35 ans, se reconnaît comme formant une entité sociologique distincte. Le fait que les jeunes portent sur leur tête une casquette dont la visière est tournée vers l'arrière exprime peut-être leur désarroi à l'idée de pénétrer un futur aussi peu prometteur. Pour le moment, leur frustration s'exprime dans le ressentiment. *Eat your parents* : tel est le slogan autour duquel plusieurs d'entre eux se rassemblent[12].

Il est un aspect de la régulation étatique que l'économie migrante n'a pas atrophié, dont elle se sert même, et c'est celui du contrôle de la circulation de la main-d'œuvre dans l'espace. L'État-nation régit en effet le passage des individus aux frontières. Il laisse transiter, en imposant un minimum de contraintes conformément aux accords intervenus entre les pays souverains, certaines catégories de travailleurs spécialisés, celles qui accompagnent le cycle de reproduction des capitaux migrants et volants[13]. Ayant développé au fil des ans une sorte d'«identité professionnelle» et ayant *de facto* mis au second plan leurs attaches religieuses, culturelles, ethniques voire nationales, les représentants de ces catégories forment l'embryon d'une nouvelle classe internationaliste. Cette classe s'identifie à ce que l'on pourrait appeler, pour faire figure, la « culture Benetton[14]». Toutes les autres catégories sont sévèrement contrôlées ou sont interdites d'emploi dans un pays étranger, à moins de se qualifier au titre de main-d'œuvre saisonnière, transitoire, passagère, etc.

En clair, les représentants de la méritocratie internationaliste, véritable diaspora postkeynésienne, peuvent circuler librement d'un pays à l'autre et vendre chèrement leur expertise en toute légalité sur un marché de l'emploi prestigieux offrant des avantages substantiels sur le plan pécuniaire et symbolique. *Follow power, not ideology* : tel est le drapeau autour duquel ils se réunissent. Les « autres » sont quant à eux interdits de séjour en dehors de leur pays d'attache, à moins d'être recyclés comme lumpenprolétariat migrant par les réseaux mafieux qui alimentent de plus en plus les usines du monde entier, celles du « premier » monde comme celles du « tiers » monde — si ces dénominations ont encore un sens. Déplacer les compétences là où elles sont en demande, contraindre la misère à demeurer là où elle se trouve, telle pourrait être la devise de l'économie migrante.

Le refoulement, voire la déportation, dont sont victimes à l'heure actuelle quantité de travailleurs migrants non spécialisés témoigne peut-être du fait que les grandes vagues de migration ouvrière qui ont marqué le XXe siècle vont cesser pour un temps, en direction des pays du G-7 tout au moins. Plus de la moitié des mouvements migratoires mondiaux s'effectue maintenant entre les pays en développement. Cette situation pourrait indiquer que le niveau de flexibilité recherché dans la configuration du rapport salarial a été atteint dans les États du « centre » et qu'une partie des travailleurs « locaux » représente désormais, pour le capital, une force de travail aussi attrayante que les travailleurs « étrangers » sans qualification. Dans tous les cas, les contrôles exercés sur la circulation de la force de travail par les États-nations servent les intérêts des capitaux migrants. Le déplacement de ces capitaux dans l'espace leur permet en effet de déjouer tout rapport de force qui pourrait naître d'une interdépendance fixe ou rigide avec le facteur travail, ce qu'instituait largement le contrat fordiste et dont bien des entreprises voulaient se défaire. L'idée n'est pas de prétendre que le capital peut désormais boucler son cycle de reproduction sans recourir à la force de travail, car cela serait une aberration. Dans un cadre d'économie migrante, c'est-à-dire dans un cadre où les flux de travail et les marchés de consommation se sont réellement ou virtuellement internationalisés, la dépendance du capital envers le travail comme bras et comme ventre n'est cependant plus ce qu'elle était. Cela explique en partie pourquoi, à l'heure actuelle, le rapport de force entre le capital et le travail est tellement à l'avantage du premier, sauf pour certaines catégories privilégiées de professionnels et d'experts.

Sur le plan idéologique, l'État, en tant que grand rassembleur des masses, joue un rôle de premier plan, notamment en ce qu'il sécrète un discours pratiquement sans concurrence dans la sphère publique. Ce discours est celui de l'adaptation, du rendement et de la compétitivité. En tant qu'antenne du capital, l'État assume le rôle de producteur d'une culture de la performance et de la compétition agressive, forme de plus en plus dominante de la socialisation et de la participation politique en Occident et dans le monde. Au point que les gens acceptent maintenant de définir la société en des termes strictement économiques et conçoivent le social comme un espace exclusif de valorisation de leurs droits individuels. Nombreux sont ceux qui, sur cette base, se lancent dans de véritables ego-croisades dont l'écho résonne jusque sur la scène publi-médiatique, lieu puissant de formation et de réverbération des identités à l'ère de la « démocratie branchée » et du « populisme électronique[15] ». À cet égard, l'État a par ses agences et ses appareils largement contribué à modeler les comportements individuels et collectifs, sinon les aspirations des gens, en fonction de critères discriminants qui semblaient disparus, voire refoulés, dans l'imaginaire des sociétés occidentales. Ces critères étaient ceux de la sanction marchande (calcul strict du coût/bénéfice de chaque intervention) et de la loi du plus fort. Il n'est pas jusqu'aux jeunes — tout au moins ceux qui s'expriment publiquement — qui n'appuient le principe d'une remise en cause des acquis, définis en tant que privilèges, de catégories sociales qui continuent de bénéficier outrageusement, dit-on, du système qu'ils ont contribué à édifier[16]. Bref, c'est toute la société qui, dirigée par un État devenu « écho du capital », a accepté de se remettre en cause dans le sens d'un abaissement de ses aspirations et de ses ambitions collectives, sous prétexte qu'elle ronflait dans son aisance. L'« état d'urgence » : telle est la forme concrète sous laquelle est en train de muer l'État-providence dans la société contemporaine. Telle est aussi l'utopie rassembleuse d'une époque.

On saisit mieux, à la lumière de cette argumentation, la nature du rapport liant le politique et l'économique en régime d'accumulation migrante. L'État et le Capital restent au cœur de la production de la société, mais leur entrelacement est différent de ce qu'il était à l'époque du fordisme. Les appareils publics et parapublics sont notamment cantonnés dans la régulation des flux sociaux (circulation et reproduction de la force de travail, tant sur le plan physique que symbolique), alors que les flux économiques (circulation et reproduction des capitaux), bien que profitant toujours des efforts déployés par les gouvernements pour en fixer le circuit au sein de l'espace qu'ils contrôlent, échappent largement à cette régulation qui n'a certes pas encore été remplacée par quelque intendance internationale. Cette situation n'est pas entièrement nouvelle. Mais elle a atteint un point d'intensité incomparable avec ce qu'elle était antérieurement, au moment où l'État cherchait à orienter les flux vers des convergences qui provoquaient des effets macroscopiques profitables au renforcement des entités nationales et à la massification sociale, bien que sans conséquences durables et souvent inefficaces sur le plan économique.

L'émergence d'une régulation différenciée

Dans ses formes actuelles, la régulation étatique renforce plus qu'elle n'adoucit ou ne diminue les partitions qui se manifestent au cœur de la société. Au point qu'il faudrait peut-être parler de régulation différenciée pour désigner le mode général de compensation des déficits et des dérèglements de toutes sortes qui sont engendrés par le régime de l'économie migrante, et qui se met en place à l'échelle de la société[17]. Cette notion de régulation différenciée renvoie à la tendance de plus en plus évidente qu'ont les administrations publiques à orienter leurs interventions en faveur des seuls secteurs économiques et des seules catégories sociales considérés, selon un *criterium* volontairement discriminant et parfois moraliste, comme possédant un fort potentiel concurrentiel. Dans ce scénario, les autres catégories ou secteurs sont relativement délaissés parce qu'ils sont jugés sans avenir dans un monde hypercompétitif. Ce délestage n'est pas fortuit, mais sensé. Il se comprend à l'aune des articulations fonctionnelles qui existent entre les secteurs « évolués » et « recalés », formels et informels de l'économie.

Bien qu'on glose à n'en plus finir sur le caractère techno-cognitif de l'économie intangible, beaucoup de nouveaux emplois, peu productifs, ne sont viables qu'assujettis à des salaires très bas ou moyennant une souplesse maximale de la part des employés. De même, l'expansion prise par les productions parcellisées visant des clientèles huppées n'a pas été sans encourager le développement de travaux en régie au sein d'unités de production quasi-domestiques où œuvrent quantité d'ouvriers, souvent immigrants, qui échappent aux normes instituées en matière de salaires et de conditions de travail. La régulation différenciée est particulièrement bien adaptée à ce régime économique qui se nourrit, simultanément, de travailleurs valorisés et primés pour lesquels on exige une polyvalence extrême en matière d'expertise, et de travailleurs déconsidérés et dépréciés pour lesquels on exige l'impossible en matière de disponibilité jusqu'à ne leur offrir aucune garantie de travail. Contraindre les gens à se former ou leur couper les vivres, de manière qu'ils n'aient d'autre perspective que le travail haut de gamme ou bas de gamme, telle est la philosophie qui semble animer le Prince.

Jusqu'ici, la stratégie de l'État de ne miser que sur les « gagnants » potentiels et de délaisser relativement les « autres », a trouvé à s'exprimer dans bon nombre de politiques publiques et de programmes incitatifs qui ont été redéfinis en fonction de clientèles cibles, de régions désignées, de secteurs prometteurs, de tendances lourdes, de catégories adaptées aux impératifs de la nouvelle donne mondiale, etc.[18] On a ainsi assisté, depuis le milieu des années 1980, au passage graduel d'une philosophie d'intervention s'enracinant dans l'idée d'intégration, à des politiques menées au nom de l'insertion[19].

On a tort de penser, à la lumière d'une analyse des interventions et des dépenses des administrations publiques, que l'État a désinvesti la société et qu'il se retire graduellement du champ de la régulation[20]. Par contre, il est vrai d'affirmer que l'État réoriente singulièrement ses priorités et les fins de sa mission en fonction de ce que la classe économique et de ce que la classe politique, qui s'entendent largement sur ce point, appellent les injonctions de la mondialisation et celles de la concurrence. À cet égard, non seulement l'État a déjà modifié ses méthodes de gestion en rationalisant ses processus décisionnels et ses modes organisationnels, mais il a aussi changé sa philosophie générale d'intervention. Au fil des ans, l'État est devenu subsidiaire, ce qui cadre bien avec l'idéologie maîtresse de notre époque, celle de l'opérativité et de l'efficacité, d'une part, et celle de l'intervention adaptée aux circonstances particulières, d'autre part.

Toutes ces mutations connues par l'État ne sont pas le fruit du hasard. En tant qu'appareil par lequel transitent des sommes considérables dont la redistribution est largement fonction des rapports de force qui s'établissent au sein de la sphère publique entre des groupes d'intérêt se concurrençant pour l'accès aux richesses collectives, l'État est soumis à des pressions continuelles, y compris de la part de ses fonctionnaires qui ont tout avantage à ce que leur « employeur » prenne de l'expansion[21], pour que les fonds disponibles soient alloués à telle mission plutôt qu'à telle autre, soient dégagés de tel secteur pour être engagés ailleurs, soient enlevés à telle catégorie pour être attribués à tel autre demandeur, etc. Or, à l'époque actuelle, sur le plan tant politique qu'idéologique, il ne fait aucun doute que le rapport de force qui se joue entre les groupes présents dans l'espace public est à l'avantage de ceux qui plaident pour l'instauration d'une société flexible, avec tout ce que ce projet comporte de conséquences bénéfiques ou ruineuses selon qu'on est en position de force ou de faiblesse dans cette arène impitoyable.

La notion de régulation différenciée — certains diraient peut-être « duale » — ne désigne pas seulement la tendance des administrations publiques à renforcer, par les desseins de leurs politiques, les lignes de fracture propres à la société marquée par le régime de l'économie migrante. Elle renvoie aussi à la réapparition d'organisations communautaires au sein de l'espace social. Fonctionnant à partir de prestations en nature ou en service de la part de bénévoles, ou grâce à des moyens financiers accordés par le secteur privé ou public, ces organismes offrent aux *dés-insérés* de toutes sortes une gamme d'aides qui leur permettent de satisfaire à certains besoins vitaux ou de compenser les manques découlant de leur mise hors-circuit temporaire, cyclique ou structurelle. Au cours des dernières années, l'importance acquise par ces organismes dans la prise en charge des démunis a crû de manière significative, au point qu'ils constituent le premier rempart contre les effets les plus graves de la détresse sociale qui semble grandir au fur et à mesure que s'accentuent les traits de l'économie migrante. Si ces organismes communautaires fonctionnent dans le cadre des limites tracées par les technobureaucraties d'État, force est d'admettre qu'ils forment néanmoins l'embryon d'un deuxième système de compensation sociale et économique; un système qui n'est pas une solution de rechange au premier, plus officiel et normatif, mais vers lequel se dirigent des gens dont les qualités (ou les carences), de même que les problèmes ou les cas personnels, à moins que ce ne soient les attentes, ne les rendent pas conformes en tant que « clients type » aux programmes mis sur pied par les gouvernements — ce qui les rejette derechef dans les limbes de la société.

On voit bien comment, par rapport à la période précédente, les choses ont changé sur le plan de la régulation étatique. Après la grande crise des années 1930, on s'était en effet attaché à construire de toutes pièces un système de protection sociale fondé sur des principes d'universalité, de sécurité et de solidarité collective. Sur cette base, on avait cherché à intégrer la population dans l'univers du travail salarié et de la consommation marchande en normalisant ses comportements atypiques. Or, la régulation étatique qui se met progressivement en place est fondée, en concordance avec certaines valeurs d'époque, sur la recherche d'une insertion optimale, dans la société flexible, d'individus en situation de déficit temporaire. Cette quête d'insertion repose sur un principe axial : que tout un chacun, en bon entrepreneur et *leader* de sa destinée, s'ajuste aux exigences de la grande mouvance mondialiste en utilisant si nécessaire les programmes publics existants — des programmes ciblés et adaptés — comme moyen de levier personnel. Mettre au point un système qui « aide ceux qui s'aident », telle est l'ambition des décideurs. Quant aux autres qui refusent ce défi ou qui sont incapables d'en assumer les exigences, il leur reste les réseaux de solidarité dont la forme la plus élaborée est celle des organismes communautaires, et la forme la plus primaire celle de l'amitié et des liens du sang.

L'apparition d'une citoyenneté duale

L'une des principales incidences de cette régulation différenciée est certainement d'entraîner les ferments d'apparition d'une citoyenneté duale. Celle-ci désigne la partition de la sphère publique, si ce n'est de toute la société politique, en deux « mondes » évoluant de manière coextensive.

Au sein du premier monde, sorte d'espace civique[22] où des groupes d'intérêt se livrent à de spectaculaires joutes de pouvoir publi-médiatiques qui entraînent bien de l'acrimonie chez la population, s'animent des acteurs individuels ou corporatistes qui, par des jeux d'influence fort compliqués, cherchent à accéder sur un mode privilégié aux richesses collectives transitant par les appareils d'État. Bien organisés et déjà puissants, ces acteurs forment ensemble la catégorie des « gagnants » et s'inscrivent dans le sens de la mutation socioéconomique en cours, tout en cherchant à en profiter davantage. Ils trouvent auprès des décideurs, notamment chez ceux qui administrent les collectivités nationales et supranationales, un écho favorable à leurs ambitions, car le projet sociétal qu'ils promeuvent est envisagé comme la seule avenue raisonnable du devenir collectif. Ce sont ces acteurs qui définissent l'espace du « pensable » dans le cadre duquel s'effectue le processus réflexif général qui donne ses configurations finales aux formes politico-institutionnelles marquant la société flexible. Ces acteurs ne subissent pas ce que nombre d'analystes appellent le « déficit démocratique » propre aux sociétés contemporaines, car ils participent, par l'intermédiaire de leurs associations ou par l'entremise de *lobbies* informels, à l'instauration du nouvel ordre qui accompagne le développement de l'économie migrante. À ce titre, ils contribuent décisivement à orienter la société et peuvent être désignés comme les bénéficiaires du régime en place.

Dans le second « monde » se retrouvent ceux et celles qui sont laissés pour compte dans la dynamique des jeux de pouvoir se déroulant au cœur et à la périphérie des grands appareils d'État. On les qualifiera pour cette raison de « citoyens perdants ». Mais cette désignation n'est valable que si on apprécie leur condition en fonction de leur accès limité aux richesses collectives, car leur posture sociétale n'est pas univoque. Subissant les processus réflexifs formels, ils cherchent à compenser leur piètre représentation sur la scène politico-médiatique — autrement que comme électeurs au pouvoir passif — par un engagement marqué dans leur milieu immédiat ou local, ce qui est une façon pour eux de se créer un espace d'action et d'intervention réel. On saisit bien le paradoxe dans le cadre duquel se construit cette autre condition civique : d'un côté, elle exprime une perte d'accès aux institutions décisionnelles des grands paramètres de la vie sociétale, ce qui est une défaite majeure; de l'autre, en tant que réaction plus ou moins consciente au «déficit démocratique» qu'ils subissent, elle marque, de la part des «perdants», la reconquête d'une des marges de la mondialité, soit la sphère communautaire, lieu d'aménagement d'une sociabilité parfois originale.

Si la reconversion de l'État et la réorientation de sa mission suivant les paramètres de la société flexible ont entraîné une certaine déstructuration de la société civile telle qu'elle s'était graduellement conformée au cours des quarante dernières années — ce qui a suscité des angoisses, voire des tragédies, pour les uns et des dérives malheureuses pour les autres —, aucun vide n'est encore apparu. La société, par l'intermédiaire de ses hérauts locaux, a elle-même secrété des solutions de rechange pour lutter contre les effets les plus graves des pertes découlant du processus de reconversion de l'État. À cette échelle locale, les objectifs sociaux n'ont pas été remplacés par des objectifs économiques. De même, l'unité de la communauté n'a pas été réalisée grâce à l'exercice d'un pouvoir, mais à la suite de l'engagement et de la compassion de citoyens-intervenants qui ont trouvé par ce biais un moyen de s'engager personnellement — y compris de se valoriser dans un milieu attachant où les rapports individuels sont bien moins marqués au sceau de la compétition — et de contribuer ainsi au relèvement d'un espace concret qui est également leur milieu de vie.

De nouveau, on saisit bien la différence grandissante qui sépare les citoyens selon qu'ils occupent les premiers ou les seconds gradins dans l'agora: d'un côté, la citoyenneté des «gagnants» obéit à des logiques concurrentielles individualistes et s'exprime dans un activisme à grand déploiement, de facture quasiment théâtrale, qui obtient un fort écho médiatique; de l'autre, la citoyenneté des «perdants» se déploie sous la forme d'engagements communautaires et locaux dont on entend peu parler si tant est que, pour prendre le pouls de la société, on s'en tient aux circuits d'information officiels.

Cette restructuration de l'espace public en deux mondes où les personnes qui y évoluent respectivement n'ont ni la même voix, ni le même poids, ni le même accès aux canaux politico-institutionnels, est certainement avantageuse pour ceux qui gravitent dans l'orbite des appareils d'État, puisqu'elle entraîne une réorientation des richesses collectives à leur profit — ce dont souffrent assurément tous les « petits ». Cela dit, ces derniers ne cessent pas d'exister pour autant. Par le fait des joutes acerbes qu'ils mènent contre les pouvoirs publics pour le maintien de droits acquis et grâce à des pratiques ingénieuses qui les entraînent aux frontières de l'illégalité, ils révolutionnent tranquillement leur mode de vie. Aux marges de la société concurrentielle se développe en effet une socioéconomie qui échappe largement à l'emprise de l'État. Pour en dénoncer le caractère indigne et pour nier le fait qu'il s'agit également d'une réalité sociale, c'est-à-dire d'un lieu où interagissent qualitativement des personnes, on la qualifie habituellement par l'expression négativement connotée d'« économie au noir ».

À cet égard, plusieurs observateurs se trompent sur le sens réel à donner à ce monde hors-la-norme dont on mesure mal l'ampleur compte tenu de la difficulté éprouvée à bien le cerner dans ses contours quantitatifs. L'économie souterraine n'est pas un avatar de l'économie formelle, elle en est l'interface. Elle est l'expression de cette somme de détours et de ruses qu'inventent et qu'empruntent les désaffiliés et les exclus, quel que soit leur statut, pour vaincre l'adversité que leur impose l'affirmation du nouvel ordre économique, social et politique. L'économie souterraine est aussi un système dont il importe de voir les avantages pour ses participants. Ceux-ci y trouvent des sources d'enrichissement, de valorisation et d'épanouissement que ne leur procure pas l'économie administrée.

Cela dit, le secteur informel n'est pas qu'un incubateur de pratiques sociales novatrices. Il sert, pour nombre de personnes ou d'entreprises exerçant des activités légales ou douteuses, de lieu de contournement des normes édictées par les technobureaucraties d'État, ce qui est aussi un moyen d'échapper à leur contrôle. Le secteur informel est également investi comme lieu de compensation par tous ceux qui, s'estimant victimes des excès du fisc, veulent s'évader d'un univers réputé « taxentrationnaire ». Enfin, comme nous l'avons dit plus tôt, il est articulé fonctionnellement au secteur formel, dont l'expansion est effectivement liée au développement de l'économie souterraine. À ce titre, il constitue un « lieu » où se reproduisent en partie une foule de gens ayant subi négativement les hausses de productivité dans le secteur manufacturier et qui ont trouvé, dans cette économie du *self-service,* des emplois qui, compte tenu de leur caractère peu productif, ne peuvent exister autrement que comme emplois non régis. L'État est d'ailleurs prisonnier de cette situation où il lui faut reconnaître le caractère fonctionnel de l'économie souterraine tout en cessant de la subventionner indirectement par ses politiques de soutien au revenu[23]. La philosophie du «Bouge ou sombre», appliquée aux sans-emplois aptes au travail, semble la solution pour l'instant retenue par les décideurs publics, en Amérique du Nord tout au moins[24]. Ce scénario est celui que John Myles désigne par une expression difficile à traduire : *dualization/high employment*, c'est-à-dire favoriser la création de très nombreux emplois, y compris dans les bas-fonds du marché du travail[25].

L'apparition insidieuse d'une citoyenneté duale est certainement l'un des principaux indices annonçant l'émergence d'une société où la reconnaissance sociale réelle des individus est fonction de leur effort personnel bien plus que de droits formels acquis à la naissance. Cela va d'ailleurs dans le sens des critiques néolibérales dirigées contre la «citoyenneté marshallienne». Certes, ce que T. H. Marshall[26] a appelé la citoyenneté civile (ensemble des droits et des mesures qui assure l'autonomie des individus et de la société civile contre l'invasion étatique) et la citoyenneté politique (qui fonde la légitimité du système sur la mobilisation des citoyens et leur participation à tous les stades du processus politique) ne sont pas actuellement remises en cause. Elles restent parmi les fondements de la vie sociale instituée. Mais ces droits et libertés primaires sont en pratique soumis à une sanction sociale postérieure qui, fondée sur les notions de devoir, de mérite et de puissance d'intervention, leur donne une portée effective plus ou moins grande selon les individus. Jusqu'à un certain point, cette inégalité civique a toujours existé dans les démocraties occidentales. Mais elle était un problème à combattre et la notion de citoyenneté sociale (droit au bien-être matériel, social et culturel) était le moyen choisi pour ce faire. À l'heure actuelle, l'inégalité civique, justifiée à l'aune d'une critique de l'État assurantiel et d'une hypervalorisation de la «différence», devient l'une des pierres angulaires sur laquelle s'élève tout l'édifice social et politique. La citoyenneté est en train de s'instituer en tant que subjectivité exogène[27].

Or, la remise en cause des principes de reconnaissance et de réciprocité à l'origine de la formation de l'État-providence, bien que présentée comme n'étant que le résultat d'une démarche réflexive d'ordre technique et instrumentale, a des conséquences qui touchent directement à l'ordre sociétal et politique qui s'était institué au sortir de la Seconde Guerre mondiale. Cet ordre reposait sur un équilibre donné entre l'État et la société civile, de même qu'entre le public et le privé. Il appelait des logiques de participation et d'intégration civique, sorte de contrat social, qui visaient l'inclusion de tous les membres formant paritairement la collectivité politique nationale. À n'en pas douter, cet équilibre est en voie de changer dans le sens d'une autonomisation et d'une atomisation de la société civile, et dans celui aussi d'une reconnaissance des droits individuels et des statuts particuliers.

C'est dans ce contexte d'émergence d'espaces civiques différenciés que plusieurs observateurs s'interrogent sur ce qu'il est en train d'advenir de la citoyenneté sociale effective des désaffiliés — notamment des immigrants et des membres de communautés ethniques — à qui l'on fait jouer de plus en plus le rôle de l'« autre », un autre par rapport auquel l'on redéfinit les frontières de l'« entre-soi ». À ce titre, Norbert Elias voyait juste : les formes que prend la citoyenneté ne sont toujours que le produit de stratégies de distinction dans une situation d'interdépendance contrainte[28]. Or, la situation qui prévaut maintenant dans les démocraties occidentales témoigne précisément de l'apparition de nouvelles stratégies de distinction. Elle rend compte aussi d'une dynamique originale d'incorporation civique largement fondée sur l'accès au travail rémunéré, gage de reconnaissance sociale, de visibilité et donc d'existence. C'est dans la mesure où un individu s'inscrit dans l'univers du travail salarié qu'il se valide socialement, qu'il démontre à tous son utilité et qu'il reçoit des autres cette sanction et cette reconnaissance qui lui permettent de s'afficher comme étant quelqu'un. La personne qui pour une raison ou une autre rate cette inscription ne fait rien de reconnu. Et si elle ne fait rien de reconnu, elle n'est rien[29]. Elle cesse d'exister. Elle devient « inutile » du fait même que les autres ne semblent plus avoir besoin d'elle. C'est dans cette absence de reconnaissance que réside le drame réel des déshérités. Ne pas avoir de travail rémunéré, c'est ne plus pouvoir se faire entendre, c'est ne plus compter dans le regard de l'*Autre*. C'est pousser des « grognements » plutôt que d'exprimer une voix audible. Les pauvres, écrivait il y a longtemps Adam Smith, sont ceux que personne ne voit, ceux qui ne parviennent pas à exister aux yeux de leurs concitoyens[30]. Sans travail rémunéré, l'individu ne peut prétendre à la « crédidentité » — l'identité miniaturisée et condensée sur carte de crédit —, attribut distinctif et forme attestée de crédibilité et de reconnaissance dans la société marchande contemporaine.

De ce point de vue, la condition des marginaux, strate la plus désinsérée des désaffiliés, constitue un problème de taille. Ceux-ci s'enferment de plus en plus dans un statut de citoyen déchu, en ce sens que la situation socioéconomique qu'ils vivent les empêche d'accéder à des réseaux participatifs au sein desquels ils peuvent reconquérir leur condition civique. À la longue, compte tenu des pressions grandissantes émanant du « social » afin que chaque individu soit responsable de sa promotion, les marginaux sombrent graduellement dans un cercle vicieux qui les « excentre » encore plus. Ce faisant, ils se rendent « invisibles ». Or, contrairement à ce que l'on avait prévu, ces marginaux sont loin de former l'avant-garde des groupes revendicatifs. Défavorisés dans les jeux politiques et vivant dans une certaine dispersion, ils s'arquent dans leur condition en assumant le rejet dont ils sont victimes. Si certains s'engagent dans des projets d'initiative locale et se réapproprient par là une identité civique, et si d'autres s'accommodent positivement de nouveaux styles de vie qui divergent des modèles dominants, un grand nombre se dirige résolument vers la pente descendante du *No Return*. Ils deviennent alors des *Perhaps*, des *Maybe*, des *Unless*[31]. Telle est l'une des grandes misères de notre fin de siècle.

II

LES TEMPS POSTKEYNÉSIENS : POLARISATIONS, FRAGMENTATIONS, DISLOCATIONS DANS LE CANADA CONTEMPORAIN

CHAPITRE 4

Déphasages économiques et spatiaux

À moins que ne soit préconisé un modèle de développement qui aille à contre-courant des scénarios présentement envisagés par les gouvernements pour relancer et soutenir la croissance, l'espace canadien sera marqué, sur le plan économique, par des phénomènes de polarisation qui accentueront les déphasages entre des zones fortes et des zones faibles. L'économie nationale, si tant est qu'elle existe encore sous cette forme, ne fonctionnera pas de manière concordante et complémentaire. L'État fédéral n'arrivera pas non plus, sans remettre en cause ses pratiques actuelles de régulation, à favoriser l'articulation des pôles de croissance entre eux et avec les zones de pourtour. À ce sujet, plusieurs études portant sur l'ALÉNA ont fait ressortir que cet accord avait singulièrement renforcé la tendance à la balkanisation des espaces canadien et américain, accru la concurrence entre les États et les provinces, et favorisé l'apparition de marchés régionaux transfrontaliers[1].

Zones fortes/zones faibles, métropolitanismes/localismes

De manière générale, les zones fortes recouperont le réseau actuel des grandes agglomérations. Vancouver, qui profitera largement des dynamismes de la zone du Pacifique, étendra son espace d'influence au-delà des Rocheuses et se trouvera parfois en conflit avec Toronto. Cette dernière ville, métropole incontestée du Canada, conservera sa centralité au pays et l'accroîtra dans l'est du Canada en intégrant Ottawa et Moncton dans son orbite. Montréal dominera un *hinterland* relativement plus petit qui coïncidera largement avec les frontières politiques du Québec. La ville confirmera ainsi un destin qui lui sied depuis cinquante ans[2], ce qui ne signifie pas, loin de là, qu'elle soit sans atout pour l'avenir. Au cours des prochaines années, la capitale économique du Québec — comme celle de la Colombie-Britannique vraisemblablement — connaîtra un affermissement de son statut régional et international en même temps qu'un affaiblissement de son statut canadien. Cette situation ira à l'encontre de l'intégration territoriale et identitaire du Canada.

Les mouvements apparents de population d'une province à l'autre, entre 1986 et 1991, annoncent assez bien le schéma spatial qui est en train de se mettre en place au pays. Ainsi, ce sont la Colombie-Britannique et l'Ontario qui ont le plus bénéficié des migrations interprovinciales au cours de cette période[3]. Toutes les autres provinces, le Québec y compris, ont subi des pertes nettes sur ce plan. Fait à signaler, dans la mesure où les migrants diffèrent des non-migrants au chapitre de la profession (les premiers se concentrent en effet dans les emplois de cols blancs et de services), les provinces favorisées par les migrations profitent, en même temps que d'un afflux démographique, d'un transfert positif de savoir accumulé et d'expertise, ce qui ne peut être qu'un avantage à l'ère de l'économie fondée sur les connaissances. À cet égard, l'Ontario et la Colombie-Britannique ont été particulièrement choyées au détriment de la Saskatchewan et du Manitoba. Pour sa part, le Québec n'a pratiquement pas été touché par l'émigration de cols blancs. La faible mobilité de sa population francophone l'a épargné de cette « évasion d'expertise ». Pour certains analystes, cette faible mobilité constitue un facteur susceptible de renforcer la position concurrentielle du Québec, compte tenu des synergies compétitives provoquées par la concentration d'experts au sein d'un même espace pendant une certaine période[4].

Autre point : bien que les régions métropolitaines de recensement (RMR) aient connu une croissance démographique rapide dans la seconde moitié des années 1980, celle-ci ne s'est pas faite au détriment des régions non métropolitaines. Elle a plutôt reposé

sur l'immigration étrangère. L'accroissement démographique parallèle des RMR et des « autres régions » pourrait être l'indication que
se manifeste au Canada l'un des traits dominants de l'économie migrante, à savoir la concentration des activités de contrôle et de décision au cœur des grandes agglomérations, d'une part, et la décentralisation des activités d'exécution vers les zones périphériques,
d'autre part. Elle pourrait aussi renvoyer à la façon dont se structurent les marchés du travail dans ce régime de zones fortes et de
centres-relais. Bien que cette hypothèse n'épuise pas les interprétations possibles, on a remarqué qu'une telle division spatiale de la
production et du travail était en train de s'instaurer dans certaines
régions au Canada[5]. S'il est difficile de définir le modèle de l'enracinement territorial en cours, il semble qu'une forme d'urbanisation
plus diffuse soit en train de s'opérer parallèlement à la nouvelle organisation économique[6]. Largement fondée sur la désintégration verti-
cale des processus de production, celle-ci entraîne une certaine dispersion des industries dans l'espace à méso-échelle de même qu'une
« spécialisation » des quartiers. Elle favorise la tertiarisation, voire la
quaternisation, des centres-villes et accentue le déplacement des familles aisées et moyennement fortunées vers la périphérie. En même
temps, elle suscite un intérêt renouvelé pour la vie au centre-ville.
Là se concentrent les catégories sociales précarisées de même que
les ménages dont l'orientation n'est pas d'abord familiale, y compris
les groupes sociaux qui se définissent par rapport à des modèles
existentiels alternatifs. C'est ainsi qu'au cœur des grandes villes s'élaborent les formes culturelles et les styles de vie de l'avenir[7].

Quoi qu'il en soit, les grandes régions métropolitaines resteront
au cœur de la dynamique spatiale canadienne dans les prochaines
années, et ce, tant sur le plan économique que démographique[8].
Elles seront les places centrales vers lesquelles convergeront les « systèmes » régionaux de production et d'échanges. Emportées par la
circulation internationale des capitaux et par celle de la force de
travail spécialisée et du lumpenprolétariat migrant, ces métropoles
s'intégreront, suivant des modalités qui leur sont spécifiques, à un
pattern mondialisé de cités-régions, plaques tournantes du régime
économique en devenir. Elles acquérèrent leurs fonctions d'après la
place qu'elles occuperont dans la hiérarchie continentale et internationale des métropoles. Leur capacité à concentrer des activités

appartenant au tertiaire moteur et au quaternaire apparaît, à la lumière des tendances en cours, comme la condition déterminante de leur position à l'intérieur de cette hiérarchisation[9].

On peut d'ailleurs penser que sur le plan du développement économique, ces villes, en concurrence avec d'autres agglomérations également désireuses de s'internationaliser, s'autonomiseront par rapport à l'espace politique auquel elles appartiennent. Leur rythme de développement sera différent du grand État dans lequel elles prennent place. Leur évolution dépendra des stimuli des marchés mondiaux. Elle sera conditionnée par des déterminants exogènes avant de répondre aux objectifs de planification des gouvernements supérieurs. À l'heure actuelle, les économies régionales de Vancouver, de Toronto et de Montréal n'évoluent déjà plus en symbiose avec celles de leur province d'attache. Cela n'est pas sans semer les germes d'une fragmentation de l'espace économique des provinces[10]. Quant à leurs stratégies de développement, elles sont axées en fonction des signaux, des flux et des impulsions émanant de l'espace mondial. Cela dit, il n'existe pas pour le moment de contradiction entre le scénario internationaliste des grandes cités-régions du Canada et les stratégies poursuivies par les gouvernements. En pratique, toutes les instances publiques souscrivent au même objectif : accompagner le mouvement d'insertion de ces cités dans l'ordre mondial asymétrique. La nomination par le gouvernement du Québec d'un ministre responsable de la région montréalaise illustre bien cette visée.

De manière générale, les métropoles canadiennes se développeront selon un patron classique dont les grandes villes américaines représentent le prototype le plus avancé. L'idée n'est pas de dire qu'on ne saura bientôt plus distinguer les premières des secondes ou que toutes suivront un même schéma d'évolution. Des recherches ont démontré le contraire[11]. On doit par ailleurs se garder de croire que le mode de développement d'une agglomération n'obéit qu'à des conditions objectives et exogènes. La philosophie générale préconisée par les gouvernements locaux, d'une part, et les velléités manifestées par les citadins dans l'aménagement de leur milieu de vie, d'autre part, ont un impact majeur dans la conformation finale de l'espace urbain. À cet égard, on se souviendra que les villes canadiennes et américaines divergent sur le plan de l'histoire et des profils sociologiques. Comme l'écrivait John Mercer, les villes du Canada sont davantage publiques dans leur nature et celles des États-Unis, plus privées[12]. En cela, elles incarnent la tradition, si ce n'est l'éthique sociétale qui sont spécifiques à chaque pays.

Cela dit, il appert que les grandes villes marquées par la globalisation connaissent des processus évolutifs à peu près semblables, et ce, dans des formes plus ou moins accentuées. Elles concentrent en leur sein, dans des lieux appelés technopôles (fréquemment situés dans les banlieues rapprochées des grands axes de transport), les secteurs d'activités les plus profitables, secteurs dont l'une des caractéristiques est évidemment d'être internationalisés. Elles accueillent en même temps des masses laborieuses drainées des régions périphériques ou provenant de l'étranger. Celles-ci trouvent à s'employer dans les secteurs dévalorisés et déqualifiés du marché du travail (dont profitent des entreprises plutôt localisées dans les centres-villes). Soumis aux dynamismes simultanés de l'immigration, de la restructuration industrielle, de la fragilisation des classes moyennes, de la gentrification de zones centrales, de la tertiarisation de l'emploi et de la féminisation de la main-d'œuvre, l'espace urbain répond, à travers ses configurations spécifiques, aux phénomènes de polarisation économique et de dualisation sociale qui marquent les populations résidentes. Ce sont ces tendances que connaissent déjà, de manière nettement moins forte que les grandes villes américaines toutefois, Vancouver, Toronto et Montréal.

Les zones faibles recouperont pour leur part les aires éloignées des métropoles, celles qui sont à l'écart des effets de rayonnement provoqués par les cités-régions. Cela ne signifie pas que ces zones évolueront en dehors du « système » économique. Au contraire, elles seront liées aux zones fortes par toutes sortes d'articulations fonctionnelles traduisant la hiérarchie effective des agglomérations au sein de l'espace. Par suite des progrès survenus dans les communications, l'automation et l'informatique, elles se spécialiseront dans des activités de sous-traitance et d'artisanat technologique, et ce, à la faveur des firmes métropolitaines ou mondialisées qui resteront localisées dans les grands centres. Plus souvent qu'autrement, les villes moyennes « périphérisées » joueront le rôle de centres-relais. Nombre de flux d'investissements entre les régions centrales et périphériques s'expliquent de cette manière au Canada à l'heure actuelle. Le dynamisme soudain affiché par certaines agglomérations néo-brunswickoises, en particulier Edmunston et Moncton[13], a beaucoup à voir avec de telles logiques d'investissement associées au principe de la « réticulation ». Celui-ci laisse entrevoir un territoire industriel maillé par un réseau de milieux innovateurs localisés dans des zones permettant une « environnementation » positive des entreprises tout en évitant les surcoûts d'agglomération propres aux plus grandes métropoles[14]. À noter que le travail féminin précarisé est largement utilisé dans ce contexte de fragmentation et de redéploiement spatial du procès de production[15]. Il n'est pas dit que les zones faibles seront totalement dépourvues d'enclaves de croissance. Celles-ci trouveront cependant leurs conditions de formation dans la relocalisation des activités d'exécution des firmes ou dans la déconcentration territoriale des administrations publiques. Les dynamismes à l'origine de l'apparition de ces enclaves de croissance seront donc étrangers aux zones ponctuellement bénéficiaires, ce qui ne réduira pas leur dépendance envers les décisions d'agents extérieurs. Dans le contexte actuel de concentration spatiale des activités « supérieures » et de délocalisation relative des activités « inférieures », les zones périphériques, comme les villes moyennes en général, apparaissent plutôt comme perdantes. La diminution des transferts gouvernementaux et la réduction des dépenses publiques entraînera à n'en pas douter des conséquences dramatiques pour certaines agglomérations fortement dépendantes des investissements de l'État. Halifax, dans ce contexte, semble en position précaire[16].

Au cours des prochaines années, le paysage politique canadien sera donc marqué par une recrudescence des identifications locales découlant de la fragmentation accentuée de l'espace économique et social au pays. Ces identifications exprimeront parfois l'appartenance des populations à des cités-régions en expansion. Elles traduiront alors l'allégeance grandissante des métropolitains envers leur ville de résidence. Ils la percevront positivement comme une zone favorisée en concurrence avec d'autres zones apparentées *dans l'espace mondial*. Des identifications locales s'afficheront aussi dans les zones périphériques. Elles traduiront alors le sentiment d'exclusion (ou d'inclusion dépendante) des populations « périphérisées » et leur désir ardent de ne pas être sacrifiées sur l'autel de la mondialisation. Compte tenu des dynamismes politiques en vigueur au Canada, ces identifications locales seront aspirées dans le tourbillon des expressivités régionales ou provinciales. Cela dit, la question du localisme intraprovincial restera à l'ordre du jour. Il a d'ailleurs resurgi de manière éclatante lors des audiences des commissions itinérantes sur l'avant-projet de loi sur la souveraineté du Québec.

Dans l'ensemble, il est peu probable que les tiraillements de toute nature qui ont marqué le Canada au cours de son histoire, et de manière particulièrement intense depuis le début des années 1960, ne cessent prochainement. On peut même penser qu'elles s'accentueront. Mais elles seront mues par des velléités économiques d'abord. Contrairement à ce que prêche une partie de la classe politique au Canada, plus les Canadiens — et *a fortiori* les Québécois — seront préoccupés par le sort économique du pays et par celui de leur espace particulier, plus la question constitutionnelle, qui touche au problème crucial de la répartition et de l'aménagement des pouvoirs entre les paliers de gouvernement, redeviendra centrale dans les discussions. Son apparente secondarisation dans les débats publics ne fait que préparer le terrain à de nouvelles séances de négociation où les intérêts de certaines régions, par rapport à ceux du fédéral et à ceux d'autres régions, pourraient cette fois atteindre leur comble.

La question régionale au Canada

Il apparaît pertinent, à l'égard de cette recrudescence latente des tensions entre gouvernements, d'aborder brièvement la question du régionalisme au Canada. Dans cet État, le régionalisme exprime ce qui ailleurs prend la forme de mouvements sécessionnistes pacifistes ou violents. Ces mouvements sont divers dans leur nature : tantôt nationalistes ou fondamentalistes, tantôt autonomistes ou souverainistes, tantôt tout cela à la fois. Loin de nous l'idée de réduire à un seul dénominateur commun la panoplie des demandes de reconnaissance politique qui s'expriment dans le monde à l'heure actuelle. Force est d'admettre toutefois qu'elles trouvent en partie leur origine dans la façon qu'ont des groupes constitués — et d'autres en voie de formation — de réagir aux défis et aux opportunités offerts par l'économie migrante et globale. Ce facteur s'ajoute à de plus anciens, d'ordre historique, religieux, ethnique ou territorial, et leur donne un nouvel élan ou actualise leur signification. Certains groupes, menacés d'exclusion par l'ordre mondialiste, le rejetteront en affirmant leur identité culturelle en terme fondamentaliste. D'autres tenteront d'établir une connexion perverse avec l'économie globale en se spécialisant dans la criminalité. D'autres encore chercheront par des moyens légaux à se ménager un accès favorable aux flux circulant dans le monde en prônant l'autonomie ou l'indépendance du territoire qu'ils habitent. Tous prétendent cependant au même objectif : obtenir plus de pouvoirs, si possible détenir les rênes d'un État souverain enraciné territorialement, et diriger la destinée de ceux et de celles qui, présentés comme nation, peuple ou collectivité religieuse, linguistique, ethnique ou autre, vivent dans les frontières de cet État constitué ou envisagé. La demande d'État, moyen par excellence d'être reconnu et respecté par l'*Autre* sur le plan politique et symbolique, est au cœur de l'ordre global qui s'instaure.

Certes, il n'est pas possible d'embrasser à la lumière d'un seul modèle toutes les manifestations d'affirmationnisme politique qui s'expriment maintenant en Occident. Telle n'est d'ailleurs pas notre intention. Cela dit, on a vu émerger au cours des quinze ou vingt dernières années un type inédit d'affirmationnisme qui, arrimé à un registre de revendications antérieures plus ou moins explicites et organisées en représentations et en actions, les prolonge en les renouvelant. Enraciné principalement dans un rationalisme économique, celui-ci est fondé sur une stricte logique comptable de coûts/ bénéfices. De manière générale, le but poursuivi par les tenants de l'affirmationnisme marchand — c'est ainsi qu'on l'appellera — est de profiter encore plus des effets de création de richesses produits au sein de « leur » territoire par le capital migrant. Dans certains cas, il s'agit, pour parvenir au même résultat, de se débarrasser des formes de « colonialisme interne » existant à l'intérieur d'États déjà constitués. Le plus souvent, les prétentions sécessionnistes ou souverainistes affichées par ces mouvements affirmationnistes sont fondées sur l'idée de la maturité économique et politique acquise par une collectivité recherchant toutes les conditions de son épanouissement. En termes clairs, ce ne sont plus des considérations d'ordre ethnique ou « communaliste », mais plutôt d'ordre économique et pragmatique, qui justifient principalement la volonté d'autonomie des demandeurs. Le cas échéant, la référence nationaliste est résiduelle et instrumentale. Elle n'a qu'un but : *pré-texter* l'État.

C'est dans ce contexte qu'il faut comprendre nombre de luttes nationales et régionales qui marquent présentement le monde occidental. C'est aussi par rapport à cette donnée qu'il faut envisager, de plus en plus, la demande de reconnaissance politique et symbolique émanant de Québec à l'endroit d'Ottawa.

Depuis ses débuts, le Canada a été marqué par des tiraillements d'intérêts régionaux et provinciaux. C'est un trait caractéristique de cet État que de les avoir tolérés en privilégiant la règle de l'accomodement, du compromis et de l'aménagement plutôt que, comme aux États-Unis, celle du déni ou du combat. Historiquement, le Canada s'est d'ailleurs bâti dans la diversité plus que dans la convergence. C'est dans cette diversité que l'État a trouvé sa légitimité et que la société canadienne a empiriquement construit sa figure et trouvé son unité. Ainsi, l'idée de dualité nationale a tacitement surplombé la pratique politique des élites canadiennes pendant près de cent ans[17]. De même, les institutions politiques mises en place en 1867 ont permis la consolidation d'allégeances provinciales ou régionales assez fortes. Ce sont ces principes constitutifs du Canada que le gouvernement de Pierre Trudeau a formellement niés au début des années 1980 en subordonnant l'idée de la diversité à celles de la liberté et de l'égalité. Ces deux notions ont été au cœur d'une vision de la pancanadianité fondée sur le rêve libéral d'une société cosmopolite où le bien commun était défini non pas par les hasards de l'histoire, par la tradition ou par les coutumes, mais par la raison universelle[18]. En dépit de sa noblesse et de sa grandeur apparente, cette vision a engendré plus de problèmes qu'elle n'a été profitable au pays. Nous y reviendrons.

Exprimant les luttes continuelles de groupes concurrents engagés dans des processus d'ascension sociale, d'expansion économique ou de maintien de leurs pouvoirs et de leur cohésion, les tiraillements régionaux au pays ont souvent pris la forme de griefs dirigés contre l'État fédéral. Celui-ci était accusé de soutenir la cause des grands industriels appartenant aux bourgeoisies établies des provinces centrales, et ce, au détriment des bourgeoisies moins puissantes des régions excentriques. Dès le début de la Confédération et dans les décennies qui ont suivi, certains groupes issus des provinces maritimes et des Prairies, dont l'accès au gouvernement central était limité, ont ainsi mené des luttes politiques acerbes contre Ottawa dans l'espoir de se ménager quelque entrée auprès de cette nouvelle instance de pouvoir ou pour contrer les empiétements du fédéral dans les domaines de juridiction de leur province d'attache.

Dans l'Ouest, ces doléances ont nourri un mouvement populiste fortement revendicateur qui, s'enracinant dans le mécontentement des fermiers, a suscité l'engouement populaire. Dans les provinces de l'Est, le dépérissement graduel des bourgeoisies régionales a fait taire les récriminations initiales. Petit à petit, les populations locales, s'appauvrissant relativement, ont accepté les avantages pécuniaires du système fédéral. Cela s'est traduit pour elles par un bénéfice marqué au chapitre des transferts financiers et des paiements de péréquation, mais aussi par une dépendance accrue envers Ottawa.

Au Canada central, le rapport de force entre le gouvernement fédéral et les provinces a toujours été tendu, tant en Ontario qu'au Québec. S'il est de tradition de dire que c'est au sein de cette dernière province que la contestation a été la plus forte, il reste qu'elle ne s'est jamais exprimée de manière univoque.

Dès le départ, le Québec est une société bariolée sur le plan politique, pleine de commutations et d'enclaves, plurielle dans ses manières d'être, d'agir et de se dire. La socialité elle-même s'incarne dans des réseaux complexes et toujours changeants de ciments sociaux et politiques que les définisseurs de situation, artistes des mégavisions, ont peine à rendre à défaut de le vouloir[19]. Plusieurs références identitaires, plusieurs *memoriae* s'élaborent en même temps[20]. Les heurts sont nombreux entre nationalistes et provincialistes, entre européanistes et américanistes, entre partisans de la « survivance » et ceux qui cherchent à profiter des occasions engendrées par le pacte confédératif, entre ceux qui considèrent le gouvernement fédéral comme un instrument supplémentaire de leur promotion et ceux qui lient leur destinée au renforcement exclusif du gouvernement du Québec. Ces oppositions ont toujours marqué la politique provinciale et définissent encore les paramètres du débat entre souverainistes et fédéralistes.

L'acrimonie envers Ottawa est tout aussi forte à l'ouest de la rivière Outaouais. Qu'on se rappelle à quel point Oliver Mowat, pendant son règne de plus de vingt ans à titre de premier ministre de l'Ontario, s'est fait le champion de l'autonomie provinciale. Il est vrai que le rapport de force entre Toronto et Ottawa se modifie dans les années 1930 et 1940. C'est en effet à cette époque, à la suite de l'implantation de capitaux industriels américains dans la péninsule du Niagara et sur les bords du lac Ontario, et à la faveur de politiques heureuses menées par les gouvernements de Hepburn, de Drew et de Frost, que l'Ontario peut capitaliser sur ses dotations factorielles initiales et se hisser au rang de *leader* économique du pays. Cette situation favorable à l'Ontario, pour des raisons de localisation géographique surtout et de proximité culturelle avec les États-Unis ensuite, est soutenue et encouragée par le gouvernement fédéral. Celui-ci consacre littéralement cette région comme fer de lance de sa stratégie de développement économique pan-nationale.

Après la guerre et ce, jusqu'au milieu des années 1970, la rentabilité du fédéralisme canadien repose certainement sur la croissance rapide du sud-ouest de l'Ontario. Cette région se constitue en place forte de l'économie nationale, tant sur le plan industriel que financier. On aurait tort de voir dans cette union harmonieuse entre des intérêts économiques localisés en Ontario et le pouvoir central une quelconque machination dirigée contre le Québec. Imprévisible au moment de la signature de l'Acte de l'Amérique du Nord britannique, le recentrement de l'économie canadienne autour de la région du sud-ouest de l'Ontario — et la focalisation conséquente des politiques d'Ottawa en faveur de cette zone — est largement un avatar de la grande mouvance de l'économie nord-américaine vers le centre du continent. À la longue, il est évident toutefois que des liens serrés se tissent, à la faveur d'intérêts mutuels explicites, entre une classe politique qui évolue à Ottawa et une classe économique située principalement à Toronto. Le rétrécissement de la zone d'attraction de Montréal, métropole ébranlée, se confirme dans ce contexte. L'*hinterland* montréalais tend à se recentrer sur l'espace québécois[21]. Cette situation exacerbe bien des ressentiments latents et suscite une vive compétition politique entre les administrations des provinces.

La réaction des « déshérités de la confédération » — appelons-les ainsi — contre l'hégémonisation grandissante du pouvoir économique entre les mains d'une bourgeoisie « nationale » concentrée dans une métropole concurrente et ayant un accès privilégié à l'appareil d'État fédéral ne se fait pas attendre. Tant au Québec que dans l'Ouest, la résistance s'organise autour des gouvernements provinciaux qui deviennent rapidement, pour les groupes d'intérêt trouvant dans ces appareils un écho favorable à leurs velléités d'affirmation, de puissants leviers.

Les années 1960 et 1970 coïncident avec la montée fulgurante, au Québec comme dans les provinces de l'Ouest, de nouvelles classes d'affaires agressives et assurées, ayant de fortes assises provinciales et entretenant avec leur gouvernement respectif d'étroits rapports de concertation. Les tensions continuelles entre les divers paliers de gouvernement au Canada au cours de ces décennies et de la suivante, s'expliquent en bonne partie comme le résultat des joutes concurrentielles que se livrent des groupes en conflit (administrations publiques et bourgeoisies) pour l'accès à des ressources collectives dont le partage ne s'est toujours effectué, au pays, que par le biais de rapports de force plus ou moins virulents. La situation s'envenime quand le gouvernement fédéral, mettant en œuvre les grands principes de la régulation keynésienne, continue d'étendre ses champs d'intervention au détriment des compétences provinciales.

Les années 1990 ne mettent pas fin aux tensions et aux tiraillements. Dans l'Ouest, les ferments actuels du régionalisme restent ancrés dans la certitude qui veut que le gouvernement fédéral ne réponde aux besoins des populations locales qu'après avoir favorisé les intérêts des grands acteurs du Canada central. Pour les élites habitant ces provinces, il s'agit évidemment d'une stratégie contestable compte tenu du déplacement actuel des principaux dynamismes économiques vers la zone Pacifique. Le fait que les gouvernements des provinces de l'Ouest, à l'instar de ceux de l'Est du pays, soient sur le point d'équilibrer leurs budgets alors que le gouvernement fédéral et ceux des provinces du centre n'y parviennent pas, accentue d'ailleurs l'idée que le système fédéral est vicié au « centre » et que c'est de cette situation, qui leur est étrangère, que découlent les malaises du régime.

Au Québec, la contrariété populaire, enracinée dans un imaginaire collectif du *Nous Autres* amplement cultivé par les anciens et les nouveaux clercs[22], s'épanche à nouveau dans ce que l'on perçoit comme étant une exacerbation nationaliste. Aux yeux de nombreux observateurs, l'élection du Parti québécois en septembre 1994 a coïncidé avec la réactivation, chez les Franco-Québécois, d'un sentiment latent d'autonomie qui devrait être consommé tôt ou tard. Le résultat serré du référendum d'octobre 1995 représente à leurs yeux une preuve supplémentaire de la marche inexorable, «naturelle», a-t-on renchéri, des Québécois vers leur souveraineté politique. Or, ce diagnostic est mauvais.

L'affirmationnisme québécois

À l'heure actuelle, le «nationalisme» québécois, plus pragmatique qu'idéologique, plus opportuniste qu'historique, exprime surtout un mécontentement populaire contre l'impuissance des administrations publiques à résoudre les problèmes qui affligent la collectivité[23]. Avant toute chose, ce «nationalisme» traduit un état profond de désenchantement, de dépit et de lassitude qui s'abreuve à un espoir plus ou moins idéaliste de changement. C'est ce qu'a compris Lucien Bouchard, à l'instar de Pierre-Marc Johnson et de René Lévesque avant lui, et que Jacques Parizeau s'est efforcé de nier jusqu'à la fin de sa carrière en s'accrochant à une vision politique irréaliste du pays indépendant. À cet égard, on ne doit pas se méprendre sur le virage pragmatique effectué par Jacques Parizeau à l'été de 1995. Celui-ci obéissait à des considérations tactiques exclusivement liées à la victoire réfédendaire. Ce virage lui a été largement imposé par ses coéquipiers Bouchard et Dumont, et par les pressions émanant de certains ministres influents qui, constatant le faible engouement populaire pour le projet de souveraineté au printemps de 1995, ne voulaient pas mener le Québec à l'«abattoir».

Il semble d'ailleurs exister un fossé entre les indépendantistes et les souverainistes, d'un côté, et la population en général, de l'autre, en ce qui concerne l'avenir du Québec. «La souveraineté pour quoi faire?», demande-t-on avec insistance. Divers sondages et enquêtes ont fait ressortir que ce fossé était plus large chez les jeunes et les personnes âgées que chez les personnes d'âge moyen[24]. Cela pourrait laisser entendre que le projet souverainiste est d'abord l'affaire d'une génération sociale, politique et économique, celle que François Ricard a qualifiée de «lyrique». Une génération qui, marquée par l'épisode fondateur de la révolution tranquille, fut largement gagnante tout au long de son cycle de vie et de laquelle est sortie une élite pour qui la création d'un nouveau pays serait la consécration suprême en même temps que l'expression éminente de son *leadership* historique, voire la célébration de *sa* référence identitaire. Sans placer cet élément d'interprétation au centre de notre thèse, force est d'admettre qu'il renvoie à une dimension importante de la démarche d'une partie des élites franco-québécoises contemporaines : celle d'obtenir une reconnaissance symbolique qui soit à la hauteur des attentes prêtées à une population dont on prétend qu'elle se conçoit désormais comme une majorité.

Cela ne veut pas dire que la critique dirigée par les souverainistes contre le fédéralisme en tant que régime de régulation économique ne soit pas partagée par une foule de gens. Elle l'est au contraire de plus en plus, car il s'agit d'une analyse valable sur plusieurs points. Mais le « nationalisme » des masses — sentiment diffus et variable d'animosité et de contestation dirigé contre des acteurs nommément désignés, en particulier le gouvernement fédéral à qui l'on attribue sans vergogne le rôle du « Traître », de l'« Ennemi » ou de l'« Autre » — ne coïncide pas avec l'assurance du programme autonomiste proposé par une partie des élites québécoises. En termes clairs, l'effervescence manifestée par la population ne trouve pas à s'exprimer dans le projet porté par les ténors souverainistes[25]. Le refus évident des Québécois de sortir définitivement ou complètement du cadre canadien traduit bien ce fossé. Le « nationalisme » qui affleure apparemment par tous les pores de la société politique québécoise est irréductible au séparatisme. Les partisans de cette option se méprennent dans leur dessein s'ils croient que la population a en tête, en exprimant son « nationalo-mécontentement », la transformation du Québec en un État souverain. Ce que les gens réclament, c'est une nouvelle révolution tranquille bien plus que l'indépendance. Par révolution tranquille, ils entendent, sur le « front externe », une articulation originale entre l'efficacité économique, l'équité nationale et l'autonomie provinciale, et, sur le « front interne », une juste complémentarité entre l'efficacité économique, l'équité sociale et l'autonomie régionale. La majorité ne considère tout simplement pas que la souveraineté formelle du Québec soit le prérequis indispensable ou la condition *sine qua non* à cette nouvelle grande mouvance collective.

En fait, le « nationalisme » au Québec n'est que la forme discursive par laquelle s'exprime la grogne populaire. Canalisée, exacerbée et mise en discours par une élite qui a lié son sort à cette idéologie de ressentiment ou d'exaltation démocratique — selon le projet de ceux qui s'en réclament —, cette grogne prend dès lors des connotations identitaires et politiques assez précises. Présenté comme un sentiment unanimement partagé par les membres d'une communauté politiquement monovalente, le désenchantement de tout un chacun est utilisé à des fins de construction d'un grief collectif. Cette récupération par « en haut » d'un mécontentement populaire pourtant latent et informe — et qui pourrait être activé et orienté de différentes manières — est une constante des mouvements revendicateurs qui ont marqué l'histoire du monde. Le fait d'utiliser une désignation particulière pour caractériser une revendication et pour identifier ses porteurs est d'ailleurs un exercice crucial dans le procès général de conformation et de représentation collective du *Nous* en tant que totalité agissante unie. Le cas du Québec ne diffère pas des autres à cet égard[26].

Évidemment, ce n'est pas parce qu'il est le produit d'une construction discursive historique qu'un « nationalisme », pour prendre cet exemple, n'est pas « réel ». Avec le temps, cette construction, qui s'est emparée d'une factualité et d'une sociabilité primaire en les chargeant de sens, connaît un processus de « durcissement ». Elle se bâtit une histoire, une mémoire, une tradition et une légende. Elle arrive à se confondre avec les éléments de *praxis* individuelle et collective qu'elle élit comme point d'appui pour s'élever. Ce faisant, elle se « naturalise » dans une culture « nationale » qui se présente comme authentique et qui nourrit et affecte ainsi l'action individuelle et collective[27]. Au point qu'il devient difficile pour un sujet « nationalisé », tout au moins exigeant, voire périlleux, de se percevoir et de se désigner autrement que sous cette étiquette. D'ailleurs, l'identification nationale peut être vécue de manière très positive par l'intéressé. Ne pas se reconnaître dans les frontières définies du collectif, c'est en effet s'exclure du groupe. Or, cette mise en marge n'est pas facile à vivre, car elle provoque la déstructuration de la dialectique sécurisante qui sert de référent ontologique à l'individu, celle qui existe entre les termes de la triade *Soi/Autre/Même*. Au pire, cela peut entraîner une confusion identitaire et une perte du sens de *Soi* puisque, pour se reconnaître en tant qu'entité singulière, il importe de se distinguer d'un *Autre* et, pour s'apprécier et se légitimer comme *Soi*, d'admettre l'existence d'un *Même*. Appartenir à un groupe, avoir le sentiment d'y trouver ancrage et écho, complicité et sécurité, est un élément essentiel au bien-être des personnes qui ne s'oppose nullement à leur volonté d'accomplissement et à leur recherche de liberté individuelle[28]. Cette situation ressort à la condition québécoise.

Mais, précisément parce qu'il s'agit d'une construction idéologique et non d'un attribut congénital, le «sentiment nationaliste» en est un qui est évolutif et instable, équivoque et mouvant, hétérogène et variable, éclectique et infidèle. Si on cesse de l'envisager à partir de ce qu'en disent ses chantres et qu'on l'observe dans ses tendances réelles, il est par exemple difficile de savoir ce que recouvre au juste le «sentiment nationaliste» des Québécois tant il est large et souple, accommodant et enveloppant. En pratique, toute revendication provenant du Québec est automatiquement qualifiée de «nationaliste» ou décodée comme telle. Mais il faut voir là une façon fort conventionnelle et politiquement intéressée d'interpréter les choses, tant chez les élites québécoises que chez les canadiennes, pour qui le paradigme du «nationalisme» est un horizon indépassable d'analyse. Le projet de souveraineté-partenariat, qui a la fonction de diluer une option claire (celle de la souveraineté) au point que même un fédéraliste prônant l'aménagement fonctionnel du régime canadien peut s'y retrouver, exprime d'ailleurs assez bien la versatilité du «sentiment nationaliste» québécois. Entre ce *genre* de souveraineté et le fédéralisme décentralisé, asymétrique ou pluraliste, la frontière n'est pas aisément identifiable. C'est probablement pour cette raison que la majorité des Québécois appuie sans crainte un gouvernement «souverainiste» qu'elle associe bien davantage à l'héritage de la révolution tranquille qu'à celui des mouvements indépendantistes. La coalition réunie sous l'appellation du «camp du changement» exprimait, plus fortement que jamais aux yeux de la population, ce désir de continuer l'œuvre entreprise sans rompre avec le fil d'une démarche résolue : l'affirmation tranquille mais déterminée du Québec au sein du Canada. C'est ce que Jacques Parizeau reconnaissait bien malgré lui en stipulant que le dollar canadien appartenait aussi aux Québécois. En fait, le Canada est partie prenante de l'imaginaire québécois comme le Québec l'est du canadien ; ce d'autant plus qu'un nombre significatif de symboles canadiens ont été forgés par des francophones[29].

Le «nationalisme» québécois, si on l'envisage sur le plan de ses finalités politiques, n'est d'ailleurs plus ce qu'il était. Dans sa facture actuelle, le projet de souveraineté du Québec se veut surtout un mouvement de nature économique. Il renvoie à ce que l'on appelait tantôt un affirmationnisme marchand. Fondant sa légitimité sur une logique comptable, il est dirigé par des acteurs dont la promotion collective et personnelle reste étroitement associée à l'expansion de l'État provincial. De même, il est appuyé par des intérêts bénéficiant d'un accès privilégié à cet appareil mais plus limité en regard du concurrent fédéral. Cela est particulièrement vrai dans le cas des organisations syndicales qui ont allégrement soutenu les forces du « oui » durant la campagne référendaire et qui espéraient jouer, en retour, un rôle décisif dans l'orientation de la régulation économico-sociale préconisée par le gouvernement[30].

Il est remarquable de constater à quel point les souverainistes québécois, dont le profil politique n'est pas univoque, ont recours, pour mobiliser l'opinion publique d'ici et d'ailleurs, à des arguments d'ordre économique et rationaliste plutôt qu'à une quelconque rhétorique nationaliste[31]. Selon leurs dires, le projet de souveraineté-partenariat n'a rien d'un ethnicisme ni ne se veut séparation ou rupture. Il n'est pas mû par un désir de vengeance ou par une rancune passionnelle, ni ne procède d'une volonté d'en finir avec quelque aliénation collective. Le projet de souveraineté-partenariat découle plutôt d'un différend d'ordre rationnel et relationnel avec les provinces anglophones et le gouvernement fédéral. Pour les partisans de cette option, la souveraineté-partenariat est économiquement et politiquement « correcte ». Elle est simplement la forme politique la mieux adaptée aux intérêts économiques des Québécois. Dans le langage en vogue, le Québec est défini comme une société moderne et démocratique possédant un caractère franchement français et désireuse de s'épanouir en ce sens dans le concert des États du monde, tout en respectant les règles de la concurrence pacifique. De ce point de vue, la globalisation de l'économie et l'ouverture des marchés ne font qu'ajouter à la viabilité du projet souverainiste. Non seulement l'idée d'un État du Québec souverain se justifie à l'aune des modalités de ce procès de globalisation (théorie des zones fortes, articulation mondial/local, etc.), mais chaque participant de cette économie globale peut désormais jouer ses cartes en faisant fi de l'attitude d'un partenaire qui refuse la réciprocité, ce qui assure à tout un chacun une plus grande marge de manœuvre sur le plan des alliances et des stratégies[32].

Certes, dans la nouvelle rhétorique rationaliste, l'État fédéral — plus que l'«Anglais» d'ailleurs, qui n'est finalement qu'un compétiteur auquel il est possible de faire face ou auquel l'on peut s'allier pour former des coalitions stratégiques — demeure l'*Autre* par excellence, irréductible usurpateur de bien-être et d'émancipation[33]. Mais il ne l'est plus pour des raisons idéologiques. C'est par son dysfonctionnement général que l'État central se disqualifie comme autorité régulatrice. Il est, pour reprendre l'expression des Parizeau, Bouchard et confrères, un gouvernement «de trop». Un gouvernement qui dépense de manière inconsidérée, qui hypothèque l'avenir et qui emploie les ressources de la collectivité aux seules fins de sa reproduction en tant qu'appareil et d'une centralisation excessive des pouvoirs. L'idée n'est pas de discuter ici de la valeur de cette thèse[34], mais de constater la mutation qu'a connue le «nationalisme» québécois par rapport à ce qu'il était précédemment. Faute de se développer sous la forme d'un indépendantisme affiché et assumé, celui-ci a mué en une sorte d'affirmationnisme politico-économique qui s'apparente à d'autres mouvements de revendication plus ou moins vindicatifs marquant bien des États à l'heure actuelle[35].

Ces mouvements ont tous leurs caractéristiques particulières. Ils s'enracinent dans diverses traditions, trouvent leur légitimité dans des idéaux et des buts variés, s'expriment sous le couvert de différentes rhétoriques et prennent des formes plus ou moins accentuées. De tels mouvements de revendication marquent le Canada en d'autres de ses parties, bien qu'ils se cantonnent dans des «régionalismes» moins affirmés. Il ne fait aucun doute toutefois que ces «régionalismes» s'exacerberont au fur et à mesure que l'espace canadien, emporté par les dynamismes de l'économie migrante, se fragmentera en sous-espaces régionaux n'entretenant pas de liens économiques incontournables et ne produisant pas de synergies du fait de leur agrégation politico-institutionnelle. Cet horizon n'est pas pour demain, il est déjà là! Dans ce contexte et compte tenu des résultats du référendum, on pourrait soutenir la thèse que le mouvement de revendication qui émane du Québec n'est que la forme la plus avancée et la plus articulée de ce qui se prépare dans d'autres régions du Canada, à savoir la remise en cause du fédéralisme en tant que régime régulateur et la recréation de l'État canadien à partir de ses bases régionales[36]. Bien qu'il soit téméraire de le dire, il n'existe pas de contradiction, mais plutôt une compatibilité fonctionnelle entre l'autonomisation grandissante des provinces et celle d'une renaissance du Canada en tant qu'État et pays. C'est le nationalisme canadien, bien davantage que l'affirmationnisme québécois, qui est à l'origine des problèmes minant actuellement le Canada. Suivant notre perspective, l'affirmationnisme québécois définit une demande de reconnaissance politique qui s'est largement libérée du carcan de la nation entendue comme groupe ou peuple aux ancrages historico-essentialistes. Le nationalisme canadien traduit la recherche, par un État qui trouve mal sa légitimité, d'un réenracinement substantialiste de sa matérialité par l'invention d'un pancanadianisme qui nie les diversités constitutives réelles du pays ou les pétrifie en les rendant fictives par le recours à la notion fétiche de multiculturalisme. À noter que l'emploi du terme « pays » à la fin de l'énoncé n'est pas fortuit. Dans notre esprit, le Canada et le Québec sont effectivement des pays dont les figures symboliques dialoguent depuis toujours et dont les romans mémoriels se renforcent mutuellement ; des pays, n'en déplaise aux souverainistes et aux nationalistes canadiens, qui appellent chez leurs habitants des chassés-croisés d'attachements, d'identifications et de reconnaissances.

Prétendre que le « nationalisme » québécois, dans sa facture actuelle, cache en fait un affirmationnisme marchand, n'a pas pour effet de le dénaturer ou de le banaliser, ni de l'estropier. En fait, la mutation qu'a connue ce « nationalisme », jadis fondé sur l'idée de communauté ethnique et de projet patriotique, en un souverainisme rationaliste, traduit deux choses : d'abord, que ceux qui supportent l'actuel projet souverainiste le font dans un esprit pragmatique, instrumental et utilitaire avant tout ; ensuite, qu'ils reconnaissent que le « sentiment nationaliste » des Québécois, leur « nationalo-mécontentement » devrait-on dire, est une réalité diffuse, évasive et éclatée, malgré certaines démonstrations impressionnistes qui se produisent parfois, lors de la fête de la Saint-Jean-Baptiste en particulier. À vrai dire, le « sentiment nationaliste » des Québécois (nous nous entendons sur le fait qu'il s'agit très majoritairement de francophones) s'apparente à celui qu'ils éprouvent envers la religion catholique : nombreux sont ceux qui se définissent encore d'obédience catholique, qui font baptiser leurs enfants et qui, deux fois par année, à Noël et à Pâques, se rendent à l'église. Autrement, ils ne pratiquent pas — bien qu'ils soient toujours en attente d'un sauveur[37] ! Ils connaissent le grand récit du Christ, ont une certaine idée de sa Parole, mais l'Évangile ne règle plus leurs conduites. Quoique ambiguë, l'idée de souveraineté-partenariat coïncide tout à fait avec le sentiment « nationaliste » édulcoré des Québécois. Elle lui substitue un projet politique recevable sur lequel une foule de gens peut effectivement parier. Il est important de saisir toute la portée de cette substitution, car elle est la clé pour comprendre ce que l'on continue d'appeler, par habitude plus que par souci d'analyse, le « nationalisme » québécois.

En fait, et nombre de souverainistes l'ont compris, le « projet québécois » — qualifions-le par ce terme neutre — n'a pas d'avenir s'il est défini en terme ethnico-culturel. Compte tenu des bouleversements qu'a connus la province au cours des quarante dernières années, de son ouverture sur le monde et des changements qui ont marqué la grande région de Montréal, microcosme du Québec de demain, le souverainisme québécois ne peut plus être l'expression d'un nationalisme ethnocentré, si par ce terme on se réfère au mouvement de revendication issu d'une communauté historique possédant une culture « serrée » et se retranchant dans ses traditions. Dans ce contexte, l'alternative est la suivante : ou bien la souveraineté pleine et entière et la construction d'un État entendu comme une collectivité de citoyens s'évadant de certains enracinements traditionnels et se fondant dans un œcuménisme civique — ce que les Québécois ne semblent pas prêts d'accepter par crainte d'un embrigadement étatique[38], d'une réplique superflue du modèle canadien[39] ou d'une dérive imprévisible vers l'« inconnu » ou l'« ailleurs », sorte de *No Self's Land*[40]; ou, ce qui paraît recevable par la majorité, l'obtention d'un certain nombre de pouvoirs de la part d'Ottawa qui leur permettent, en tant que résidants d'une portion du territoire canadien et habitant le pays du Québec, de conforter leur position dans le nouvel ordre mondial sans pour autant rompre avec le Canada, *autre et même pays* avec lequel il ont beaucoup d'attaches et d'attachement et qui leur sert aussi à se définir. On devrait reconnaître une fois pour toutes que la question qui préoccupe les Québécois n'est pas celle de la souveraineté *ou* du fédéralisme et que leur intérêt transcende largement la fausse alternative posée par l'antinomie réductrice d'être *ou* non québécois. Cette question s'énonce plutôt en ces termes : comment exprimer et tout à la fois faire reconnaître cette soif d'être apprécié comme un ensemble de citoyens singuliers *et* comme un groupe qui, important en nombre et comptant comme l'un des groupes fondateurs du Canada, est désireux de participer à la construction de quelque chose de grand, de bien et de bon ? Envisager la situation à partir d'une perspective plus précise et univoque, par exemple, étiqueter les Québécois comme *une* « nation » ou *un* « peuple » et les immatriculer à partir de la seule devise « Je me souviens », bref les regrouper sous la bannière « un Tout, une Conscience, un Destin, Hier, Aujourd'hui et Demain », c'est se vautrer dans un paradigme analytique qui permet d'éviter la complication et la confusion des terrains plutôt que de l'affronter. C'est chercher à expliquer pourquoi les Québécois *n'ont pas encore* franchi le Rubicon de la souveraineté plutôt que de comprendre leur sentiment réel à cet égard.

Si notre thèse est juste, on comprend que la démarche québécoise ait en pratique mué en un affirmationnisme marchand et ne soit pas restée prisonnière d'un projet et d'un horizon « nationalistes ». L'affirmationnisme marchand *est* une tentative de réponse à la question formulée plus haut dans le sens d'une réconciliation des horizons québécois et canadien. Être *et* ne pas être québécois en plusieurs lieux à la fois, tel est le lit — apparemment impensable et impensé pour les définisseurs de situation — dans lequel se déploient concrètement l'identitaire et l'imaginaire québécois en cette fin de siècle. Un lit, précisons-le, dont la couche n'est pas encore bien faite pour des raisons que nous évoquerons plus loin.

Quantité d'observateurs continuent pourtant de décrire le « projet québécois » à travers l'axiomatique nationaliste. Leur méprise vient du fait qu'ils confondent le discours nationaliste avec ce qu'il prétend recouvrir. Or, au Québec, le discours nationaliste est un rituel langagier, un hommage aux anciens et un levier de mobilisation qui porte une argumentation et une tradition bien établies. C'est une complainte articulée, souvent pathétique, qui fonde une présomption d'être sans avoir à préciser la nature ni les frontières de cette ontologie collective[41]. Tous les dominants et les gouvernants du monde ont recours à de tels procédés rhétoriques pour faire vivre les *Nous* qu'ils enfantent. La raison de cet usage rhétorique est bien simple : les « nations », comme les « identités », ne sont toujours que des auberges espagnoles. Elles sont des théâtres où se joue la comédie politique. Pour les présenter comme des touts cohérents, il faut forcer les choses, tourner les coins rond, accentuer autant qu'élaguer des éléments, user d'allégories ontologiques plus ou moins subtiles[42]. Il faut aussi jouer de mémoire et d'oubli. Mais on ne se trompe pas en disant que, au Québec comme ailleurs, le discours de la nation est un discours d'État. Seuls ceux qui appellent de leurs analyses la nation romantique ignorent cette vérité. Éparpillée et toujours incomplètement « rapaillée », la collectivité réelle loge hors romance.

D'autres observateurs, incapables de se faire une idée du Canada qui ne repose pas sur la thèse d'une opposition manichéenne entre les Anglais et les Français, ne peuvent sortir de la vision traditionnelle du « nationalisme » québécois. Pour nombre de Canadiens anglais, en particulier les politiciens fédéraux qui ont un intérêt évident à maintenir l'État canadien dans sa forme actuelle, définir le « projet québécois » en tant que nationalisme est une façon de l'envisager comme un péril en la demeure, donc comme un ferment d'unité canadienne. Selon cette logique, plus le « nationalisme » québécois est fort, plus les Canadiens sont (ou devraient être) inspirés dans leur quête nationalitaire. Combattre le « nationalisme » québécois est dans cette perspective un moyen de mobiliser l'armée, de galvaniser l'énergie des combattants et d'entreprendre la croisade sous le même drapeau. Il en va de même pour plusieurs Québécois en regard du gouvernement fédéral. L'ériger en tant que figure de l'*Autre* est un moyen de fixer les frontières du *Soi* et de l'édifier en tant que *Tout* homogène et monovalent, sorte de « grande famille ». Compte tenu des intérêts en présence, ces guérillas idéologiques se comprennent aisément. Mais elles dévient le regard de l'analyste des véritables enjeux qui sous-tendent actuellement le « projet québécois ».

En tant que position de négociation dans une structure fédérale dont le « potentiel de décentralisation » peut être poussé plus loin et face à des rivaux qui ont des intérêts divergents et concurrents qu'il est possible d'exploiter tactiquement, le projet de souveraineté-partenariat apparaît comme un moyen utilisé par une classe politique, économique et culturelle pour promouvoir ses intérêts confondus avec ceux d'une population entendue tantôt comme collectivité, tantôt comme « peuple » ou « nation ». Les membres de cette classe ont pour lieu commun la langue française, instrument véhiculaire et support de reconnaissance mutuelle pour une population de plus de six millions de personnes dont les horizons sont polyvalents sur les plans culturel et politique, mais dont on dit qu'ils se rallient à une conception collective du bien et du bon — ce qui les distingue apparemment des Canadiens anglais, plutôt partisans, dit-on toujours, d'une conception individualiste et classiquement libéraliste du bien et du bon.

À l'instar des supporteurs d'autres mouvements régionalistes au Canada, qui entretiennent avec l'instance fédérale des rapports moins tranchés que les mouvements qui sourdent du Québec, mais qui sont également conflictuels[43], cette classe cherche à profiter des occasions offertes par l'économie migrante. Elle veut en particulier élargir son espace de manœuvre pour faire face aux défis de l'heure. En cela, son objectif est similaire à celui poursuivi par d'autres élites liguées à des États voisins, y compris des provinces. Le fait que le Québec se distingue de ses concurrents en sa qualité de société majoritairement francophone est un avantage comparatif dans la joute que se livrent les protagonistes pour la conquête des marchés et la création d'empires concurrentiels. La barrière linguistique lui assure en effet des synergies et un marché, au départ tout au moins, et fixe des limites aux « pertes d'*hinterland* » que sa métropole, Montréal, peut ou pourrait subir au profit des grandes cités rivales, Toronto en particulier[44]. C'est dans ce contexte de compétition économique que les notions d'identité et de culture québécoise, envisagées ici comme des ressources naturelles et des avantages comparatifs, prennent tout leur sens et acquièrent toute leur élasticité. Elles ne sont que prétexte et moyen d'édifier une économie intégrée et faire de l'espace territorial du Québec une zone concurrentielle forte, facteur névralgique de la reproduction du groupe. Culture et identité d'un côté, économie de l'autre, forment l'interface d'une entreprise d'inscription et de positionnement concurrentiel du collectif — identifié sous le générique Québec — dans l'économie continentale et mondiale. S'arroger ou reprendre au gouvernement fédéral les pouvoirs nécessaires pour restaurer ou accroître le potentiel compétitif spécifique de la socio-économie québécoise, de manière à l'inscrire résolument dans la mondialité, prend ici une importance capitale. Réussir ce transfert, c'est assurer l'assise du groupe (élite/peuple) soudé dans une matrice culturalo-économique concurrentielle, celle de la francité. Ne pas obtenir ces pouvoirs, c'est risquer de voir le groupe être mis à l'écart des dynamismes qui se sont enclenchés. C'est assister à son dépérissement dans l'ordre continental et mondial. L'« intérêt national » n'a rien à voir ici avec un quelconque projet de défense d'une communauté organique. L'idée est de capter les impulsions positives provenant de l'économie migrante pour en faire des sources de richesses « locales ». Ces richesses seront par la suite « distribuées » entre les demandeurs « locaux » — des demandeurs québécois — à la faveur des rapports de force qui s'établiront entre eux et du projet sociétal qui sera avancé par les « forces de la concertation ».

C'est ce pari intéressé sur les richesses en transit dans le monde, capitaux et marchés, qui est au cœur du projet souverainiste qué-

---

Le projet souverainiste et l'*Autre* québécois

Tout en cherchant à définir le projet québécois autrement qu'en terme ethnique, ses partisans ne sont pas entièrement capables de s'extirper des filets de cette représentation et de cette définition du *Nous Autres*. Les « bavures verbales » d'un Parizeau ou d'un Bourgault, par exemple, ne sont pas que des lapsus techniques. Elles découlent du fait que le projet souverainiste a acquis ses traits distinctifs en vertu d'une déroutante dialectique, effectivement vécue par les Franco-Québécois dans le sillage de la révolution tranquille, entre la volonté de s'émanciper (désir d'être) et la crainte de se désenraciner (déni de Soi). Cette ambivalence existentielle, incontournable pour comprendre la condition québécoise en cette fin de siècle, s'est exprimée de manière particulièrement éloquente dans les mémoires déposés devant la commission Bélanger-Campeau. « S'ouvrir vers l'Autre en évitant de se perdre dans l'Ailleurs », « Prendre acte de son émancipation en se souvenant de son aliénation », « Redéfinir l'identité du groupe sans occulter ses attributs historiques », tels sont les trois syntagmes qui résument le mieux la position des Franco-Québécois face à l'altérité et à l'hétérogénéité. Pour l'instant, le projet souverainiste reste prisonnier des apories de l'ambivalence fondatrice de l'identitaire québécois (à distinguer de l'identitaire canadien-français). Ses *leaders* n'arrivent pas à résoudre l'antinomie constitutive de l'alternative et la population elle-même semble incapable de transcender l'héritage d'une conscience historique qui s'enracine dans l'idée du *manque* et dans celle de la *mise en marge*. Voilà pourquoi l'*Autre* ne peut être envisagé, pour le moment, que comme un partenaire obligé du projet collectif... ou comme un « dissident », à moins que ce ne soit comme un « voleur » de parcours.

bécois à l'heure actuelle. La composante « ethno-nationaliste » de ce projet, bien que n'ayant pas complètement disparu des débats parce qu'elle est encore défendue par d'opiniâtres Batistes, est devenue instrumentale, voire résiduelle, dans l'entreprise (encart). Dans le langage politique et en pratique, elle a d'ailleurs été remplacée par l'idée de « société solidaire », syntagme plus convivial, plus enveloppant de diversité, mais plus flou aussi[45]. Pour la classe politique, économique et culturelle liée à l'État provincial, l'idée de société solidaire, fondée sur les notions centrales et inséparables de responsabilité individuelle et collective, est un support de mobilisation populaire et de formation consensuelle visant à créer ce qu'il conviendrait d'appeler un « avantage coopératif[46] ». Celui-ci s'ajouterait, en le renforçant, aux avantages comparatifs dont bénéficie déjà le Québec. L'avantage coopératif dont il est question serait fondé sur l'idée d'une collectivité économique et culturelle désireuse d'assurer son avenir en s'imposant dans la concurrence internationale. On peut évidemment voir là un projet fort risqué dans la mesure où il ne rallie pas tous les segments de la société et parce que, en matière économique, les Québécois, y compris les francophones, pratiquent plus facilement l'infidélité que la solidarité identitaire[47]. Le consensus transcendant dont on estime investie la société québécoise ne vaut toujours que ce que valent les intérêts de tout un chacun.

Le « projet du Québec » : un pari sur l'avenir du Canada

Bien sûr, personne ne contestera que pour certains porte-flambeaux nationalistes, le projet de souveraineté reste le moyen privilégié pour « doter la seule nation française d'Amérique d'une organisation politique à la mesure de son ambition ». Mais c'est ailleurs que loge la majorité. Celle-ci est en effet formée par un ensemble d'acteurs-parieurs pour qui la « cause nationaliste » et l'idée organiciste de « peuple » n'ont pas le poids qu'on leur attribue dans la décision finale qu'ils prennent à l'égard de l'avenir du Québec. Cela ne veut pas dire qu'ils ont cessé de se percevoir comme étant distincts. On aurait tort de croire toutefois que cet élément de « distinction collective » résume la multiplicité des identifications qui marquent la condition québécoise. Les distinctions et, dès lors, les identifications des Québécois, y compris des Franco-Québécois, s'opèrent en fonction de bien d'autres critères, conjonctures et situations. Elles sont évolutives et polyvalentes, plurielles et enche-vêtrées, volatiles et versatiles. De même pour les habitants des autres régions du Canada : leur allégeance au pays n'est qu'une de leurs multiples identifications, et l'attachement régional, qui peut prendre en certaines circonstances des formes affirmées, est intrinsèque à leur condition. Eux aussi — *Newfoundlanders, Maritimers, Ontarians, Westerners* — peuvent se présenter sous les traits et le vocable de la distinction[48]. En fait, le défi n'est pas tant de découvrir la substance de la «distinction» que de comprendre pourquoi, à certains mo-ments, le repli identitaire régionaliste devient une variable détermi-nante dans l'économie politique du Canada, ce qu'elle n'est pas toujours ni pour tout le monde. À l'heure actuelle, ce n'est pas dans une distinction passionnelle ou substantialiste que les Québécois fondent leurs velléités politiques. Le cas échéant, cette distinction est plutôt apparentée à un avantage comparatif — et utilisée comme tel — pour se positionner dans les jeux économiques et les équilibres politiques qui marquent le monde et le Canada. «Construire sur notre différence», tel est le leitmotiv des élites franco-québécoises. Ce qu'on appelle le «nationalisme» québécois est de moins en moins une histoire d'âme et de conscience, et de plus en plus une affaire de pragmatisme et de rentabilité. L'allégorie tiers-mondiste est chose du passé pour décrire la condition du Québec et des Franco-Qué-bécois. C'est dorénavant en tant que société moderne, aux limites de l'extrême contemporain et affrontant ses problèmes spécifiques, que le Québec se présente au monde et qu'il est apparemment vu par celui-ci. Le Franco-Québécois n'espère plus qu'hier devienne meilleur. Il veut prendre une option sur le futur.

C'est d'ailleurs parce qu'il s'agit d'un pari raisonnable sur des richesses à venir que le «projet québécois» rallie des composantes diversifiées, aux idéaux apparemment éloignés, de la socioéconomie québécoise. Tout acteur individuel ou institutionnel sait pertinem-ment que, en tant que «membre» d'une société politique, son projet individuel de vie (ou sa trajectoire en tant qu'institution) est néces-sairement lié à un projet collectif sanctionné par une majorité de votants. À moins de s'exclure de la mouvance collective en quittant physiquement le territoire, cet acteur ne peut envisager le projet col-lectif autrement que comme une composante, voire une extension, de son projet individuel ou institutionnel. Il doit obligatoirement prendre parti et parier sur un avenir collectif auquel est intimement lié son devenir personnel ou institutionnel. Ce pari est envisagé de différentes manières par les uns et les autres.

Qu'ils soient entrepreneurs ou employés, jeunes ou vieux, hommes ou femmes, « enracinés » ou nouveaux arrivants, riches ou pauvres, « protégés » ou « précarisés », intellectuels ou illettrés, francophones ou non, les uns s'emballent, les autres craignent. Certains calculent et y voient des avantages. C'est par exemple le cas du regroupement des entrepreneurs souverainistes et des grands syndicats. D'autres, sûrs de perdre un capital quelconque, civique, financier ou symbolique, s'indignent à l'idée même de modifier l'ordre des choses ou émettent beaucoup de réserves à l'endroit du projet. Dans cette catégorie, il faut ranger plusieurs associations patronales et regroupements de gens d'affaires, de même que la très grande majorité des non francophones. D'autres enfin, qui n'ont rien à perdre, qui s'en balancent et qui n'ont plus foi en rien, s'en remettent à la bonne fortune de l'inconnu tout en appuyant avec désinvolture le « projet québécois », peu importe la forme qu'il prend. En pratique, le vote de ces électeurs n'est jamais acquis pour quelque groupe partisan et leur humeur, fort variable, reste imprévisible.

Quoi qu'il en soit, le positionnement politique des acteurs est d'abord conditionné par leur pronostic au sujet du pari, et accessoirement par leur attachement envers le Canada ou le Québec. L'adhésion souverainiste n'est pas, le cas échéant, l'expression d'une pulsion subliminale renvoyant à un nationalisme congénital dont tout Franco-Québécois est naturellement porteur. Elle est le résultat d'une stratégie et d'un raisonnement intéressé qui répond à des besoins particuliers. Comme l'écrivait très justement J.-Yvon Thériault : « S'il y a consensus pour affirmer que le caractère particulier et distinct du Québec exige la marche vers une *certaine* souveraineté [nous soulignons], il y a fractionnement indéfini des raisons qui motivent un tel désir d'autonomie. Chaque segment de la réalité du Québec francophone adhère au projet souverainiste à partir d'un point de vue singulier. Il y a une manière entrepreneuriale, féministe, syndicaliste, écologiste, régionaliste, etc., d'être [le cas échéant] pour l'autonomie, mais il y a plus difficilement une manière québécoise[49]. » La même logique cartésienne préside au refus de ce projet : il ne s'agit pas d'une résistance obstinée ou d'une incompréhension chronique de la « cause québécoise », mais du fruit d'une réflexion consciente, fût-elle mue par l'insécurité face au changement. Contrairement à ce que les extrémistes de tous les camps politiques voudraient bien, les gens ne pensent pas avec leurs tripes, mais avec leur tête. De manière générale, leur pari est une affaire réfléchie. Il n'y a plus de lien inéluctable entre électeurs et choix politiques. C'est ce qui fait qu'un commentateur comme Pierre Bourgault n'arrive pas à saisir la position d'acteurs qui imaginent leur avenir en dehors de la donne nationaliste et le lient plutôt à ce qu'il appelle des « considérations mercantiles ». Dans le débat, le chroniqueur à la plume lapidaire adopte une position qui l'honore : il se place en tant que porteur immuable de la noble cause, fidèle à ses engagements profonds. Cela n'empêche qu'il ne comprend pas — ou plutôt qu'il ne veut pas comprendre — les pratiques qu'il observe. Bourgault refuse en effet de reconnaître le principe des identités et des allégeances multiples, instables et oscillantes. Il n'accepte pas que le sujet québécois commette l'adultère suprême : celui d'être infidèle à son identité présumée[50].

Puisque tous les partis politiques évoluant à Québec ou à Ottawa préconisent au fond un réaménagement du cadre fédéral, du plus timide au plus total, plusieurs paris sur l'avenir sont possibles. Chacun d'eux est assorti d'une valeur en terme d'avantages et de coûts. Cette valeur est établie par la confrontation discursive des « débatteurs » bien plus que par leur capacité de réellement prévoir ce qu'il adviendra. La tension provoquée par le pari devient particulièrement vive lors des référendums, au moment où les options sont polarisées au maximum. Au point que même de farouches partisans du projet souverainiste, doutant tout à coup du potentiel de richesses à venir ou appréhendant de perdre leur mise, abdiquent et préfèrent conserver le statut, mi-figue mi-raisin, de l'« insatisfait qui sait toutefois que demain ne sera pas vraiment différent de ce que fut aujourd'hui, ce qui est rassurant ». C'est cette mentalité d'éternel inquiet, bien enracinée dans la tête de nombreux Québécois, que veulent éliminer les souverainistes en s'employant à démontrer que l'incertitude réside désormais du côté de la reconduction du fédéralisme. Ils soutiennent à cet égard trois idées principales :

a) Le gouvernement fédéral n'a plus les moyens financiers pour réaliser ses promesses ;

b) Le Québec est en avance sur le reste du Canada dans plusieurs domaines et n'a nul besoin d'Ottawa pour se gouverner ;

c) Il est plus facile de s'entendre entre Québécois sur les moyens à prendre pour solutionner les problèmes du Québec que d'obtenir des consensus pancanadiens[51].

Si le défi posé par la démonstration de cette thèse (dont on occulte plusieurs attendus, ramifications et conséquences) est loin d'être gagné, la question est toutefois formulée en des termes que tous les Québécois veulent bien comprendre. Au référendum, ils y ont répondu collectivement d'une façon on ne peut plus claire en renvoyant tout le monde à ses devoirs. Le verdict a été à cet égard cinglant pour les deux parties impliquées dans la lutte. On pourrait l'exprimer de la manière suivante : si le Canada n'apparaît pas comme la seule option, il ne semble pas non plus en présenter aucune. De même pour le Québec... Ou, pour reprendre les termes plus crus de Jean-Jacques Simard : « Ce n'est pas parce qu'on demeure canadiens qu'on est pas souverainistes », « et ce n'est pas parce qu'on se sépare du Canada qu'on le quitte ». Troublante dialectique[52] !

Certes, l'affirmationnisme québécois reste fortement articulé et mobilisé par la construction de l'État. Cela n'est pas surprenant. Depuis plus de trente ans, la question de l'État est au cœur de l'imaginaire franco-québécois de l'émancipation collective. Elle est l'élément central de cet épisode de révélation et de proclamation de *Soi* que représente la révolution tranquille. Au Québec, l'État est le sujet collectif agissant — ce qui n'est pas rien. Mais à l'heure actuelle, la question de la construction de l'État revêt une autre dimension tout aussi importante. En contexte de globalisation, l'État est le moyen par lequel il est possible, pour un groupe effectivement dominant ou prétendant à ce statut, de s'inscrire dans l'ordre mondial. Comme l'exprimait Claude Bariteau dans une formule heureuse, l'État est le code d'accès à l'universel. On comprend pourquoi les élites et la population, qui se rejoignent sur ce point, n'ont de cesse de vouloir plus d'État... québécois[53]. Un État stratège plutôt que providentiel ou commerçant, bien entendu[54]. Mais ce faisant, c'est par son intensité, par son ampleur et par sa facture plus que par sa nature profonde que la démarche québécoise se distingue d'autres mouvements de revendication au Canada, y compris ce que pourrait devenir le régionalisme des provinces de l'Ouest — et de l'Ontario apparemment — à l'horizon de l'an 2000[55].

À nouveau, l'idée n'est pas de banaliser ou de dénaturer le mouvement revendicateur émanant du Québec qui, à l'heure actuelle, est porté par une classe politique dont la rhétorique, dérivant parfois vers l'indépendantisme, trangresse souvent l'état effectif du mécontentement et du désabusement populaire contre le régime canadien. Cela dit, il est inutile de confondre les miaulements d'un chat avec les rugissements d'un lion. Le « projet québécois », celui auquel la majorité de la population accepterait éventuellement de lier son sort, n'est pas celui de l'indépendance, de la séparation ou de l'autonomie. Au mieux, il s'agit d'obtenir plus de pouvoirs et de reconnaissance pour procéder à une gestion ample et adéquate des affaires locales et être apprécié comme groupe fondateur et société distincte au sein du Canada ; au pis, conserver piteusement le régime actuel en poussant néanmoins pour qu'il évolue vers une certaine décentralisation, ce qui n'est pas impossible.

La réponse des Québécois (des francophones surtout) à la question de la désuétude du fédéralisme en tant que régime de régulation est hésitante, car ils ne sont pas sûrs du pari à faire sur l'avenir. C'est ce qui fait que les clientèles souverainistes, si tant est qu'on les identifie par leur soutien au Parti québécois, varient d'une échéance politique à l'autre et qu'il est extrêmement difficile de prévoir le comportement des Québécois à ce chapitre. Au fond, ceux-ci restent de grand parleurs et de petits parieurs. Voilà pourquoi le Parti québécois, dans ses stratégies électorales et référendaires, a toujours ménagé la chèvre et le chou. Être un bon gouvernement, y aller par étape, ne rien brusquer, demander l'aval de la population pour entreprendre des négociations, associer la souveraineté à l'association par deux traits d'union plutôt qu'un pour faire la souveraineté = association (sic), telles ont été les idées maîtresses de ses campagnes. Chaque fois, la démarche a été flottante, tortueuse, pleine de scrupules. Dans le *Projet de loi sur la souveraineté du Québec,* on sentait également une espèce de difficulté, voire d'embarras, peut-être même d'impossibilité à trancher définitivement la question des rapports du Québec avec le Canada. Les décideurs québécois, sans doute soucieux de jouer leurs cartes lucidement et tactiquement, sont restés prisonniers du *double bind* dans lequel s'est édifiée la culture politique franco-québécoise. On pourrait la résumer par les syntagmes paradoxaux suivants : « s'autonomiser dans l'association », « rompre dans la continuité », « changer dans le même ». Cette culture politique ne procède pas du hasard. Elle exprime l'équivoque de l'identitaire franco-québécois.

Il est acquis maintenant que le résultat d'une nouvelle consultation populaire sur la souveraineté du Québec ne mettrait pas un terme à la relation ambivalente qu'entretiennent les Franco-Québécois avec le Canada. On ne doit pas voir là un péché. L'ambivalence est après tout une catégorie de la raison et de la sagesse pratique. Cela dit, les problèmes persisteraient : non seulement parce que d'éventuelles négociations entre l'un et l'autre camp seraient compliquées, âpres et remplies d'amertume, mais parce que les Franco-Québécois n'accepteraient pas facilement de perdre ou de nier leur double attache et leur double identification envers le *pays* du Québec et celui du Canada. C'est là une première difficulté qui marque leur condition. La seconde vient du fait que si les Franco-Québécois ne portent plus leur passé comme une croix, ils gardent la manie de percevoir leur progrès comme le prélude à un dérapage éventuel plutôt qu'une manifestation convaincante de leur succès[56]. Or, cette vision les enferme inévitablement dans l'imaginaire de la servitude et de la victimisation. Faut-il voir là l'expression d'une mentalité inaltérable de colonisé ? Ou la trace d'un héritage judéo-chrétien dont la forme suprême est l'amour de l'échec — la victime se confondant positivement avec le martyr ? Tout cela a-t-il plutôt à voir avec le fait que le Franco-Québécois, comme sujet typé, ne se reconnaît et ne se complaît que dans la figure du rebelle, acteur manqué par excellence (encart) ? Toujours est-il que, en pratique, cet imaginaire mène à l'impasse politique.

Ailleurs au Canada, la réponse à la question de la pertinence du fédéralisme semble pour l'instant évidente : le démantèlement du régime fédéral et la décentralisation trop poussée des pouvoirs en faveur des provinces auraient des conséquences, croit-on, plus négatives que positives. Cela ne veut pas dire que l'on estime que la situation actuelle soit idéale ou sans coûts. On a tort de prétendre que les « provinces anglophones » sont immanquablement soumises à la logique du fédéralisme recentré et qu'elles sont, par nature, d'éternelles partisanes du *statu quo*. Si certaines profitent du régime,

La rébellion comme catégorie identitaire des Franco-Québécois ?

On pourrait avancer que l'ambivalence des Franco-Québécois traduit, sur le plan politique, la matrice narrative de la *rébellion* qui marque tant leur imaginaire collectif et la représentation qu'ils se font d'*Eux-mêmes*. Rébellion, notons-le, n'est pas révolution : la première renvoie aux idées d'insoumission, de désobéissance et d'indocilité. Elle est personnifiée par l'insurgé, par le mutin, voire par le délinquant, prototypes divers d'une figure centrale, celle du coureur de bois. La seconde (prégnante dans l'imaginaire français et latino-américain par exemple) se réfère aux idées de bouleversement, de renversement, de rupture. Elle est incarnée par le radical, par l'irréductible, par l'inébranlable. Il est surprenant de constater à quel point les Franco-Québécois interprètent leur histoire comme une rébellion (insurrections de 1837-1838 ; révolution tranquille, Octobre 1970), laquelle semble tracer les limites de leur action collective réifiée. Or, contrairement à la révolution, la rébellion est inéluctablement marquée par l'incomplétude. Elle est un acte manqué, non fini. La rébellion comme catégorie centrale de l'identitaire québécois, ou l'identité québécoise comme *acte manqué* : telle est une lecture possible de l'ambivalence des Franco-Québécois[57].

d'autres en subissent les inconvénients. Cette situation deviendra insoutenable au fur et à mesure qu'une majorité de gouvernements provinciaux équilibreront leurs budgets alors que le gouvernement fédéral et ceux d'autres provinces, nommément le Québec et l'Ontario, ne le feront pas. Ceux qui, pour expliquer le refus apparent des « provinces anglophones » d'appuyer le Québec dans sa quête de nouveaux pouvoirs, déduisent qu'elles défendent le système fédéral actuel, empruntent un raccourci analytique biaisé. Il existe en fait, dans les « provinces anglophones », des mouvements de revendication qui ne font pas acte de contestation sans envergure, sans portée et sans conséquence. Les dernières négociations constitutionnelles ont bien montré l'ampleur des griefs dirigés contre Ottawa. Le « non » retentissant des habitants des provinces de l'Ouest au référendum de 1992 portant sur le projet d'une nouvelle constitution canadienne exprimait de leur part un rejet net du centralisme fédéral. L'appui massif qu'ils accordaient au Reform Party lors des élections fédérales de 1993 allait dans le même sens. Bien que plusieurs considérations jouent dans l'attachement des populations des « provinces anglophones » pour le Canada — des considérations que partagent bien des Québécois, soit dit en passant —, l'incapacité apparente des gouvernements provinciaux de s'entendre sur un réaménagement constitutionnel découle en grande partie des joutes concurrentielles qu'ils se livrent sur le plan économique et politique.

S'agissant du processus de révision du fédéralisme canadien, il serait d'ailleurs utile de sortir des perceptions communes pour apprécier l'état des rapports de force entre les parties. Ainsi, contrairement à ce que soutiennent bien des observateurs, il n'y a pas d'un côté le Canada anglais et de l'autre le Québec; il n'y a pas non plus le Canada anglais contre le Québec. Il y a plutôt une pluralité d'acteurs dont les positions sont conciliables ou divergentes, en tout cas variables dans le temps et selon la conjoncture. Les communautés d'intérêt ne sont plus les mêmes qu'hier et elles ne s'édifient pas nécessairement sur la base de l'appartenance linguistique. La distance psychologique est aujourd'hui bien plus grande entre les Maritimes et l'Ontario, par exemple, qu'entre les cousines cosmopolites que sont Montréal et Toronto[58]. Le cas échéant, on est contre les prétentions du Québec non pas parce que l'on s'oppose au fait français, mais parce que l'on estime que des pouvoirs accrus accordés à une province lui permettraient de se doter d'un certain nombre d'avantages spécifiques susceptibles de gêner ses voisines dans leur désir d'en faire autant. Le fin mot des luttes interprovinciales au Canada tient à la constitution de micro-empires concurrentiels liés à la donne mondialiste et nourris par elle. Mais il est vrai de dire aussi que la tradition d'accommodement sur laquelle s'était édifiée la culture politique canadienne depuis 1867 s'est dégradée significativement depuis une décennie environ[59]. La reconstruire autrement que ce en quoi elle a mué — une culture constitutionnelle — est le défi principal qui guette la classe politique en émergence au pays.

Dans tous les cas, le *statu quo* en matière constitutionnelle est un pari sur l'avenir du Canada, donc ultimement une affaire de coûts. Or, pour certains « débatteurs » réalistes, tant au Québec qu'au « Canada anglais », les coûts occasionnés par le fonctionnement du régime fédéral sont déjà en train d'engloutir l'État canadien[60]. Il s'agit d'un argument sérieux qui pourrait modifier la vision sur laquelle repose le système fédéral canadien, soit celui de la préséance du gouvernement central dans la gestion de toutes les affaires de cet État. Dans la mesure où le rapport de force entre les partisans du changement et ceux qui y résistent est rompu en faveur des premiers, la position des provinces pourrait évoluer dans le sens d'un aménagement constitutionnel ou d'une série d'arrangements administratifs qui satisferaient en même temps aux attentes du Québec — dont on insiste trop sur leur caractère historique, c'est-à-dire immuable. Que cette évolution soit plus ou moins longue est également affaire de pari qui, pour les acteurs en présence, se solde par des coûts politiques et économiques. Il s'agit d'une première vision des choses.

Si on change maintenant de perspective et qu'on évalue la situation du point de vue de ceux qui s'opposent au projet souverainiste ou à celui d'une décentralisation poussée des pouvoirs du fédéral — il s'en trouve également au Québec! —, il faut admettre que ces options ne sont pas elles-mêmes sans risque. Par exemple, qui dit que, sur le plan financier, un régime décentralisé produirait les effets positifs escomptés par ceux qui s'en font les chantres? Qui dit par ailleurs que la concentration des pouvoirs aux mains d'une seule administration (provinciale ou régionale) serait bénéfique à la population sur le plan politique et civique? En fait, s'il est des arguments probants qui plaident en faveur d'une décentralisation plus grande encore des pouvoirs et des mécanismes de régulation au pays, on aurait tort de croire qu'elle serait la panacée aux problèmes marquant à des degrés divers toutes les provinces ou régions canadiennes. En admettant que le gouvernement du Québec dispose d'instruments pour promouvoir la société et l'économie « locale », il serait surprenant de voir les choses changer du tout au tout dans un avenir prévisible. Les synergies et les solidarités tant souhaitées apparaîtraient-elles comme on veut bien le croire? La gestion globale de l'État serait-elle différente de celle qui prévaut maintenant? L'État du Québec aurait-il les moyens de ses stratégies nationales dans un contexte continental et mondial ultracompétitif, au moment où l'Ontario, voisine et concurrente immédiate, s'engage résolument dans le sens d'un projet collectif néolibéral? Plus important peut-être, la souveraineté fournirait-elle au Québec une solution aux problèmes spécifiques de cette fin de siècle?

Puisque le Québec est déjà marqué par les tendances majeures de l'économie migrante et du postkeynésianisme, on peut penser que les problèmes actuels persisteraient largement et que la majeure partie de la population ne connaîtrait pas un sort bien différent de celui qu'elle subit déjà. Le gouvernement d'un Québec souverain aurait à gérer des situations et ferait face à des problèmes similaires à ceux qui touchent tous les États occidentaux. Les mêmes priorités figureraient à son ordre du jour. Il administrerait la société civile selon des paramètres à peu près semblables à ceux qui émargent de la pratique régulatrice des États voisins. Finalement, il recourerait à des procédés identiques pour mobiliser ses commettants qui ne répondraient pas nécessairement à ses sollicitations pour «bouger solidairement». Au total, la situation des gouvernés resterait à peu près la même; seuls les gouvernants auraient changé. Dans le processus de transition, des gens auraient évidemment changé de place, certains promus, d'autre démis. Mais on ne doit pas être naïf. Prétendre, comme le font certains souverainistes et certains nationalistes qui ne contiennent pas leur enthousiasme que la récupération des pouvoirs par les gouvernements provinciaux entraînerait une inflexion des tendances actuelles, relève du pari, sinon de l'outrecuidance. Au fond, rien n'est sûr, quelle que soit l'option préconisée. On comprend mieux les hésitations des uns et des autres, la multiplicité des positions et l'enchevêtrement des discours. Des moralisations réciproques : tel est souvent ce qui paraît être la raison du bruit politique...

CHAPITRE 5

Déphasages sociaux

Celui qui essaie d'envisager l'avenir du Canada sur le plan social a raison d'être soucieux. Bien que la situation qui prévale en cet État n'ait rien à voir avec un quelconque misérabilisme de masse, le futur d'un nombre grandissant de personnes est devenu incertain. Au cours des prochaines années, tout indique que le Canada sera marqué par des phénomènes de déphasages sociaux qui accentueront le caractère dualiste de la société. Ces déphasages traduiront un processus relatif et non pas absolu de dégradation sociale. Ils se feront en conflit avec d'autres processus sociétaux ou institutionnels (mobilité individuelle des acteurs, régulation étatique, recherche d'alternatives viables à la désaffiliation cyclique ou structurelle des personnes, etc.) qui contrebalanceront en partie ses effets négatifs et diminueront les menaces que la dégradation fait peser sur la société. L'« ancien » et le « nouveau » seront inextricablement mêlés.

Les clivages se manifesteront suivant la ligne tracée par deux matrices d'appartenance et de référence sous lesquelles se rangeront les individus. Ces matrices seront celle du réseau d'attache — par rapport auquel se situeront les « enracinés » ou les « migrants » — et celle de la communauté de destin — par rapport à laquelle se définiront les « permanents » ou les « périphériques ». La stratification sociale, de même que les conflits sociaux, seront fortement marqués

par ces méta-dichotomies qui engendreront des décentrements iné-
dits au sein de la socialité. Dans un monde caractérisé par l'individualisme triomphant, par l'«économicisation» des aspirations et
par l'acceptation passive de l'utopie concurrentielle, les allégeances
de classe, celles de gauche ou de droite et celles de sociale-démo-
cratie ou de néo-libéralisme, tout en ne disparaissant pas complètement de la panoplie des identifications personnelles, seront seconda-
risées dans le profil sociologique et politique des acteurs, de même
que dans leur imaginaire. Considérant la rapidité des mutations que
connaîtra la socioéconomie et compte tenu des repositionnements
individuels qui s'opéreront continuellement en son sein, le débat
reste ouvert pour savoir quelle sera, en dernière instance, l'identification ou l'allégeance conditionnante ou surdéterminante de l'attitude des acteurs. On peut penser que le principe des loyautés condi-
tionnelles sera au cœur de leurs stratégies identitaires, ce qui
confondra bon nombre de typologistes habitués à plus de stabilité
identificatoire[1]. Les regroupements sociaux s'établiront sur la base
du partage d'intérêts ponctuels et non pas à partir de la position
objective occupée par les acteurs dans une quelconque structure
figée de rapports sociétaux. C'est le social qui sera captif des identifications et des identités et non l'inverse[2].

Des glissements préoccupants

Nombre d'indicateurs font ressortir l'avènement imminent d'une
société évoluant à deux vitesses au Canada. Bien que réfutée par
certains gestionnaires et décideurs qui n'ont d'oreilles que pour les
échos d'une croissance qui redémarre apparemment, cette vision est
confirmée par beaucoup d'observateurs[3].

Le premier point à signaler touche à la fragilisation économique
de la classe moyenne, dont on a dit qu'elle devenait bimodale. L'emploi de ce qualificatif technique est voulu : sans disparaître, les classes
moyennes sont en voie de réorganisation. Le fait est que sur le plan
de la répartition des revenus après impôts, la classe moyenne n'est
en train ni de rétrécir, ni de s'appauvrir par rapport aux plus démunis et aux plus riches[4]. À cet égard, il faut cesser d'exagérer le
tableau et distinguer entre les situations vécues et perçues par les
acteurs. Cela dit, les ménages appartenant à la classe moyenne sont
certainement plus vulnérables qu'auparavant. En cette époque de

déséquilibre permanent des situations et des représentations, leur horizon à long terme n'a plus la stabilité d'antan. La probabilité d'être au chômage et celle de connaître une rupture d'union sont considérablement élevées par rapport à la période antérieure. L'idée de progrès continu et de cumulation des acquis, y compris sur les plans du revenu et du patrimoine, tend à faire place à celle d'« état empirique de stabilité ou d'instabilité relative menant à des inégalités par comparaison de destins ». En cette fin de siècle, le dilemme de la classe moyenne réside peut-être moins dans le fait qu'elle est en train d'échapper à sa condition que dans celui de perdre son ressort, ses dynamismes et son identité, c'est-à-dire de sortir de l'espace-temps apprivoisé de sa reproduction.

Plusieurs analyses ont ainsi montré que certains segments de la classe moyenne, en particulier les couches de dirigeants, de professionnels et d'experts diplômés, se détachaient vers le haut, c'est-à-dire qu'elles progressaient du côté des « gagnants » au sein de la société en émergence ; inversement, d'autres segments, notamment les travailleurs sans diplôme du secteur social ainsi que les travailleurs non manuels routiniers, avaient tendance à stagner ou à régresser[5]. Cette situation ne doit pas surprendre. Les années 1980 ont en effet coïncidé avec la diminution de la proportion des personnes que leur traitement ou leur salaire situaient dans la classe moyenne. Cette diminution a beaucoup à voir avec l'augmentation de l'inégalité et de la bipolarisation des gains salariaux survenue au Canada dans les années 1980, indice d'une transformation probablement structurelle du marché de l'emploi au pays. Dans une étude minutieuse portant sur l'inégalité des gains au Canada, René Morissette, John Myles et Garnett Picot faisaient ressortir qu'entre 1981 et 1989, les sorties nettes de la classe moyenne chez les hommes ayant travaillé à plein temps toute l'année avaient atteint 4,9 % contre seulement 0,7 % entre 1973 et 1981[6]. Bien que la situation soit inversée chez les femmes, la période 1973-1989 était néanmoins marquée par le déclassement d'une assez forte proportion de travailleuses (– 8,5 %). À l'échelle de l'ensemble des salariés, les sorties nettes de la classe moyenne étaient plus importantes encore chez les hommes (– 9,1 %), bien que nulles chez les femmes.

Quoiqu'il n'y ait pas de lien simple ou exclusif entre l'un et l'autre, la fragilisation de la classe moyenne a été accentuée par le fait que, entre 1976 et 1993, le revenu moyen des familles avant et après impôt, en dollars constants, n'a à peu près pas progressé (tableau 1). Cette situation a aussi caractérisé les personnes seules. Il s'agit d'une tendance tout à fait contraire à celle qui avait marqué les années 1950, 1960 et 1970. Si l'on tient compte des hausses considérables de taxes indirectes dans les années 1980 (taxes à la consommation, taxes sur l'essence, l'alcool et les cigarettes, taxes foncières, permis de tous ordres), il s'est produit un recul significatif du pouvoir d'achat moyen que n'a pas compensé la faible inflation des dernières années.

Bien sûr, les transferts gouvernementaux, d'une part, et les taux d'imposition dégressifs, d'autre part, ont atténué les disparités de revenus monétaires. Entre 1971 et 1993, le rapport entre le Gini du revenu monétaire total et le Gini du revenu avant tranfert a baissé (tableau 2). Sans transferts, l'inégalité de revenu aurait crû au Canada, comme en témoigne l'évolution du coefficient de Gini du revenu avant transferts. Rien n'empêche que, en terme réel, le revenu moyen après impôt était plus bas en 1993 qu'en 1980 pour chacun des quintiles de familles. La régression, qui a repris de plus belle en 1989 après s'être résorbée avec la reprise du milieu de la décennie (tableau 3), a particulièrement frappé les deuxième et troisième quintiles (– 10,3 % et – 8,8 % respectivement). Or, les familles formant ces quintiles se situent, par leur revenu, dans la classe moyenne. Une étude fine de la part du revenu agrégé attribuable à chacun des déciles de familles pour la période allant de 1970 à 1990 montre d'ailleurs que les familles formant la classe moyenne ont écopé au cours de cette période, et particulièrement dans les années 1980. Le tableau 4 indique en effet que la part du revenu agrégé accaparée par les déciles allant du troisième au septième a chuté alors que les familles des déciles supérieurs (huitième et neuvième) ont enregistré des gains, à l'instar de celles du décile inférieur. Les plus grands perdants sont les familles des troisième et quatrième déciles, alors que les gagnants incontestés sont les familles des huitième et neuvième déciles. Comme le remarque Abdul Rashid, bien que les changements dans les parts en pourcentage des divers déciles puissent paraître mineurs, ils ont une incidence assez importante dans l'économie des ménages. Par exemple, la part des familles formant le quatrième décile a diminué de

Tableau 1

Revenu moyen selon différents concepts de revenu, transferts moyens et impôt moyen sur le revenu, et revenu moyen après impôt, Canada, 1975-1993
(dollars constants de 1993)

année	revenu moyen avant transferts	paiement de transferts	revenu monétaire total moyen	impôt sur le revenu moyen	revenu moyen après impôt	taille moyenne de la famille	revenu moyen après impôt par habitant
1975	44,293	4,095	49,044	7,312	41,732	3,51	11,882
1976	48,054	4,138	52,194	8,273	43,921	3,49	12,584
1977	46,891	4,235	51,126	7,480	43,646	3,47	12,577
1978	48,010	4,238	52,340	7,616	44,724	3,42	13,077
1979	48,797	3,940	52,737	8,021	44,716	3,40	13,152
1980	50,097	4,307	54,405	8,388	46,017	3,36	13,696
1981	49,209	4,281	53,490	8,253	45,237	3,34	13,544
1982	46,970	5,203	52,173	8,125	44,048	3,32	13,267
1983	46,099	5,271	51,370	8,206	43,164	3,29	13,120
1984	45,886	5,492	51,378	8,175	43,203	3,26	13,253
1985	47,179	5,473	52,652	8,630	44,022	3,24	13,587
1986	48,276	5,516	53,792	9,384	44,308	3,23	13,749
1987	49,032	5,457	54,489	10,121	44,368	3,22	13,779
1988	49,938	5,529	55,467	10,272	45,195	3,18	14,212
1989	51,591	5,690	57,281	11,031	46,250	3,18	14,544
1990	50,316	6,050	56,365	11,134	45,231	3,17	14,268
1991	48,326	6,586	54,912	10,872	44,040	3,17	13,893
1992	47,738	6,919	54,657	10,505	44,152	3,15	14,017
1993	46,488	6,971	53,459	10,234	43,225	3,16	13,864

Source : Statistique Canada, *Répartition du revenu au Canada selon la taille du revenu, 1993*, n° 13-201 au catalogue, et *Revenu après impôt, répartition selon la taille du revenu au Canada, 1993*, n° 13-210 au catalogue.

Tableau 2

Coefficients de Gini calculés selon des concepts de revenu différents, Canada, 1971-1993

année	revenu avant transferts	revenu monétaire total	rapport entre le Gini du revenu monétaire total et le Gini du revenu avant transferts	revenu après impôt	rapport entre le Gini du revenu après impôt et le Gini du revenu monétaire total
1971	0,386	0,343	88,9	0,313	91,3
1972	0,377	0,331	87,9	0,301	90,9
1973	0,373	0,327	87,7	0,301	92,0
1974	0,373	0,325	87,2	0,297	91,5
1975	0,379	0,326	86,0	0,296	90,8
1976	0,394	0,340	86,4	0,310	91,1
1977	0,373	0,321	86,1	0,294	91,6
1978	0,379	0,326	85,9	0,296	90,9
1979	0,369	0,320	86,7	0,293	91,6
1980	0,372	0,319	85,8	0,293	91,8
1981	0,372	0,318	85,5	0,291	91,5
1982	0,392	0,326	83,2	0,296	90,8
1983	0,404	0,334	82,7	0,302	90,4
1984	0,407	0,334	82,1	0,302	90,4
1985	0,401	0,330	82,3	0,299	90,6
1986	0,402	0,331	82,3	0,299	90,3
1987	0,401	0,330	82,3	0,296	89,7
1988	0,399	0,328	82,2	0,291	88,7
1989	0,395	0,328	83,0	0,292	89,0
1990	0,403	0,331	82,1	0,292	88,2
1991	0,420	0,337	80,2	0,297	88,1
1992	0,425	0,336	79,1	0,295	87,9
1993	0,429	0,331	75,4	0,291	87,9

Source : Statistique Canada, *Revenu après impôt, répartition selon la taille du revenu au Canada, 1993,* n° 13-210 au catalogue.

Tableau 3

Revenu moyen après impôt dans chaque quintile de familles selon le
revenu après impôt, Canada, 1971-1993
(dollars constants de 1993)

année	quintile inférieur	deuxième quintile	troisième quintile	quatrième quintile	quintile supérieur
1971	11,590	24,301	33,180	42,685	67,964
1972	12,722	25,723	34,852	44,129	69,144
1973	13,692	26,992	36,179	46,473	72,067
1974	14,645	28,429	38,292	48,225	76,088
1975	14,689	28,283	38,738	49,514	76,759
1976	14,967	29,322	40,184	52,075	83,055
1977	14,852	30,493	41,039	52,808	79,027
1978	15,705	30,951	41,603	53,251	82,113
1979	15,921	30,989	41,753	53,489	81,447
1980	16,630	31,876	42,872	54,591	84,122
1981	16,780	31,047	41,902	53,779	82,666
1982	16,301	29,868	40,379	52,306	81,401
1983	15,718	28,774	39,263	51,439	80,621
1984	15,504	28,875	39,704	51,437	80,481
1985	16,353	29,372	40,264	52,301	81,812
1986	16,612	29,591	40,409	52,657	82,780
1987	16,921	29,620	40,323	52,419	82,549
1988	17,472	30,532	41,287	53,531	83,147
1989	17,765	31,451	42,061	54,566	85,413
1990	17,257	30,667	41,368	53,822	83,051
1991	16,863	29,376	39,854	52,076	82,041
1992	16,645	29,645	40,367	52,589	81,516
1993	16,583	28,607	39,109	51,521	80,315

Source : Statistique Canada, *Revenu après impôt, répartition selon la taille du revenu au Canada, 1993*, n° 13-210 au catalogue.

Tableau 4

Limites supérieures des déciles de revenu des familles
et répartition du revenu agrégé des familles
selon le décile, Canada, 1970, 1980 et 1990

Décile	1970	1980	1990
Limites supérieures		Dollars constants de 1990	
Décile inférieur	10 716	14 634	15 714
Deuxième décile	17 298	21 747	23 155
Troisième décile	23 177	29 322	30 814
Quatrième décile	28 140	36 080	37 872
Cinquième décile	32 792	42 446	44 870
Sixième décile	37 781	49 017	52 092
Septième décile	43 331	56 593	60 501
Huitième décile	50 874	66 436	71 546
Neuvième décile	63 859	83 045	90 214
Part du revenu agrégé		%	
Décile inférieur	1,46	1,48	1,64
Deuxième décile	3,78	3,80	3,78
Troisième décile	5,48	5,38	5,27
Quatrième décile	6,97	6,90	6,69
Cinquième décile	8,20	8,25	8,05
Sixième décile	9,53	9,61	9,44
Septième décile	10,96	11,09	10,95
Huitième décile	12,60	12,86	12,80
Neuvième décile	15,25	15,50	15,53
Décile supérieur	25,77	25,13	25,85
Total	100,00	100,00	100,00

Source : Abdul Rashid, *Revenu de la famille au Canada, op. cit.,* tableau 4.1, p. 49.

0,28 point entre 1970 et 1990. Or, pour chaque famille incluse dans ce décile, cette baisse a représenté une perte d'environ 1 450 $, soit approximativement 4 % de son revenu réel total[7]. Sur le plan subjectif, cette situation a été interprétée par plusieurs ménages comme une stagnation, sinon comme une régression de leur condition. Cela a favorisé chez eux la montée d'un sentiment de vulnérabilité et de sujétion aux caprices de l'imprévu.

Marquées par deux récessions majeures, les quinze dernières années ont été éprouvantes pour bien des Canadiens. Entre 1980 et 1993, le nombre de pauvres au pays s'est accru de plus de 1 200 000 personnes pour finalement dépasser le chiffre des 4,89 millions. Après avoir diminué dans les années 1960 et 1970, la proportion de personnes à faible revenu a continuellement augmenté dans les années 1980 pour atteindre un sommet de 18,7 % en 1984, redescendre par la suite et croître de nouveau à partir de 1990 (tableau 5).

Certes, la notion de faible revenu est importante pour saisir l'ampleur de la pauvreté à un moment donné. Mais elle montre mal le ressort du phénomène. Le fait est que l'insuffisance de revenu est intimement liée à l'évolution des revenus familiaux et à la composition des unités familiales ou ménagères. Or, il s'agit là de variables fluctuantes pour une partie importante et grandissante de la population du pays. Au cours des années 1980, par exemple, l'instabilité des revenus s'est étendue aux familles qui se trouvent aux échelons inférieurs de l'échelle des salaires. De même, la multiplication des emplois non standard, y compris les emplois à temps partiel, et l'accroissement du chômage de longue durée, ont affecté une part substantielle de la population. Au point, notait le Conseil économique du Canada dans une étude qui a fait du bruit[8], que les perspectives de toucher un salaire sont devenues précaires pour un grand nombre de Canadiens. Le Conseil affirmait en outre « qu'un important mouvement annuel des familles, tant vers le haut que vers le bas de l'échelle de la répartition des revenus, était en train de se dessiner ». Ce mouvement semblait particulièrement important entre les catégories susceptibles de former à un moment ou à un autre la population à faible revenu, soit les indigents, les travailleurs marginaux, les petits salariés et les personnes se situant juste au-dessus du seuil de pauvreté. De l'avis de l'organisme fédéral, la condition

Tableau 5

Personnes à faible revenu selon l'âge et le sexe, Canada, 1980-1993

(Estimations fondées sur les seuils de faible revenu, base de 1993)

Années	1980	1981	1982	1983	1984	1985	1986	1987	1988	1989	1990	1991	1992	1993
Proportion des personnes à faible revenu en %														
Personnes, total	15,6	15,7	17,1	18,5	18,7	17,5	16,4	16,1	15,2	14,0	15,2	16,5	16,8	17,9
Enfants de moins de 18 ans	15,4	16,0	18,8	19,6	20,6	18,9	17,3	17,2	15,8	14,8	17,4	18,8	18,9	21,3
Personnes âgées, 65 ans et plus	33,5	33,1	29,4	31,2	29,3	27,8	26,5	25,2	25,6	23,2	21,1	21,7	20,6	22,3
Toutes les autres	13,1	13,0	14,6	16,1	16,3	15,3	14,4	14,1	13,3	12,1	13,3	14,6	15,3	15,8
Personnes dans la famille, total	12,4	12,5	14,0	15,0	15,4	14,1	13,0	12,7	11,6	10,6	11,9	12,9	13,4	14,5
Enfants de moins de 18 ans	15,4	16,0	18,8	19,6	20,6	18,9	17,3	17,2	15,8	14,8	17,4	18,8	18,9	21,3
Personnes âgées, 65 ans et plus	17,2	17,4	13,3	13,8	14,5	13,3	12,4	11,4	11,2	8,8	6,9	7,7	7,9	8,2
Toutes les autres	10,3	10,3	11,7	12,9	13,1	11,9	11,1	10,7	9,7	8,8	10,1	11,0	11,7	12,3
Personnes seules, total	44,0	42,6	43,2	47,3	44,6	44,0	42,1	41,1	41,3	38,3	37,8	40,0	39,7	40,8
Personnes âgées, 65 ans et plus	68,7	66,3	65,7	68,3	63,0	60,9	58,1	55,0	55,9	52,7	50,5	50,8	48,4	51,1
Autres personnes que personnes âgées	34,3	33,1	34,8	39,1	37,8	37,8	36,1	35,8	35,6	32,5	32,7	35,8	36,4	36,6
Nombre estimatif (en milliers)														
Personnes, total	3692	3737	4111	4485	4550	4287	4070	4035	3861	3603	3967	4360	4508	4894
Personnes dans la famille, total	2618	2670	2999	3239	3342	3062	2849	2790	2577	2378	2723	2983	3140	3461
Personnes seules, total	1075	1067	1111	1246	1208	1225	1221	1245	1284	1225	1244	1377	1368	1433

Source : Statistique Canada, *Répartition du revenu au Canada selon la taille du revenu, 1993*, n° 13-207 au catalogue.

Tableau 6

Taux de chômage officiel au Canada, 1975-1994
(moyenne annuelle)

1975	6,9	1985	10,5
1976	7,1	1986	9,5
1977	8,1	1987	8,8
1978	8,3	1988	7,8
1979	7,4	1989	7,5
1980	7,5	1990	8,1
1981	7,5	1991	10,3
1982	11,0	1992	11,3
1983	11,8	1993	11,2
1984	11,2	1994	10,4

Source : Statistique Canada.

économique et sociale de ces familles évoluait en fonction des cycles d'emploi et de chômage qu'elles connaissaient. À la suite de cette étude et d'autres, le Conseil concluait que pendant leur vie active, le tiers des Canadiens était susceptible de connaître une situation de faible revenu[9]. Dans la mesure où l'on sait que 50 % des emplois créés au Canada dans les années 1980 étaient précaires et que ces emplois constituaient 30 % de l'emploi total au pays[10], il ne fait aucun doute, considérant les tendances du marché de l'emploi au cours des dernières années, que la situation ne s'est pas améliorée et que cette donnée reste valable.

À cet égard, les chiffres apparaissant au tableau 6 sont particulièrement éclairants. Entre 1975 et 1993, le taux de chômage officiel, qui mesure le nombre de personnes désireuses d'occuper un emploi et qui en ont effectivement cherché un sans en trouver, est passé de 6,9 % à 11,2 % de la population active. On note d'ailleurs, depuis le début des années 1940, une tendance à la hausse continuelle de la moyenne de ce taux[11]. Bien que des emplois aient été créés au Canada, leur nombre n'a pas suivi le rythme d'augmentation de la population active désireuse de travailler. Si l'écart entre la demande et l'offre d'emploi a rétréci récemment, au point que le taux de chômage officiel soit descendu sous la barre des 10 % en 1995, il est trop tôt pour penser que le mouvement structurel se soit infléchi. C'est la tendance du taux de chômage sur longue période, et non pas ses fluctuations conjoncturelles, que l'on doit considérer pour poser un diagnostic sur l'époque actuelle et pour la mettre en perspective[12].

Quoi qu'il en soit, le taux de chômage reste une mesure imparfaite de l'instabilité chronique qui marque le marché de l'emploi. La situation se dégrade encore lorsqu'on tient compte d'autres données ; par exemple, celles touchant au travail à temps partiel. Le tableau 7 fait état de la proportion des travailleurs occupés à temps partiel : entre 1975 et 1993, leur taux par rapport au total des personnes employées est passé de 10,6 % à 17,3 %[13]. Fait troublant, c'est dans le groupe d'âge entre 25 et 44 ans que le nombre de travailleurs à temps partiel a le plus fortement augmenté depuis le milieu des années 1970, et notamment dans les années 1980[14]. Si la croissance du travail à temps partiel répond à une demande en ce sens de la part d'une partie des employés, rien n'empêche que plus du tiers des personnes qui voudraient travailler à temps plein n'y arrive pas, faute d'emplois de ce type et par suite des formes nouvelles de gestion du travail pratiquées par les entreprises privées et publiques. Les données relatives aux personnes travaillant à temps partiel, mais souhaitant travailler à temps plein, sont d'ailleurs révélatrices du phénomène de précarisation des emplois : entre 1975 et 1993, leur nombre s'est multiplié par sept et leur proportion est passée de 11 % à 35,5 % (tableau 8). Une mesure alternative du chômage fondée sur les heures perdues en raison du chômage et du sous-emploi n'est pas moins inquiétante : le taux de sous-utilisation de la force de travail a crû de 4,7 points de pourcentage en six ans seulement, passant de 9,9 % en 1988 à 14,6 % en 1993. Dans une note méthodologique portant sur la situation au Québec, Pierre Fortin estimait pour sa part le taux de sous-emploi de la population active à près de 23 % en 1994. Tous ces chiffres autorisent le même constat : à l'heure actuelle, le marché du travail est marqué par une grande instabilité que traduisent bien les mouvements d'entrée et de sortie de ses participants. Si l'intermittence de l'emploi n'était le lot que d'une infime minorité dans les années 1970, elle s'est consi-

Tableau 7

Proportion des personnes âgées de 15 ans et plus
en emploi à temps partiel selon l'âge,
moyennes annuelles, Canada, 1975-1993

année	âge			
	15-24	25-44	45 et plus	total
1975	19,4	7,1	8,4	10,6
1976	20,5	7,2	8,9	11,0
1977	21,2	7,8	9,6	11,7
1978	21,6	8,1	10,2	12,1
1979	22,4	8,3	10,6	12,5
1980	23,1	8,8	11,1	13,0
1981	24,4	9,2	11,4	13,5
1982	27,7	9,7	12,0	14,4
1983	29,9	10,5	12,9	15,4
1984	30,6	10,2	12,7	15,3
1985	31,4	10,5	12,8	15,5
1986	32,2	10,4	12,7	15,5
1987	32,2	10,1	12,6	15,2
1988	33,0	10,1	13,1	15,4
1989	33,6	9,8	12,8	15,1
1990	35,3	10,0	13,1	15,4
1991	39,3	10,8	13,5	16,4
1992	41,4	11,3	13,5	16,8
1993	43,6	11,7	13,7	17,3

Sources : Statistique Canada, *La Population active*, n° 71-001 au catalogue ; Statistique Canada, *Moyennes annuelles de la population active*, n° 71-529 et n° 71-220 au catalogue.

dérablement affirmée dans les années 1980[15]. C'est de cette instabilité et de cette intermittence de l'emploi que naît largement le phénomène de l'insuffisance de revenu et que découle l'inégalité sociale, ces phénomènes étant renforcés par la conjoncture économique trébuchante des dernières années. L'étude minutieuse de la répartition des familles dans les déciles de revenu au Canada en 1990, selon certaines caractéristiques (et notamment par rapport à l'emploi), confirme tout à fait cette conclusion[16].

Tableau 8

Indicateurs clefs de l'emploi, Canada, 1987-1993

année	1987	1988	1989	1990	1991	1992	1993
taux d'activité	66,2	66,7	67,0	67,0	66,3	65,5	65,2
, taux de chômage officiel	8,8	7,8	7,5	8,1	10,3	11,3	11,2
taux de personnes occupées travaillant à temps partiel	15,2	15,4	15,1	15,4	16,4	16,8	17,3
taux de personnes travaillant à temps partiel, mais souhaitant travailler à temps plein	26,5	23,7	22,2	22,4	27,7	32,5	35,5
en chômage pendant 14 semaines ou plus, en pourcentage de la population active	3,8	3,1	2,9	3,1	4,6	5,5	5,6
taux de chômage des personnes responsables ou à la tête d'une famille avec des enfants de moins de 16 ans	7,9	6,9	6,8	7,3	9,1	9,7	9,5
taux de chômage de la population active à temps plein	10,6	9,4	9,0	9,6	12,4	13,6	13,9
taux de chômage de la population active à temps partiel	11,5	9,8	9,7	10,1	11,8	14,1	14,4
taux de sous-utilisation basé sur les heures perdues en raison de chômage ou de sous-emploi	11,1	9,9	9,5	10,2	13,0	14,3	14,6
pourcentage de personnes en chômage depuis six mois ou plus	23,5	20,2	20,1	18,4	23,3	28,1	30,8

Source : Statistique Canada, différents catalogues.

Ce que l'on appelle l'instabilité du marché de l'emploi pourrait d'ailleurs bien cacher une transformation structurelle du marché du travail[17]. La croissance de l'emploi à temps partiel en est un signe ; l'autre consiste en la multiplication des emplois non standard. Selon les estimations du Conseil économique du Canada, il y avait au pays en 1989 environ 3,5 millions de travailleurs occupant des emplois non standard (à temps partiel, de courte durée, temporaires et travail autonome à son propre compte). Cela représentait 28 % de l'emploi total cette année-là. Entre 1975 et 1989, l'emploi non standard a d'ailleurs compté pour plus de 40 % de la croissance observée de l'emploi au Canada[18]. On sait, grâce à une enquête de Statistique Canada, que le phénomène n'a pas cessé depuis, qu'il frappe toutes les catégories d'âge, et les hommes autant que les femmes[19].

Parmi les emplois non standard, il est intéressant de s'arrêter au cas des travailleurs autonomes à propre compte qui forment une infracatégorie de travailleurs indépendants. Les travailleurs indépendants sont des personnes qui possèdent et dirigent une entreprise, une ferme ou une pratique professionnelle. En ce cas, ils sont propriétaires-exploitants ou professionnels-employeurs. Les travailleurs indépendants comptent également en leurs rangs des vendeurs autonomes et certaines autres personnes, par exemple des gardiennes d'enfants ou des camelots, qui travaillent de façon autonome mais qui ne possèdent pas d'entreprises. Ceux-là sont rangés dans la catégorie de travailleurs autonomes à propre compte et font partie des travailleurs indépendants non constitués en entreprises. Une personne qui possède une entreprise mais qui ne la dirige pas, c'est-à-dire un investisseur, n'est pas considérée comme travailleur indépendant[20].

Dans l'ensemble, entre 1976 et 1993, la proportion des travailleurs indépendants au Canada est passée de 11,0 % à 15,5 % de la population totale employée. En terme relatif, la catégorie des travailleurs indépendants — constitués ou non en entreprises — a cru au cours des vingt dernières années, alors que les autres catégories d'emplois ont stagné ou chuté (tableau 9). Fait significatif, si le nombre d'employés du secteur privé était plus bas en 1993 qu'en 1988 (8,3 millions contre 8,4), le nombre total de travailleurs indépendants n'a jamais cessé de croître. Au point que le rapport de l'un à l'autre est passé, entre 1988 et 1993, de 1/7,5 à 1/6,5, une

Tableau 9

Emploi selon la catégorie de travailleurs, Canada, moyennes annuelles, 1976-1993

année	employés du secteur privé	travailleurs rémunérés des gouvernements	travailleurs indépendants entreprises constituées	travailleurs indépendants entreprises non constituées	travailleurs familiaux non rémunérés	total
			en milliers			
1976	6 442,7	1 852,1	248,1	799,5	135,0	9 477,5
1981	7 566,9	1 946,9	412,0	940,8	134,7	11 001,3
1986	7 852,7	2 046,1	485,4	1 050,5	96,4	11 531,1
1987	8 113,1	2 058,7	520,8	1 077,2	91,2	11 861,0
1988	8 381,0	2 101,8	569,9	1 114,6	77,2	12 244,5
1989	8 665,0	2 077,2	566,5	1 110,6	66,4	12 485,7
1990	8 697,0	2 059,0	596,7	1 154,4	64,5	12 571,6
1991	8 408,3	2 081,8	619,5	1 167,6	62,9	12 340,1
1992	8 253,4	2 118,3	621,0	1 185,6	62,0	12 240,3
1993	8 304,3	2 095,0	640,2	1 271,7	72,1	12 383,3
			1976 = 100			
1976	100,0	100,0	100,0	100,0	100,0	100,0
1981	117,4	105,1	166,1	117,7	99,8	116,1
1986	121,9	110,5	195,6	131,4	71,4	121,7
1987	125,9	111,2	209,9	134,7	67,6	125,1
1988	130,1	113,5	229,7	139,4	57,2	129,2
1989	134,5	112,2	228,3	138,9	49,2	131,7
1990	135,0	111,2	240,5	144,4	47,8	132,6
1991	130,5	112,4	249,7	146,0	46,6	130,2
1992	128,1	114,4	250,0	148,3	45,9	129,2
1993	128,9	113,1	258,0	159,1	53,4	130,6
			%			
1976	68,0	19,5	2,6	8,4	1,4	100,0
1981	68,8	17,7	3,7	8,6	1,2	100,0
1986	68,1	17,7	4,2	9,1	0,8	100,0
1987	68,4	17,4	4,4	9,1	0,8	100,0
1988	68,4	17,2	4,7	9,1	0,6	100,0
1989	69,4	16,6	4,5	8,9	0,5	100,0
1990	69,2	16,4	4,7	9,2	0,5	100,0
1991	68,1	16,9	5,0	9,5	0,5	100,0
1992	67,4	17,3	5,0	9,7	0,5	100,0
1993	67,0	16,9	5,2	10,3	0,6	100,0

Source : Statistique Canada, « Tendances de l'emploi selon la profession : 1976-1993 », dans *Moyennes annuelles de la population active, 1993,* Ottawa, n° 71-220 au catalogue.

diminution impressionnante en si peu de temps. En 1976, ce même rapport était de 1/8.

En chiffres absolus, le nombre des travailleurs à propre compte a grimpé de plus de 472 000 personnes au cours de la période considérée ; celui des travailleurs autonomes avec aide rémunérée s'est accru de 392 100 personnes. Au cours des années 1980, le travail autonome dans les entreprises constituées en corporation a augmenté à un rythme plus rapide que dans les entreprises non constituées en corporation. Plus de la moitié de la croissance parmi les travailleurs indépendants avec une entreprise constituée s'est produite dans la profession de directeur et administrateur, et dans les professions libérales. Chez les travailleurs indépendants avec une entreprise non constituée, les directeurs, les administrateurs et les professionnels ont compté pour 36,8 % de la croissance des emplois[21]. Dans les années 1980, les pourcentages de travail autonome les plus élevés ont été enregistrés dans les services commerciaux, la pêche et la chasse, le travail en forêt, d'autres services (principalement les services personnels et les travaux ménagers), l'immobilier, l'assurance et la vente en gros. On remarque aussi que le travail à temps partiel est devenu une caractéristique importante du travail autonome, chez les femmes en particulier. Ces données, et bien d'autres, sur les revenus, les heures travaillées, l'âge des travailleurs, montrent que l'expansion du self-emploi se moule aux tendances lourdes du marché du travail : un déplacement des emplois vers les services spécialisés offerts aux entreprises, d'une part, et vers les services personnalisés offerts aux individus, d'autre part ; une croissance des emplois des deux côtés à la fois de l'éventail des professions : vers les fonctions valorisées et stabilisées, et vers celles qui sont dépréciées et précarisées.

Encouragée par une pléiade de programmes publics incitant les gens à se lancer en affaires, dans des activités de haut de gamme comme de bas de gamme, la tendance à la hausse du travail indépendant devrait se confirmer dans les prochaines années. On estime ainsi qu'un travailleur sur quatre pourrait être son propre patron en l'an 2000[22]. Ce pronostic est pour le moins exagéré. Cela dit, il faut voir comment le travail autonome constitue, pour un nombre croissant de personnes, une composante plus ou moins importante de leur *palette d'activités*. La croissance du cumul d'emplois depuis 1989 pourrait être un bon indicateur de ce phénomène de multiplication des activités salariées chez un même individu, de manière à faire face à l'instabilité des marchés du travail et à s'assurer un certain pouvoir d'achat. Pour ces personnes, hommes ou femmes, jeunes ou vieux, l'entreprise n'est plus une institution à laquelle ils peuvent s'en remettre pour gagner leur vie et préparer leur avenir. Elle n'est qu'un lieu parmi d'autres au sein duquel ils exercent leurs compétences. Cette attitude ne témoigne pas d'une remise en cause du modèle dominant de l'époque du fordisme, soit le travail à temps plein pour le même employeur pendant longtemps. Elle n'est pas non plus l'indice que le travail salarié est en train de disparaître, bien que la figure de l'ouvrier-producteur soit en voie d'être démembrée. Elle rend compte plutôt de l'adaptation de ces personnes à la nouvelle donne managériale et aux conditions réelles ou appréhendées qui prévalent sur le marché de l'emploi : une donne et des conditions qui multiplient les cas de « travail contingent ». Le changement d'attitude des travailleurs et des employés envers l'entreprise témoigne aussi du fait que le marché du travail ne s'est pas transformé que matériellement, mais aussi symboliquement. Il ne génère plus les mêmes représentations, attentes et aspirations qu'avant chez ses acteurs. Les idées de « trajectoire » et de « mouvance » ont remplacé celles d'« ancrage » et de « stabilité ». Là réside peut-être l'originalité de notre époque. D'ailleurs, le travail indépendant est loin d'être cet eldorado que les gourous de la société du post-emploi font miroiter aux adeptes du libéralisme : il entraîne souvent de longues heures de travail, et les gains des travailleurs ont tendance à être inférieurs à ceux des salariés proprement dit. En 1986, plus de 45 % des travailleurs indépendants et quelque 20 % des travailleuses autonomes consacraient 50 heures ou plus par semaine à leur emploi. Seulement 10 % des travailleurs rémunérés connaissaient alors des semaines de travail de cette durée. Par ailleurs, en 1985, plus de 20 % des employeurs, mais moins de 6 % des travailleurs à leur compte, gagnaient 40 000 $ ou plus, comparativement à 10 % des travailleurs rémunérés. Quelque 19 % des employeurs gagnaient la même année moins de 10 000 $, comparativement à 51 % des travailleurs à leur compte et à 26 % des travailleurs rémunérés[23]. Ces chiffres confirment ce qui est ressorti d'autres études portant sur des années antérieures[24]. Cette situation, qui semble en voie de s'établir à demeure, ne changera pas à court terme[25].

Il est difficile de tracer un portrait sociologique précis de ceux que l'on appelle les nouveaux travailleurs autonomes. Fluide et mouvante, cette catégorie n'a pas d'enracinement sociologique ou politique sur l'échiquier. Elle est en transit perpétuel au sein des hiérarchies et des statuts. Les travailleurs autonomes sont en effet promus ou démis au gré des conjonctures économiques, de leur capacité à saisir les occasions qui se présentent, des contacts dont ils disposent au sein des réseaux prometteurs (économiques et politiques) et de leur habileté à provoquer la chance en sachant vendre leurs talents. Ils incarnent le profil idéal typique de l'homme ou de la femme « entrepreneur de sa propre existence ». Ce modèle a été particulièrement valorisé par les pouvoirs publics depuis quelques années.

À n'en pas douter, certains réussissent à tirer profit du fonctionnement du système du travail autonome qui fait largement la promotion de l'initiative individuelle et la rétribue parfois grassement. Ceux-là formulent habituellement les critiques les plus sévères à l'endroit du fordisme et de l'État assurantiel. Ils les décrivent comme des formes démodées d'organisation, de gestion et d'intervention, des formes typiques de la « société d'hier ». Évoluant au sein d'un marché fort lucratif qu'ils perçoivent comme un espace rempli de bonnes occasions d'affaires, ils se comportent en tant qu'entrepreneurs dont l'ambition n'a pas de limite et pour lesquels tout engagement n'est toujours qu'un *deal*. Ils conçoivent leur individualisme comme la clef de leur indépendance. Du point de vue de leur rapport au travail et du sens qu'ils donnent à leur vie, ils s'apparentent aux « gagnants ». Pour les chantres de la société cognitive, il ne fait aucun doute que ces « flexibles fonctionnels », qui dépendent apparemment moins du capital et des pouvoirs que ceux-ci ne dépendent d'eux, forment la catégorie en devenir de la société émergente, sa classe directrice[26]. Il ne s'agit pourtant là que d'un côté de la médaille.

D'autres travailleurs autonomes, plus nombreux, se retrouvent en effet dans cette position faute d'alternative, souvent parce qu'ils ont été mis à pied. Ils profitent parfois des humeurs du marché, subissent en d'autres occasions son joug. Pour ces gens, le risque du métier n'est pas un défi quotidien, mais une épée de Damoclès qui est suspendue au-dessus de leur tête. Chaque occasion ratée augmente leur démérite, ce qui les fait s'enfoncer dans les hiérarchies. S'ils ont du succès, ils gravissent des échelons. Mais le passage au niveau supérieur n'est pas chose aisée, car leurs affaires n'ont pas l'ampleur ni la démesure des transactions effectuées par les « hauts gradés » du groupe, employeurs plus souvent qu'autrement. Dans tous les cas, la qualité apparente de leur existence fluctue en fonction de leur réussite, ce qui limite leur horizon et déstabilise leur vie. Ils vivent largement sur le mode du rattrapage continuel. Sur le plan politique, ils se veulent critiques du système économique et social en place, qui leur paraît en favoriser certains. Mais leur amertume est enracinée dans le dépit, la frustration et l'envie plus que dans la dénonciation à tout crin. En cela, ils sont proches des classes moyennes qui maugréent contre la « société » et les « pouvoirs » parce qu'ils ont le sentiment, à tort ou à raison, d'êtres victimes de ce qu'ils appellent des « ruptures d'égalité ».

Enfin, parmi les travailleurs autonomes, on trouve ceux qui s'emploient à des tâches domestiques et à des services personnels de tous genres, y compris ceux d'effectuer, à la maison, des travaux de sous-traitance plus ou moins compliqués pour leur compte ou pour de petites et moyennes entreprises actives dans la concurrence internationale ou n'hésitant pas à tirer profit des ressources du marché informel du travail. Depuis une dizaine d'années, le nombre de ces travailleurs, réduits au statut de tâcherons et vivant une misère sociale par manque de reconnaissance des autres, n'a pas cessé d'augmenter, bien qu'on ne puisse que spéculer sur son importance[27]. Les femmes surtout et, peut-on penser, les immigrants légaux ou illégaux ensuite, forment l'essentiel des masses employées dans ce secteur qui se situe à la frontière de l'économie officielle et de l'économie souterraine, qu'elle soit noire, mauve ou grise. C'est aussi dans ce secteur qu'évolue une partie sans doute importante des « chômeurs actifs », ceux de longue durée en particulier qui ne déclarent pas de gains et dont le mode de vie tient à l'articulation fonctionnelle de revenus de transfert et de rémunérations cachées. De manière générale, ces travailleurs autonomes portent leur individualité comme une croix parce qu'elle signifie manque d'attaches, absence de protection et dépendance servile. Toutes ces caractéristiques les rapprochent de la néo-domesticité[28].

Formés dans l'ensemble par des personnes dont le mode d'intégration au marché de l'emploi n'est fondé sur aucune structure fixe et dont les conditions relèvent du meilleur ou du pire, les travailleurs autonomes incarnent l'un des aspects le plus symptomatique de l'avènement d'une société duale. Cette dualité tendancielle se manifeste de différentes manières, notamment au chapitre des gains des travailleurs.

On a fait grand état il y a quelques années des résultats d'une étude sur les tendances de la répartition du revenu, menée conjointement par le Conseil économique du Canada et Statistique Canada[29]. Cette étude montrait que pour la période allant de 1967 à 1986, il y avait eu augmentation du « coefficient de Gini », l'indice traditionnel d'inégalité[30]. On avait également observé, au cours de ces vingt années, une tendance à la dispersion des revenus, la répartition s'étant déplacée vers les extrémités supérieure et inférieure de l'échelle. En 1967, 26,8 % de la main-d'œuvre canadienne enregistrait des gains annuels que l'on pouvait classer dans la catégorie « moyenne », c'est-à-dire à l'intérieur d'un intervalle de 25 % de chaque côté de la valeur médiane. En 1986, seulement 21,5 % de la main-d'oeuvre canadienne entrait dans cette catégorie. L'élargissement de l'écart, observé dans toutes les régions du pays, s'était traduit par une contraction de la classe moyenne allant de 4 points de pourcentage dans les Prairies à 8 points de pourcentage en Ontario. Dans l'ensemble du Canada et dans la plupart des régions, le déclin de la classe moyenne se répartissait de façon relativement uniforme entre les groupes se trouvant dans la partie supérieure et dans la partie inférieure de la courbe de distribution.

Or, à l'instar de ce qui s'est passé en Europe et surtout aux États-Unis, cette tendance à la bipolarisation des revenus salariaux s'est poursuivie au cours des dernières années[31]. C'est ce qu'ont montré René Morissette, John Myles et Garnett Picot dans leur étude déjà citée. Toutes les techniques utilisées par les auteurs pour mesurer l'évolution des gains au Canada entre 1969 et 1990 font état d'un même constat : l'inégalité et la bipolarisation des gains se sont accentuées au pays dans les années 1980, surtout chez les travailleurs et les travailleuses à temps plein toute l'année. Si elles sont restées à peu près stables chez l'ensemble des femmes salariées, c'est-à-dire lorsque l'on tient compte des gains des travailleuses à temps partiel, l'une et l'autre tendance ont considérablement progressé chez l'ensemble des hommes salariés. Fait à signaler, l'inégalité et la bipolarisation des gains ont augmenté pendant la récession de 1981-1982 et ne sont jamais revenues par la suite au niveau de 1981, même pendant la reprise du milieu de la décennie. Comme nous l'avons souligné plus tôt, ce sont les travailleurs appartenant traditionnellement aux classes moyennes qui ont été les plus affectés par la bipolarisation des salaires et des traitements au pays. Si les transferts gouvernementaux ont atténué l'effet de bipolarisation des revenus causé par l'inégalité des gains, rien n'empêche que le marché crée et sanctionne, maintenant plus qu'auparavant, ce qu'il conviendrait d'appeler la dispersion salariale. On peut légitimement penser que le caractère cumulatif de cette dispersion s'accroîtra à long terme si rien n'est fait. Or, advenant que l'État cherche à compenser ou restreindre cette dispersion, son fardeau redistributif s'alourdira à un moment où sa marge de manœuvre fiscale est réduite et où les payeurs de taxes ont atteint la situation du ras-le-bol. Il semble que la situation actuelle, déjà compliquée, le deviendra davantage à moyen terme.

L'inégalité et la bipolarisation des gains au Canada découlent de plusieurs causes dont il n'est pas simple de démêler l'écheveau. Elles tiennent à l'instabilité du marché du travail dans les années 1980, à l'augmentation de l'inégalité des heures travaillées et à la différence dans les rémunérations attachées aux emplois créés. Elles s'expliquent aussi par le fait que les personnes nouvellement arrivées sur le marché du travail ont obtenu des conditions salariales moins bonnes que celles de leurs prédécesseurs et parce que l'écart entre les hauts et les bas salariés s'est creusé. Les femmes et les jeunes, souvent employés dans les entreprises démarrant en affaires, ont subi cette situation de manière bien plus forte que les travailleurs plus âgés. Il s'agit d'une tendance qui date maintenant d'une dizaine d'années, qui n'épargne pas la génération des 25-34 ans et qui semble en voie de s'incruster[32]. Par ailleurs, la dynamique qui marque de plus en plus le monde de la production économique, nonobstant le secteur d'activité visé, n'est pas étrangère à cette polarisation. Au cours de la dernière décennie, la sous-traitance et l'« externalisation » sont en effet devenues, pour les entreprises privées comme pour les organismes publics et parapublics, un modèle attrayant d'organisation industrielle et de gestion du travail. Pour prendre la mesure du phénomène, certains n'ont pas hésité à dire que les frontières organisationnelles de l'entreprise ne correspondaient plus à ses frontières institutionnelles[33]. Quoi qu'il en soit, la multiplication des petites entreprises, dont certains décideurs se gorgent tant en les décrivant comme des leviers de croissance, s'explique en partie par le fait que les grands groupes industriels ont désormais recours à des fournisseurs extérieurs pour exécuter des tâches plus tôt effectuées à l'interne par la main-d'œuvre régulière[34]. Or, il a été démontré que les salaires versés aux travailleurs des petites entreprises étaient plus bas que ceux accordés aux employés des grandes entreprises, que les PME avaient une propension à licencier plus souvent et qu'elles connaissaient des cycles de vie bien plus turbulents[35].

La pratique de la sous-traitance favorise d'ailleurs l'émergence d'un marché de l'emploi temporaire où s'activent de plus en plus de personnes. Au cours des années 1980, les postes dans les entreprises offrant des services de personnel temporaire ont triplé, leur nombre dépassant 80 000. Une enquête menée en 1988 auprès des employés des services de personnel temporaire permettait de constater que 41 % des gens qui occupaient ce genre d'emploi le faisaient parce qu'ils ne pouvaient trouver un poste à temps plein. La plupart effectuaient du travail de bureau. Dans 70 % des cas, il s'agissait de femmes. Enfin, leur niveau de rémunération était en général bien inférieur à celui des travailleurs à temps plein, et leurs avantages sociaux, habituellement minimes[36].

Il faut voir un lien entre la croissance des emplois « supérieurs » et « inférieurs » dans les différentes industries de services[37]. S'il est vrai de dire que les emplois les moins valorisés et rémunérés se trouvent en majorité dans les industries de services aux particuliers, le « tertiaire moteur » s'organise lui-même sur la base d'une dualisation de la force de travail dans des emplois primés et qualifiés, d'un côté, et précarisés et banalisés, de l'autre. Plus encore, l'expansion des firmes motrices, petites ou grandes, est intimement liée à la croissance parallèle d'entreprises de sous-traitance offrant de l'expertise, des services et de la main-d'œuvre de haut et de bas de gamme à bon compte. Dans la société actuelle, il existe, arrimé au marché de l'emploi officiel, un « marché du chômage » tout à fait florissant dont profitent les entreprises, petites ou grandes, pour gérer de façon optimale les flux de main-d'œuvre en fonction de leurs cycles d'affaires.

Faudra-t-il bientôt parler, pour désigner les précarisés structurels du système — qui comptent des professionnels tout comme des ouvriers non qualifiés — de « collaborateurs post-salariaux » ?

Une société en voie de dualisation

On voit bien, à la lumière de ces tendances, comment se structure la société en voie de dualisation au Canada. Tout au bas de l'échelle évoluent ceux qui, marqués par l'instabilité de l'emploi et leur situation familiale, connaissent de manière permanente ou épisodique une situation d'insuffisance de revenu. Les décrocheurs, les jeunes en majorité, les travailleurs peu scolarisés, les travailleurs plus âgés qui sont mis à pied, les chefs de familles monoparentales, les petits salariés et les travailleurs à temps partiel sont, plus que toute autre catégorie, susceptibles de se retrouver dans les déciles inférieurs de revenus et de connaître l'insécurité économique. Il en est de même pour les familles dont un seul conjoint travaille. La précarité de leur condition est souvent renforcée par d'autres contextes discriminants affectant le marché du travail, par exemple la région de résidence, le secteur d'activité économique, l'âge, le sexe ou l'origine ethnique, ainsi que par leurs dotations personnelles (formation, qualification, réseaux, héritages familiaux, propriété, etc.). Ensemble, ces catégories représentent une masse considérable de personnes et forment une large couche de désaffiliés temporaires ou définitifs. Leur insertion en emploi est marquée par l'incertitude cyclique ou structurelle.

Cette couche, qui comprend tout ceux que nous rangeons du côté des « démunis » (voir schéma 1, p. 49), s'étend sous des modes rampants jusqu'à englober certains segments de la classe moyenne. Pour différentes raisons, une partie de la classe moyenne connaît en effet un processus de mobilité descendante l'amenant dans la pauvreté ou à sa lisière. À un moment ou un autre de leur vie, nous l'avons dit tantôt, environ le tiers des Canadiens s'approche de la condition de pauvre ou y sombre[38]. Si plusieurs de ces « pauvres temporaires » retournent sur le chemin de la mobilité ascendante, certains indices laissent prévoir que la situation sera de plus en plus difficile pour les chômeurs, car une proportion plus grande d'entre eux est maintenant victime de chômage de longue durée (six mois et plus). Entre 1990 et 1993, leur taux est passé de 18,4 % à 30,8 %

(tableau 8). Cette donnée pourrait bien indiquer qu'une partie des emplois détruits n'est pas reconstituée dans d'autres secteurs, contrairement à la situation qui prévalait après la Seconde Guerre mondiale. À cette époque, les travailleurs libérés des champs s'engouffraient dans l'industrie manufacturière et surtout dans les services. Pour une partie de la force de travail, il semble que le chômage ne soit plus une période de transition entre deux *jobs*, mais l'expression et la conséquence d'un déséquilibre durable de l'emploi sur lesquels les remèdes keynésiens n'ont apparemment pas d'effet[39]. Comme si la situation déficitaire des uns, plutôt que d'être une étape ou un souci passager, devenait un état permanent...

Dans les déciles supérieurs et donc en haut de l'échelle sociale se trouvent ceux qui, par leur situation familiale, leur patrimoine accumulé et la stabilité de leur emploi, échappent aux chutes soudaines ou cyclique de revenu. En 1990, 79,3 % des familles époux-épouse qui faisaient partie du décile de revenu supérieur étaient des familles avec deux soutiens. À l'opposé, ce taux n'était que de 20,7 % pour les familles dont le revenu se situait dans le décile inférieur. Il est d'ailleurs reconnu que les gains des épouses permettent à un certain nombre de familles d'échapper à la catégorie des familles à faible revenu. Toutes choses étant égales par ailleurs, abstraction faite des gains des épouses, le taux de faible revenu chez ces familles aurait augmenté en 1992, passant de 4,1 % à 15,7 %. La différence aurait été plus forte encore dans le cas des familles où les épouses avaient moins de 35 ans[40]. De même, en ce qui a trait au sous-emploi : les familles dont les revenus se situent dans les déciles inférieurs ont été marquées par l'absence de travail de l'époux dans une proportion bien plus importante que les familles se situant dans les déciles supérieurs.

Si on embrasse la situation du marché du travail dans sa globalité, il semble que la question du déphasage social au Canada soit moins qu'auparavant une affaire de profession, de métier ou de fonction. Certes, ce sont habituellement les personnes les moins qualifiées et les moins instruites que l'on trouve au bas de l'échelle. Mais les mutations qu'ont connues le marché du travail et la structure des familles font que le positionnement des acteurs les uns par rapport aux autres dans la stratification sociale (sur le plan de la richesse tout au moins) est en train de subir d'importantes modifications au regard de ce qu'il était au moment où prédominaient largement le travail salarié à temps plein et les familles à soutien unique. De même, l'importance acquise par les industries de services dans l'économie et le nombre croissant de tâches exigeant des connaissances poussées a bouleversé la structure occupationnelle traditionnelle.

Pour désigner la société qui est en train d'advenir, certains n'hésitent pas, dans le sillage des travaux initiaux de Daniel Bell, d'Alain Touraine et d'autres, à parler de société « informationnelle[41] ». Toujours est-il que les corps de métiers associés aux bastions fordistes ont perdu du poids[42]. La fonctionnarisation de certaines professions jadis prestigieuses et la hausse générale des exigences nécessaires à l'occupation des emplois ont aussi entraîné la banalisation des fonctions et des tâches de cols blancs. C'est notamment le cas du personnel de vente et des employés de bureau. En dépit d'une revalorisation des exigences associées à ces occupations, elles ont subi une dévalorisation de leur statut. Enfin, si l'on peut penser que les détenteurs de savoir et d'expertise sont dans une posture enviable pour prendre position au sein du marché de l'emploi, leur intégration suit fréquemment une trajectoire saccadée. L'entrée des jeunes diplômés sur le marché du travail est souvent convulsive et marquée par le travail précarisé ou intermittent, y compris dans les filières réputées gagnantes où les salaires et les traitements sont habituellement plus élevés. Cette situation perdure de façon inquiétante pour ces « jeunes » jusqu'au milieu de la trentaine, un âge où la majorité d'entre eux ont fondé un foyer et ne sont plus étudiants. En 1989, par exemple, près de la moitié des enseignants de commissions scolaires au Québec qui étaient âgés entre 30 et 34 ans, avaient un statut précaire. De même, le régime de travail d'un grand nombre de nouveaux arrivants reste caractérisé par des modes de contractualisation (protection, régime de retraite, etc.) moins avantageux que ceux de leurs prédécesseurs, ou carrément inexistants. Si bien qu'il est des professionnels dont les conditions normatives et salariales sont inférieures à celles que connaissent des travailleurs âgés de plus de 40 ans qui détiennent une certaine ancienneté à l'intérieur d'entreprises stables. En fait, les pratiques de gestion des firmes, qui sont actuellement fondées sur les principes du « nouveau management », de la flexibilité et de l'externalisation des compétences, se révèlent déterminantes en ce qui a trait aux mobilités ascendantes et descendantes des travailleurs. Nombreuses dans un sens ou dans l'autre au sein des entreprises, les réaffectations de poste, y compris le péril du licenciement, inquiètent les gens. Elles diminuent, pour une masse considérable de personnes, le degré de sécurité économique qu'elles connaissaient ou auquel elles aspiraient. Cela est particulièrement vrai pour les personnes moyennement scolarisées, hommes ou femmes, qui sont plus que les autres soumises aux ballotements entre le travail et le chômage[43]. D'ailleurs, à l'heure actuelle, la situation que craignent le plus les Québécois, notamment ceux qui sont âgés entre 45 et 54 ans, est celle de perdre leur emploi[44]. Il semble que cette inquiétude soit partagée par les Canadiens[45].

La multiplication des travailleurs « migrants » et « mobiles » au sein du marché de l'emploi et l'instabilité de ce même marché ont favorisé l'apparition d'une nouvelle architecture de la stratification sociale dont les conséquences, en terme sociologique et politique, sont certainement favorables au capital. Dans l'ensemble, la société comporte des ferments d'inégalité qui se sont accrus par rapport à la période précédente. Si cette inégalité, répétons-le, est atténuée sur le plan économique par les transferts publics en faveur des plus pauvres et par les dispositions du régime fiscal canadien, elle s'insinue malicieusement au sein de la socialité en marquant différemment l'horizon, l'héritage statutaire et le pronostic de mobilité des uns et des autres. La perspective qui s'annonce est celle d'une dualisation accentuée de la société.

On s'en doute, la dualisation qui marque la société canadienne n'est pas statique mais dynamique, ce qui adoucit (ou obscursit) ses effets sur le tissu social. Elle se reproduit dans son cadre général tout en laissant place au réaménagement partiel de ses « contenus ». Ce réaménagement découle de la mobilité des acteurs vers le haut ou vers le bas. En régime d'économie migrante et d'affermissement de la « société flexible », cette mobilité est réelle bien que, pour la majorité des gens, les risques de stagner ou de se retrouver plus bas dans l'échelle des fonctions, des statuts et des revenus sont supérieurs aux chances d'ascension. Aux États-Unis, par exemple, la tendance ascendante qui avait, pour une majorité de fils par rapports aux pères, marqué leur mobilité occupationnelle et structurelle dans les années 1960 et 1970 s'est infléchie dans les années 1980[46]. Compte tenu des similitudes qui marquent les tendances de la mobilité aux États-Unis et au Canada[47], il est légitime de croire que ce dernier a connu une situation qui n'est pas différente de celle de son voisin américain. À cet égard, certaines études visant à estimer la mobilité économique des Québécois à partir de leurs déclarations d'impôt des années 1978 et 1983 ont fait ressortir qu'un peu plus de la moitié des individus (54,6 %) occupaient la même position relativement aux autres cinq ans après la première mesure ; environ le quart des personnes (24 %) avaient amélioré leur situation et 21,4 % avaient connu une détérioration. Toujours d'après la même enquête, les plus riches maintenaient mieux que les autres leur position économique d'une période à l'autre et une forte proportion des bas revenus (62,6 %) restaient dans cette catégorie. Fait à noter, la mobilité des revenus personnels était plus marquée dans les classes intermédiaires. Dans les 2e, 3e et 4e quintiles, la proportion des individus connaissant une diminution de revenus était plus forte que celle des personnes réussissant à améliorer leur situation économique. Enfin, le tiers environ des personnes dans le quintile inférieur avaient quitté ce groupe cinq ans après la première année[48].

Il est difficile de proposer une interprétation claire ou univoque des phénomènes actuels de mobilité qui marquent la société canadienne. Cela dit, on peut penser que ce sont les principes établis de cette mobilité, tant sur le plan intergénérationnel qu'intragénérationnel, qui ont été ébranlés au cours de la dernière décennie.

Certes, de nombreuses études empiriques seraient nécessaires pour fonder nos assertions, d'autant plus que le concept de mobilité n'est pas aussi clair qu'il le faudrait et qu'il se réfère à des phénomènes extrêmement complexes. L'idée de mobilité prend en effet son sens réel dans la façon avec laquelle les individus interagissent, se représentent cette interaction et perçoivent leur trajectoire sociale en regard de la mobilité structurelle de la société. Or, dans un contexte d'environnement hétérogène où la socialité est en voie de recomposition apparente, les parcours individuels sont plus indisciplinés que jamais. Il n'est donc pas facile de se faire une idée des dynamismes qui affectent la mobilité professionnelle et sociale. Néanmoins, on peut identifier certaines tendances apparentes.

Par exemple, plusieurs observateurs s'entendent pour dire que les jeunes ont, de manière générale et par rapport à leurs aînés, plus de risques de régresser et de stagner que de chances de progresser socialement[49]. Appartenir à une famille « moyenne » et ainsi occuper une place donnée dans la stratification sociale générale n'est plus gage, pour un jeune, de sa bonne fortune, de sa position future ou de son insertion en emploi. De fait, les filières familiales traditionnelles (ouvrières ou professionnelles) jouent moins qu'auparavant dans le classement des personnes au sein des hiérarchies sociales. Elles ne sont plus des leviers de promotion ou des crans d'arrêt contre la démotion. De même, on peut penser que la mobilité intergénérationnelle découlant du niveau de scolarité atteint par un jeune en regard de ses parents, joue maintenant de manière moins positive qu'auparavant dans sa mobilité professionnelle et sociale, compte tenu de l'état plus dégradé du marché de l'emploi pour les jeunes et de l'avancée structurelle effectuée au chapitre de la mobilité éducationnelle intergénérationnelle avec la génération des *baby boomers*. Si mobilité ascendante il y a pour les jeunes, elle est en général plus tardive et moins largement répandue[50].

Il en est aussi de la mobilité personnelle intragénérationnelle des individus. Considérant l'emprise qu'exerce l'idéologie de la concurrence et de l'« excellence » au sein des milieux de travail, on peut penser que cette mobilité obéit de moins en moins à un ensemble de règles instituées (ancienneté, progression linéaire, étapes normales de carrière) et tient de plus en plus au rendement de chacun et à la capacité de réagir aux changements qui affectent son environnement (performance et efficacité). On sait qu'au milieu des années 1980, la plupart des Canadiens ne connaissaient pas de mobilité professionnelle au cours de leur vie active et que les femmes étaient plus susceptibles que les hommes de rester dans la même catégorie professionnelle[51]. Il est réaliste de croire que cette situation s'est maintenue dans la dernière décennie pour la majorité. Le resserrement réel ou appréhendé du marché de l'emploi fait toutefois que la mobilité intergénérationnelle descendante marque probablement la condition d'un plus grand nombre de travailleurs, notamment chez les jeunes générations. Il est plausible aussi que la mobilité intragénérationnelle ascendante soit largement liée au rendement antérieur d'une personne et que les déterminants normatifs de sa mobilité comptent moins. En clair, la carrière d'un individu serait plus que jamais conditionnée par ses réalisations effectives dans le passé, et par des concours de circonstances favorables ou défavorables.

Chose certaine, il est désormais fort difficile de prédire, à partir de conditions normatives (par exemple, l'appartenance d'un individu à une filière sociologique dont l'effet de levier était plus tôt établi), la trajectoire de tout un chacun au sein des hiérarchies sociales et de pouvoir. L'ensemble des rôles et des statuts automatiquement octroyés aux personnes de par leur appartenance à de grandes catégories d'acteurs reconnus au sein de l'espace social tient moins qu'auparavant. Pour une majorité d'individus, les principes attachés à la mobilité collective de leur groupe d'appartenance jouent un rôle secondaire dans leur itinéraire personnel. Lorsqu'elle survient, la mobilité ascendante est affaire individuelle et elle est histoire de réseau circonscrit. On parlera ainsi de micro-*patterns* de mobilité. Ceux-ci pourraient marquer de plus en plus la socialité à l'avenir.

L'idée n'est pas de revenir à la théorie des dotations naturelles, y compris l'intelligence ou les particularités psychologiques des uns ou des autres, pour expliquer le positionnement social respectif des individus. Les antécédents familiaux d'une personne jouent en effet un rôle important dans la transmission des statuts professionnels. C'est le cas notamment chez ceux qui appartiennent par naissance aux catégories « gagnantes » et qui ont fréquenté des écoles de prestige[52]. On connaît l'adage : « Il y a toujours place, dans le monde des juristes, pour un fils d'avocat. » Des travaux publiés récemment indiquent par ailleurs que les appartenances de classe et de genre restent des contraintes structurelles à la mobilité ascendante des personnes[53]. Les femmes en particulier continuent de subir quantité de discriminations touchant les marchés du travail, peu importe le secteur où elles évoluent et les fonctions qu'elles occupent[54]. Prendre mari reste toujours, pour un grand nombre d'entre elles, l'option la plus stratégique pour se hisser dans l'échelle des statuts.

En fait, contrairement à ce que sous-entend le discours de l'« entrepreneur-maître-de-sa-destinée », la désintégration de certaines filières de mobilité ascendante n'a pas transformé le marché du travail en un lieu de compétition ouverte où il suffit, pour monter les échelons, de travailler fort, de foncer et de « voir clair ». Par contre, l'évolution de la conjoncture économique et le resserrement du marché de l'emploi ont certainement avivé la concurrence entre les travailleurs appartenant aux mêmes grandes catégories sociales. Mus par leur destinée autonomiste, les « gagnants » sont plus ambitieux que jamais. Ils ont littéralement transformé leur vie en une course à remporter, coûte que coûte. *Fast track,* telle est la bretelle d'accès qu'ils empruntent pour s'engager sur l'autoroute de la société flexible. Soumis aux vicissitudes des marchés du travail, les « perdants » se résignent à leur condition mais doivent continuellement lutter pour assurer leur existence. *Struggle for life,* telle est l'épigraphe qui décrit leur condition. Particulièrement victimes de l'instabilité des marchés du travail, les membres de la classe moyenne, tout en s'enfonçant dans l'amertume, se bousculent les uns les autres dans leur course pour maintenir leur standard de vie. « Ne plus payer pour les autres tout en protégeant son patrimoine », tel est l'idéal auquel ils se raccrochent[55]. Au total, personne ne niera que certains individus connaissent une mobilité ascendante, y compris parmi les démunis. Mais ils sont probablement plus nombreux à subir une mobilité descendante ou latérale, ou à stagner. Pour la majorité des gens, il reste difficile d'échapper aux déterminismes originels et aux pesanteurs du moment. L'époque actuelle est à la vulnérabilité, à l'atomisation et à la banalisation de la condition salariale.

On peut d'ailleurs voir dans cette situation l'un des paradoxes de notre époque : bien que l'ascension sociale soit, pour une majorité d'individus, plus ardue qu'elle ne l'était dans la période de l'après-guerre et que leur horizon soit aussi plus incertain, cette même majorité, y compris les « désaffiliés », ne songe pas à changer l'ordre des choses bien qu'elle combatte pour préserver certains acquis[56]. Ne sont-ce pas les riches et les nantis plutôt que les pauvres et les déshérités qui font la grève en ces temps d'illusions perdues ? Ceux et celles qui subissent un quelconque déclassement développent plutôt des cultures qui sont compatibles avec l'incertitude marquant leur condition. Ces cultures consistent en des représentations positives des statuts et des fonctions qu'ils occupent dans la société. C'est dans ces représentations qu'ils forgent leur estime de soi, qu'ils se valorisent et qu'ils trouvent ultimement un sens à la vie. Ce faisant, ils entérinent toutefois le principe de la société duale... qui se découvre sous le projet apparemment neutre, voire positif, de la « société flexible ».

CHAPITRE 6

Flexibilité/déstructurations : l'interface de la société émergente

L'horizon de l'an 2000 apparaît incertain pour le Canada et pour beaucoup de Canadiens. Ce diagnostic ne vaut toutefois pas pour certaines zones et pour bien des personnes, y compris des jeunes, qui échappent largement au marasme actuel. La présente situation est au contraire, pour ces zones et pour ces personnes, un moment de repositionnement dans l'espace économique et social. Elle est une occasion de renaissance ou de mobilité ascendante, de consécration d'une fonction ou de confirmation d'un rôle ou d'un statut.

En tant qu'espace-temps de mouvance, la mondialité est pour la majorité des gens un défi difficile à relever. Certains observateurs estiment que la globalisation de l'économie ne profitera, dans les pays du G-7, qu'au quart des travailleurs. Les trois quarts en subiront les conséquences négatives, ballottés qu'ils seront au gré des mouvements de capitaux (50 %) ou rejetés dans des formes plus ou moins avancées de marginalisation[1] (25 %). Ce pronostic rejoint celui que formulait André Gorz à la suite d'un travail de réflexion sur les métamorphoses du travail. Reprenant les conclusions d'une étude allemande, celui-ci soutenait qu'à l'horizon de l'an 2000, la population pourrait être composée, pour un quart, de travailleurs permanents qualifiés, pour un autre quart de travailleurs périphériques œuvrant dans la sous-traitance et souvent mal payés, et pour la moitié de travailleurs marginalisés qui n'auront plus, avec le processus du travail, que des liens ténus et épisodiques[2]. À la suite de telles conjectures, on est en droit de s'interroger : le procès travail/emploi aurait-il perdu la centralité qu'il avait gardé dans le capitalisme industriel[3] ? Serions-nous, comme John Myles le laissait sous-entendre en se referant au cas de l'Allemagne, à l'aube d'une société du post-emploi[4] ?

Envers et travers de l'utopie technologiste

Difficile de spéculer sur l'avenir ; ardu aussi de savoir si une société du post-emploi, en imaginant qu'elle advienne un jour, serait un bienfait ou un malheur pour la majorité. À l'heure de l'économie migrante, il est à se demander si le salariat, dans sa plus grande partie, n'est pas en voie de subir une transformation notable de sa condition dans le sens d'une précarisation de son existence. Une transformation procédant, comme on l'a vu, de la déconnexion relative du cycle de reproduction d'une partie de la force de travail d'avec celui du capital ; et une précarisation découlant de la marche intermittente et sans direction précise du progrès technologique, d'une part, et des modalités d'aménagement de la mutation industrielle et techno-économique par les décideurs, d'autre part. À la suite d'une analyse portant sur le salariat et la question sociale en Occident au cours des sept derniers siècles, Robert Castel n'hésitait pas à parler, pour décrire l'époque actuelle, d'un effritement de la condition salariale.

Chose certaine, au fur et à mesure que le progrès technologique se diffuse dans des secteurs jusque-là laissés pour compte, les services en particulier, il « détruit » de l'emploi et augmente le péril de la non-reproduction de la force de travail dans le salariat. Cette destruction, dans la perspective énoncée par Joseph Schumpeter, apparaît assurément comme un signe de vitalité. Elle est l'indice d'un renouvellement porteur et créateur des forces productives qui ne peut conduire qu'à l'accroissement des richesses disponibles. Si le grand économiste a raison à long terme, rien n'empêche que le progrès technique, qui est souvent à l'origine de « chocs de productivité » mal encaissés, peut être dévastateur à court terme. À l'heure actuelle, il ne fait aucun doute que la « destruction créatrice » d'emplois fait problème. Celui-ci est complexe, évolutif et ne semble pas vouloir se résoudre de lui-même. Dans sa phase actuelle, il provient du fait que la réallocation du travail ne se fait pas, ou alors péniblement, des secteurs en perte de vitesse vers ceux qui sont en expansion. Cette situation provoque le sous-emploi endémique d'une part croissante de la force de travail. Les pays de la Communauté européenne, qui comptent une proportion considérable de chômeurs de longue durée, sont particulièrement victimes de ce phénomène. Le chômage de longue durée est aussi une plaie au Canada. Seuls les États-Unis, mecque du libéralisme et « société flexible » par excellence, semblent épargner par ce problème. Le miracle n'est toutefois qu'apparent. Dans ce pays, auquel se compare parfois le Royaume-Uni, les salaires ajustés à la baisse favorisent l'embauche de travailleurs selon des modes précarisés, voire aléatoires, dans les services en particulier. La fréquence des mouvements d'entrée et de sortie du marché de l'emploi, mesurée par le taux d'entrée au chômage, indique bien l'ampleur du phénomène. C'est pourquoi l'on n'a pas hésité à qualifier le « plein emploi » américain d'une victoire à la Phyrrus. En pratique, la société américaine s'est dualisée. Comme le mentionnaient de réputés économistes, « le plein emploi aux États-Unis a été acquis aux dépens de la cohésion sociale, par la marginalisation d'une fraction importante de la population des travailleurs, par un non-emploi croissant, bref par l'exclusion de l'accès au mode de vie normal qui caractérise la société américaine[5] ».

À l'instar des autres États occidentaux, le Canada fait face à un problème structurel de redistribution et de réaffectation des emplois dans un contexte économique et technologique marqué par le chaos, l'instabilité et la mouvance perpétuelle des facteurs de production. L'informatisation rapide des services, qui reste le principal secteur d'embauche au pays (tableau 10), l'accroissement continu des gains de productivité du travail dans l'industrie manufacturière et les nouvelles pratiques de gestion des ressources humaines instaurées par les entreprises libèrent une main-d'œuvre qui ne trouve plus à s'employer, d'autant plus qu'elle est souvent la moins instruite ou formée. Devant ce problème, les gouvernements font le pari que les secteurs industriels de haute technologie, y compris le tertiaire moteur, absorberont les surplus de main-d'œuvre. S'appuyant sur la thèse voulant que les emplois liés au traitement de l'information

Tableau 10

Répartition de l'emploi par grand secteur industriel,
Canada, 1921-1992

	1921	1941	1971	1981	1992
Industries extractives	36,9	31,7	9,1	7,1	5,7
Industries de transformation	26,1	28,2	30,0	26,8	22,3
Services de distribution	19,2	17,7	23,0	22,9	24,0
Services aux entreprises	3,7	2,7	7,3	9,7	11,3
Services sociaux	7,5	9,4	21,1	24,0	22,6
Services aux particuliers	6,7	10,2	9,6	9,5	13,5
Total	100,0	100,0	100,0	100,0	100,0
Total industries de services	37,0	40,1	60,9	66,1	72,0

Sources : 1920-1971, Jonathan Singelmann, *The Transformation of Industry : From Agriculture to Service Employment*, Beverly Hills, Sage, 1977 ; Statistique Canada, *La Population active*, nº 71-001 au catalogue. Données citées dans M. Castells et Y. Aoyama, *op. cit.*, tableau 1, p. 14.

continuent de croître et que toute la société soit en passe de muer vers l'«informatisme» ou le «digitalisme», les décideurs n'ont de cesse d'affirmer que le redressement de la situation, sur le plan de l'emploi, repose sur la formation de la main-d'œuvre de telle manière qu'elle s'ajuste aux besoins de l'économie intangible[6]. À cet égard, les politiciens ne font que reprendre le discours archi connu selon lequel la technologie est le principe salvateur, la force animatrice et directrice de l'humanité.

Bien que la situation varie selon les pays, il est certes vrai de dire que les emplois liés à l'information accaparent une part grandissante de la main-d'œuvre (tableau 11). Mais, outre que la tendance ne date pas d'hier, on aurait tort de croire que cette catégorie d'emplois ne reproduit pas les inégalités occupationnelles caractéristiques de régimes économiques plus «classiques». L'univers «informationnel», bien qu'il consiste en la production et en la mise en circulation de biens impalpables, n'en reste pas moins soumis aux lois générales de l'accumulation prévalant dans les sociétés capitalistes de même qu'à celles, spécifiques, prédominant dans les différents secteurs économiques.

On aurait tort de croire que la «société informationnelle», si tant est qu'elle existe déjà, est radicalement différente de celle qui l'a engendrée. Pour l'instant, elle correspond plutôt à l'exacerbation d'un certain nombre de principes accompagnant le développement historique de la société industrielle. La gestion du stock inouï d'informations produites par la société témoignant continuellement d'elle-même et réfléchissant sur son devenir en est un ; l'autre réside dans la capacité d'orienter des flux de toutes sortes, y compris des flux cognitifs humains, dans le sens de la performance, ce qui exige une capacité réflexive et directive considérable — d'où la multiplication des postes de gérance. On aura toutefois compris que ces deux caractéristiques indissociables des sociétés contemporaines, l'accroissement des cadres et des dirigeants, d'une part, et l'importance acquise par les fonctions liées au traitement de l'information, d'autre part, n'ont rien à voir avec un quelconque dépassement de

Tableau 11

Statistiques de l'emploi non agricole dans l'industrie et les services, en pourcentage et en rapport, Canada, 1921-1992

	1921	1941	1971	1981	1992
Industries	42,7	42,3	33,0	29,0	23,5
Services	57,3	57,7	67,0	71,0	76,5
Traitement des marchandises	72,3	69,6	58,6	58,1	54,3
Traitement de l'information	27,6	30,4	41,4	41,9	45,7
Rapport services/industries	1,3	1,4	2,4	2,4	3,3
Rapport information/marchandises	0,4	0,4	0,9	0,7	0,8

Sources : 1920-1971, Jonathan Singelmann, *The Transformation of Industry : From Agriculture to Service Employment*, Beverly Hills, Sage, 1977 ; Statistique Canada, *La Population active*, n° 71-001 au catalogue. Données citées dans M. Castells et Y. Aoyama, *op. cit.*, tableau 2, p. 16.

la société industrielle. Elles en sont plutôt les manifestations *ad hoc*. De ce point de vue, les prophètes de l'hyper-technologisme font certainement fausse route lorsqu'ils prétendent que les sociétés contemporaines, marquées par la montée des professions supérieures, annoncent l'affaissement prochain d'un régime économique fondé aussi sur le travail routinier, banalisé et mal payé. Ils confondent la nature historique d'un régime économique, celui du capitalisme, avec les formes et les conditions de son émancipation actuelle. Il suffirait par exemple que la croissance reprenne de manière soutenue, suivant la tendance qui était sienne entre 1950 et 1973, pour que les entreprises, les petites beaucoup plus que les grandes, déclarent des pénuries de main-d'oeuvre non spécialisée.

Même pour les « travailleurs du savoir », identifiés comme porteurs de la nouvelle économie, la situation est loin d'être rose. D'abord, ces travailleurs sont, comme les autres, soumis au paradigme managérial de circonstance, celui du chaos et de la gestion en flux tendu du personnel. Or, selon ce paradigme, c'est la rentabilité et la productivité plus que l'emploi qui priment. Par ailleurs, bien qu'ils soient effectivement titulaires d'expertises recherchées, ils restent largement dépendants de l'évolution saccadée, voire déroutante, du progrès technologique, de même que des modalités de mise en œuvre du procès de production.

En tant que catégorie sociologique, il ne fait aucun doute que les professionnels et que les techniciens constituent un groupe montant, peut-être directeur si on considère l'emprise idéologique qu'il exerce sur la destinée sociétale. À l'échelle individuelle, chaque professionnel ou technicien demeure toutefois dans une position vulnérable par rapport aux flux cognitifs, idéels et innovateurs qui traversent le monde. C'est en effet dans cet espace-temps sans frontières qu'évoluent réellement ou virtuellement les spécialistes par leur mobilité physique ou leur mise en réseau. En mouvement continuel, les flux cognitifs et innovateurs créent des déstabilisations permanentes qui perturbent le processus de la redistribution des emplois, y compris pour les spécialistes dont on dit qu'ils subissent moins que les autres les aléas de la conjoncture. En outre, on aurait tort de penser que, dans une société marquée par la progression exponentielle des technologies, tous puissent prétendre au rang de « gagnants ». Il importe de distinguer entre ceux qui innovent et ceux qui utilisent les procédés ou les appliquent. Les premiers dirigent les processus cognitifs alors que les autres les subissent. Le fait que ces derniers, pour appliquer les procédures prescrites, doivent posséder une connaissance théorique avancée et détenir des qualifications assez élevées n'enlève rien au statut périlleux de leur position dans les procès de travail.

À cet égard, il y aurait lieu d'être prudent face à l'idée que la formation professionnelle puisse racheter tous les « perdants ». La baisse de la proportion des emplois non qualifiés est une tendance qui s'inscrit dans la longue durée du capitalisme industriel, bien que les exigences attachées à cette qualification se modifient. L'obligation de fréquenter l'école primaire puis secondaire fut une étape jadis cruciale de ce processus. Il est évident que l'ordre productif actuel exige des ressources humaines mieux formées encore. Cela dit, pour des raisons variables, subjectives et structurelles, tous ne peuvent pas prétendre à une formation optimale parfaitement adaptée aux attentes des marchés. L'établissement, au sein d'un État, d'un rapport éducatif performant ne se décrète apparemment pas. Il est le résultat de compromis sociaux difficilement programmables. Par ailleurs, le relèvement général des qualifications n'est pas sans entraîner lui-même un étalement relatif des rémunérations en fonction de nouveaux critères de hiérarchisation sociale et professionnelle[7]. À l'heure actuelle, les jeunes semblent particulièrement victimes d'un tel phénomène. Enfin, s'il existe sur le plan statistique une corrélation entre chômage et basse qualification, cela n'implique pas qu'il y ait une relation directe et nécessaire entre qualification et emploi[8]. La course actuelle à la surqualification trahit le fait qu'une majorité de postes de travail exigent toujours des niveaux de formation inférieurs au baccalauréat. Cette situation ne changera pas à court terme. Aussi risque-t-on d'aboutir, plutôt qu'à une réduction du chômage, à une hausse du niveau de la qualification des chômeurs[9].

Mentionnons en outre que dans une société animée par la quête inassouvissable d'innovations technologiques, la révolutionnarisation continuelle des forces productives fait que le cycle de vie des machines, des produits et des hommes, au fond intimement lié, est de plus en plus court. En pratique, cela signifie que les uns et que les autres sont remplacés de plus en plus vite. Il existe évidemment, pour les humains tout au moins, des façons de « contourner » ou de faire face positivement à ce roulement incessant du tourbillon productif. La formation continue est l'un de ces moyens, l'autre étant le travail en réseau, forme organisationnelle typique du système industriel contemporain. Le problème est qu'il devient de plus en plus difficile d'ajuster les formations professionnelles à la vitesse d'évolution des technologies. Le court terme (adaptation instrumentale des programmes) et le long terme (réforme majeure des filières éducatives) se font face dans une confrontation incertaine. C'est d'ailleurs pour cette raison que l'on dit que l'école est en crise.

Aussi les entreprises et les administrations publiques ont-elles tendance, plutôt que d'engager des travailleurs sur une base durable (exception faite d'un noyau de permanents qui forme le cœur de l'« équipe » et dont on veut s'assurer les compétences exclusives), à recourir au service d'un faisceau de contractuels qu'elles mettent en réseau et dont elles accroissent ainsi la polyvalence. Ce procédé cadre bien avec les stratégies de flexibilité défensive, interne ou externe, pratiquées par les firmes. Il traduit le processus que nous évoquions précédemment en parlant de nucléarisation/périphérisation de la force de travail.

Les travailleurs typiques de la « société digitale », particulièrement les jeunes techniciens et opérateurs, voire dans certains cas les professionnels, ne sont pas exempts d'une telle dynamique[10]. Certains subissent le temps partiel ou connaissent le travail intermittent. D'autres se constituent en entreprises ou vendent leur expertise en tant que travailleurs indépendants. Ces situations et pratiques sont évidemment renforcées par le ralentissement actuel de la croissance, lui-même alimenté par le rôle dépressif du vieillissement de la population sur l'activité économique. Dans un tel contexte, le cycle de vie (et de reproduction sociale) des « travailleurs du savoir » évolue entre des périodes de travail plus ou moins temporaire (phase I), d'apprentissage théorique ou pratique en dehors du marché de l'emploi (phase II), et possiblement de chômage (phase III). On aura noté que c'est autour de cette « logique reproductive » de la force de travail que les gouvernements tentent actuellement de restructurer l'ensemble des programmes de sécurité du revenu et de formation de la main-d'œuvre. L'idée maîtresse est celle d'une insertion sur mesure de chacun. Au Canada, la transformation du programme d'assurance-chômage en un programme d'assurance-emploi représente un exemple éloquent de cette volonté. Il n'est pas jusqu'au partage de l'emploi qui ne pourrait acquérir une utilité fonctionnelle dans ce cadre en permettant un arrimage optimal et consenti entre travail, formation et, disons, « régénération extra-économique » des individus. Enfin, c'est dans ce contexte d'une accentuation des transitions entre l'emploi, la formation professionnelle et le chômage, que l'idée de réseau acquiert tout son sens et, pour le capital, toute son efficacité. Le réseau est en effet une structure organisationnelle qui précède, qui survit et qui transcende le travailleur individuel. En pratique, le réseau existe indépendamment de chacun de ses membres qui sont, face à lui, interchangeables. Il est la seule structure permanente autour de laquelle gravite le procès de travail : les machines comme les personnes sont mouvantes. Il importe peu que l'un des segments constitutifs du réseau soit remplacé périodiquement ou définitivement, car ne compte que la fonctionnalité et le rendement du collectif. Or, ce défi d'efficacité appartient au manager et non pas au(x) travailleur(s). Le schéma 3 illustre la dynamique du système. De nouveau, on sent la position du spécialiste vaciller dans l'ordre productif au sein duquel il est intégré. En régime d'hyper-technologisme et de compétitivité à tout prix, la fonction intégratrice de l'entreprise est remise en cause. C'est elle qui, en tant que l'une des matrices organisationnelles de base de la société en émergence, produit et engendre les nouvelles formes de différenciation qui marquent le salariat.

Dernier point : dans une société fondée sur le paradigme technologique, le spécialiste qui participe du processus innovateur est lui-même sujet à le subir. À l'échelle collective, la « plus-value technologique » créée par le processus incessant de réflexivité dirigée vers l'innovation est certainement accrue. Mais à l'échelle individuelle, la dynamique peut être désastreuse, car elle se rit des hommes après s'être nourrie de leur savoir. L'idée n'est pas de condamner le progrès technologique mais de souligner que, dans le contexte de l'ordre productif auquel il est soumis et duquel il s'engraisse, ses conséquences sur l'emploi sont présentement négatives. C'est cette situation qui prévaut au Canada.

Le lecteur aura compris que notre argumentation visait à ramener sur terre les partisans délirants et acritiques de la « société informationnelle et digitale ». L'hyper-technologisme et la surqualification de

Schéma 3
Mise en œuvre du procès de production et cycle de vie et de reproduction de la force de travail en régime d'hyper-technologisme

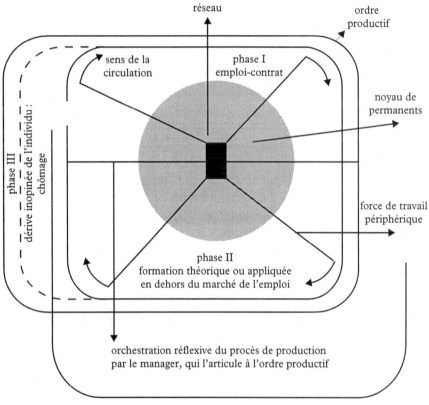

réseau

ordre productif

sens de la circulation

phase I emploi-contrat

noyau de permanents

phase III

dérive inopinée de l'individu : chômage

force de travail périphérique

phase II formation théorique ou appliquée en dehors du marché de l'emploi

orchestration réflexive du procès de production par le manager, qui l'articule à l'ordre productif

support public, formation de la main-d'œuvre, prise en charge par l'État

la force de travail ne sauraient être les panacées aux problèmes de redistribution de l'emploi que connaissent les économies contemporaines d'Occident. Non seulement les industries et les services liés aux nouvelles technologies ne fourniront jamais qu'une minorité des nouveaux emplois nécessaires, mais tous les emplois créés n'exigeront pas des qualifications poussées. En outre, la société digitale reste pour l'instant une utopie bien plus qu'elle n'est une réalité. L'ordre de changement auquel on l'associe est tel que la mutation prendra des décennies plutôt que des années à se réaliser, malgré ce que l'on dit à propos de l'«accélération de l'histoire». Or, pour les «désaffiliés» comme pour les décideurs, c'est le court terme qui importe.

Horizons incertains, pronostics aléatoires

Il existe bien sûr des secteurs autres que celui de la haute technologie vers lesquels pourrait théoriquement converger le surplus de main-d'œuvre. Le transfert pourrait s'effectuer vers d'autres services, du côté de l'éducation, de la santé et des services sociaux par exemple, là où la productivité est moindre bien que les salaires soient assez élevés. Dans ces secteurs, la crise de l'État assurantiel pose toutefois un problème de taille[11]. Depuis des années, les administrations publiques n'ont de cesse d'essayer de comprimer leurs dépenses. L'idée du virage ambulatoire, très prégnante au Québec, est la dernière trouvaille en cette matière. Certes, la privatisation des services actuellement gérés par l'État pourrait constituer une solution et favoriser la redistribution du travail vers ces secteurs qui devraient logiquement connaître un essor considérable au cours des prochaines années, compte tenu que le capital humain est au cœur de l'ordre global qui s'instaure. Mais au Canada, le consensus populaire est très mollement enclin à la privatisation des services publics de base. Par ailleurs, il semble que les essais tentés dans cette direction se soient soldés par une dévalorisation, une déqualification et une précarisation des «nouveaux» emplois par rapport aux précédents, ce qui n'a fait qu'accroître la suspicion envers l'idée même de la privatisation, rapidement associée à celle du *dumping* social. À l'heure actuelle, le débat s'enlise et le secteur des services sociaux est en voie de perdre de l'importance, sur le plan de l'emploi, par rapport à d'autres secteurs (tableau 10).

Les services aux entreprises et les services aux particuliers, en forte progression depuis une dizaine d'années, pourraient aussi constituer des débouchés pour la main-d'œuvre en surplus. Les services aux entreprises sont en effet considérés comme stratégiques dans l'économie en émergence. Leur développement devrait aller de pair avec la complexité croissante de l'activité. Cela dit, il faut savoir que le secteur des services aux entreprises est un secteur qui est déjà fortement mondialisé et qui fait l'objet d'une concurrence virulente entre les prestataires parmi lesquels les firmes américaines font figure de championnes. Du point de vue des transactions internationales de services aux entreprises, le Canada connaît d'ailleurs, depuis longtemps, une balance déficitaire, ce qui tend à prouver que les entreprises canadiennes, sauf exception notable de l'ingénierie, ont du mal à s'imposer dans ce secteur[12]. Quoi qu'il en soit, la croissance des services aux entreprises reste dépendante d'une dynamique mondiale plus que nationale. Il s'agit d'un secteur fortement stimulé par les logiques de l'économie migrante, dont on a vu les avantages et les inconvénients. Dans une entrevue qu'il accordait au journal *Le Devoir*[13], Guy Saint-Pierre, ancien pdg de l'une des firmes de génie-conseil les plus importantes du Canada et dans le monde, avouait que l'entreprise qu'il avait dirigée (SNC-Lavalin) était déjà largement internationalisée par l'orientation de ses activités et par ses pratiques d'embauche, y compris de main-d'œuvre spécialisée. Il ne fait aucun doute que le secteur des services aux entreprises restera au cœur de la « nouvelle économie ». Sur le plan de la création d'emplois « locaux », il pourrait toutefois se révéler moins prometteur que prévu. C'est en Asie que les grand projets du XXIe siècle seront lancés et que les mégachantiers s'ouvriront.

Contrairement à ce que certains avaient prédit, les services aux particuliers demeurent, au moment où s'affirme apparemment la « société digitale », un secteur important de l'économie. En 1992, 13,5 % de la force de travail au Canada s'y employait (tableau 11). Rien n'interdit de penser que la croissance de ce secteur s'est arrêtée. Il pourrait dans l'avenir absorber une part significative du surplus de main-d'œuvre. Ce scénario est toutefois fort optimiste pour au moins deux raisons. D'abord, la croissance durable des services aux particuliers est subordonnée à la multiplication des innovations en matière de consommation (ce qui est certes une tendance de cette fin de siècle), mais aussi à la révolution des modes de vie populaire (ce qui est beaucoup moins évident, on le verra plus loin). Ensuite, la progression des services aux particuliers est très dépendante de l'état général de l'économie et, notamment, du revenu disponible des ménages, de leur endettement et de leur perception de l'avenir. Or, on a vu que le revenu des ménages, dans sa moyenne générale, était à peu près stagnant depuis une vingtaine d'années au Canada et que les familles des deuxième et troisième quintiles avaient même subi une diminution relative substantielle de ce revenu. Certes, la progression du secteur des services aux particuliers s'est poursuivie pendant ce temps, ce que traduit bien la part relative d'emploi qu'il détient (cette affirmation reste valable même en chiffres absolus). Mais cette croissance a surtout traduit la montée significative des *McJobs*, phénomène associé par certains à l'avènement de la « société du hamburger », l'une des faces cachées et certes moins reluisantes de la « société digitale ». Il est d'ailleurs symptomatique que ce soient les femmes et les jeunes qui, de manière prédominante, trouvent de l'emploi dans ce secteur d'activités dont l'expansion répond à la socialisation d'une partie du travail domestique, à la féminisation de l'emploi, au vieillissement de la population et à la polarisation primaire qui marque le monde du salariat au Canada[14]. Les services aux particuliers restent en effet le secteur où la précarité et le caractère cyclique de l'emploi sont les plus forts. Ceux qui y travaillent sont plus qu'ailleurs soumis aux transitions emploi-chômage parce que leur qualification est habituellement moindre, parce que les salaires sont généralement moins attrayants et parce que l'abondance de main-d'œuvre sur le marché joue en leur défaveur. Reste à voir si les gains de productivité réalisés dans ce secteur au cours des dernières années modifiera cette dynamique. Pour l'instant, la croissance des services aux particuliers est davantage liée à la dualisation de la société qu'à la résolution du problème de l'emploi.

Au dire de certains, le chômage pourrait être résorbé par un accroissement général de la productivité dans tous les secteurs de l'économie, voire à l'échelle de la société (on parlera alors de « plus-value d'efficacité sociale »). Celle-ci générerait une richesse collective qui se traduirait par une augmentation des dépenses de consommation (découlant de la baisse réelle du coût de fabrication unitaire des biens et donc de leur prix), par la création d'emplois, par des rentrées fiscales accrues pour les administrations publiques, par un rabattement de leur dette à long terme, etc. Ce scénario est le plus souvent évoqué par les économistes pour qui la productivité est la félicité incarnée. Leur thèse, qui ne tient absolument pas compte de la réalité de l'économie migrante et globale, repose sur la présomption d'un lien causal allant de la croissance de la productivité à la demande globale et à l'emploi. Or, cette dynamique est loin de prévaloir en tout temps. S'il ne semble pas y avoir de corrélation empirique à long terme entre l'élévation de la productivité et l'augmentation du chômage (ce qui ne peut que confondre les vilipendeurs anti-productivistes), on ignore quelle logique influente intervient entre productivité, demande globale et emploi. Rien n'interdit de croire, par exemple, que ce soit la hausse de la demande globale qui suscite ou rende possible la croissance de la productivité, plutôt que l'inverse. De même, on peut penser que l'accroissement de la productivité découlant du progrès technique est préjudiciable à l'emploi tant et aussi longtemps que d'autres conditions, arbitrages macro et microéconomiques, ne sont pas apparues.

Toujours est-il qu'à l'heure actuelle, on constate une reprise apparente de la croissance de même qu'une augmentation de la productivité (du travail tout au moins) dans plusieurs secteurs économiques. Mais l'emploi ne suit pas. Cette situation tient à plusieurs facteurs. Les dynamismes propres au système du capital en régime d'économie migrante, qui modifient les grands armistices socioéconomiques qui furent au cœur des trente glorieuses, en sont un important. Les stratégies pratiquées par les entreprises privées et publiques pour se positionner face à la concurrence ou pour diminuer leurs charges en sont un deuxième. La difficulté de traduire les progrès techniques des années 1980 en efficacité économique et d'ainsi accroître la productivité multifactorielle en est un troisième. Le défi de découvrir les ajustements macroéconomiques optimaux qui orientent favorablement les comportements globaux des agents en est un quatrième. Mais ce phénomène apparemment paradoxal d'une croissance sans emploi vient aussi du fait que les gains de productivité imputables au progrès technique sont actuellement supérieurs au taux de croissance de la demande engendrée par ce même progrès[15].

Il est possible que cette situation cesse à moyen terme et que productivité et emploi évoluent de manière plus concordante en se relançant l'un l'autre. Pour ce faire, il faudra toutefois que la demande globale soit suffisante pour utiliser pleinement les capacités productives, ce qui suppose que l'on innove du côté des politiques d'accompagnement et des grands compromis socioéconomiques[16]. Il faudra aussi que les emplois perdus dans les secteurs en déclin ou marqués par de fortes hausses de productivité du travail puissent être reconstitués ailleurs, dans des secteurs où la productivité du travail étant plus faible, l'embauche est théoriquement plus forte. On se souviendra que c'est une telle dynamique qui avait caractérisé la période suivant la Seconde Guerre mondiale. À cette époque, les emplois perdus en masse dans l'agriculture étaient reconstitués en partie dans l'industrie manufacturière et surtout dans les services. Ce dernier secteur offrait en outre, pour des raisons qui ne tiennent plus maintenant, des salaires relativement élevés. À l'origine d'une richesse collective grandissante, la productivité à la hausse rendait théoriquement possible une attribution croissante de bénéfices au capital et au travail, ce que le compromis fordiste sanctionnait empiriquement. Mais les emplois créés dans les services n'étaient pas liés à l'augmentation de la productivité dans ce secteur. Ils découlaient au contraire de processus historiques bien plus fondamentaux, à savoir l'extension du rapport salarial et la révolutionnarisation du mode de vie ouvrier par la logique marchande. Cette mutation globale permettait une articulation fonctionnelle entre le secteur manufacturier et celui des services, laquelle engendrait à son tour une croissance des emplois sur tous les fronts.

L'idée au centre de notre argumentation est claire : l'augmentation de la productivité (multifactorielle) produit une croissance des emplois à l'échelle de la société dans la mesure où la norme sociale de consommation évolue qualitativement et structurellement en découvrant et en soumettant de nouveaux espaces de vie au capital[17]. Les marchés qui apparaissent dans le contexte de cette évolution ne consistent pas en des biens « récents » qui sont simplement substitués aux « anciens ». Ils traduisent la mutation d'un cadre et d'un mode de vie.

À l'heure actuelle, contrairement à la situation qui prévalait au cours des trente glorieuses, l'évolution de la norme sociale de consommation ne suit pas le rythme de transformation des processus productifs. L'effritement de la condition salariale, qui accentue la vulnérabilité de masse, y est pour beaucoup. Plus important peut-être, cette norme sociale de consommation n'évolue pas dans le sens d'une révolutionnarisation du mode de vie des individus et des familles. Les habitudes de consommation ne changent pas aussi rapidement et profondément que les prophètes de la révolution informatique et technique l'avaient prédit. La « réalistique », sorte d'idéologie de mise à la raison de l'orgie consommatoire, constitue un puissant cran d'arrêt au renouvellement continuel de l'imaginaire des besoins, notamment dans les strates inférieures des classes moyennes. Par ailleurs, on a souvent tendance à croire que l'introduction de nouvelles technologies entraîne une mutation automatique et rapide des modes de vie. Or, cette déduction est démentie par l'histoire. La transformation des découvertes importantes en innovations ou en procédés appliqués n'est jamais aisée. Les pratiques et les structures sociales existantes ne se modifient pas par décret, car les résistances au changement sont fortes. Pour tout dire, l'émergence d'une « nouvelle société » prend du temps.

Le tableau 12 illustre à quel point les pratiques de consommation des ménages — en ce cas-ci les familles urbaines comptant 2 adultes et 2 enfants — restent dans l'ensemble assez semblables à ce qu'elles étaient au milieu des années 1970. Par semblables, nous entendons qu'elles n'ont pas connu une transformation aussi profonde que celle qui avait marquée l'économie politique des ménages au cours des trente glorieuses. La récession de 1982-1984, d'une part, et la ponction grandissante effectuée par les administrations publiques sur le revenu brut des familles, d'autre part, ont eu une influence certaine sur la mutation des genres de vie en réprimant les dépenses de consommation[18]. Cette situation s'est en particulier manifestée chez les ménages appartenant aux quintiles inférieurs de revenu. Cela ne veut pas dire que les ménages n'ont pas réagi aux sollicitations des marchés et n'ont pas consommé les nouveautés qui y sont apparues. Le contraire serait plutôt vrai. Entre 1981 et 1994, les ordinateurs, les produits électroniques audiovisuels, les fourgonnettes et les camions neufs et d'occasion ont compté parmi les principaux « gagnants » au titre de la croissance des dépenses de consommation. Ces secteurs demeurent néanmoins très marginaux dans le total des dépenses personnelles[19]. En fait, le profil général de la consommation au Canada est étroitement lié à des facteurs démographiques, notamment à l'importance relative des générations dans l'imposition des normes et des valeurs collectives. Or, depuis le début des années 1980, la génération des *baby boomers* a exercé une influence marquante sur l'affectation des dépenses de consommation personnelle au pays. Compte tenu de l'évolution du cycle de vie et des stratégies utilisées par les 35-55 ans pour planifier et assurer leur avenir, les dépenses de logement et de fonctionnement du

Tableau 12

Résumé des dépenses des familles urbaines comptant 2 adultes
et 2 enfants, Canada, 1953-1990 (données en pourcentage)

affectation budgétaire	1953	1957	1959	1964	1969	1974	1978	1984	1990
alimentation	28,6	25,4	22,8	20,3	17,8	16,7	16,5	14,5	12,7
logement	15,0	17,0	17,1	17,9	16,9	15,9	18,4	18,1	18,2
entretien ménager	3,7	3,7	4,2	4,3	4,5	4,2	4,4	5,0	5,1
articles et access. d'ameublement	6,7	5,8	5,0	5,2	4,7	5,5	4,6	3,7	3,0
habillement	9,3	8,5	8,3	8,7	7,6	6,9	6,7	6,2	5,4
transport	8,8	11,8	11,8	11,7	11,7	11,0	10,8	11,2	9,9
frais médicaux et de santé	4,7	4,2	4,0	3,7	3,3	2,2	1,8	1,7	1,7
soins personnels	1,9	2,0	2,0	2,3	2,0	1,6	1,5	1,9	1,9
loisirs	3,8	2,9	3,1	3,7	3,1	3,5	4,5	4,7	4,9
lecture	0,7	0,6	0,6	0,7	0,6	0,5	0,5	0,5	0,5
éducation	0,5	0,6	0,6	0,7	0,6	0,6	0,8	0,8	0,8
tabac et alcool	3,0	3,6	3,7	3,3	3,5	2,8	2,6	2,5	2,4
divers	1,0	1,0	1,4	1,2	1,4	2,1	2,2	2,4	2,4
dépenses de consommation courantes totales	87,7	87,1	84,6	83,6	77,8	73,6	75,3	73,1	68,9
dons et contributions	2,2	2,2	2,9	2,4	1,9	1,4	1,3	1,7	2,2
impôts personnels	5,2	6,2	7,4	8,7	15,5	19,8	18,7	20,1	23,8
sécurité/protection	4,9	4,5	5,1	5,3	4,6	5,3	4,6	5,0	5,0
dépenses totales	100	100	100	100	100	100	100	100	100

Sources : Dominion Bureau of Statistics, *City Family Expenditure, 1953,* Ottawa, n° 62-509 au catalogue ; Dominion Bureau of Statistics, *City Family Expenditure, 1957,* Ottawa, n° 62-517 au catalogue ; Dominion Bureau of Statistics, *City Family Expenditure, 1959,* Ottawa, n° 62-521 au catalogue ; Statistique Canada, *Dépenses des familles urbaines,* différentes années, n° 62-555 au catalogue.

ménage, d'une part, et les paiements d'intérêts et de sécurité financière, d'autre part, ont augmenté pour la peine au cours des quinze
dernières années[20]. L'impulsion engendrée par ce type de dépenses
(liées à des consommations antérieures ou ultérieures) sur la croissance économique n'a pas été aussi bénéfique que la tendance qui
était apparue dans les années 1950-1980. De même, si les ménages
ont continué d'acquérir et de consommer de plus grandes quantités
d'articles et de services de loisir, leur mode de vie n'a pas été
bouleversé pour la peine. La substitution de nouveaux produits à
de plus anciens n'a pas entraîné de modifications aussi draconiennes
des modes de vie que celles qui avaient marqué l'Occident après la
Seconde Guerre mondiale. Par leurs modèles de consommation et
leurs routines quotidiennes, les familles du milieu des années 1990
se situent dans la continuité du mode de vie apparu après 1945.
Les habitudes touchant à leur reproduction privée n'ont pas profondément changé par rapport à ce qu'elles étaient auparavant. Les
conséquences de cette situation sont importantes. Si, comme Aglietta
l'a montré, la croissance des années 1945-1975 découlait largement
du fait que le mode de vie ouvrier était révolutionné par la logique
marchande, le marasme actuel tient au fait que, depuis une vingtaine
d'années, il ne l'est plus ou beaucoup moins. À cet égard, on doit
éviter de confondre l'idée d'une révolutionnarisation du mode de
vie avec le phénomène de la stagnation de la demande agrégée ou
avec celui d'une simple diversification des comportements de consommation. Ceux-ci n'ont pas la même importance historique ni la
même portée que le premier au regard du processus de l'accumulation du capital. La demande agrégée renvoie aux cycles et aux
variations quantitatives de la consommation intermédiaire ou finale
de produits par les acheteurs. La diversification des comportements
de consommation traduit pour sa part la simple substitution de
produits x' à des biens x. Quant à la révolutionnarisation des modes
de vie, elle définit la mutation des rapports sociaux et de la socialité.
Or, depuis le début des années 1980, d'intéressants phénomènes
sont survenus à ce chapitre.

En considérant des données récentes portant sur l'emploi (qui
mesure le processus d'extension et de contraction du salariat), on
constate par exemple que, depuis le début des années 1980, le taux
d'activité et le rapport emploi/population ont décliné chez les

hommes et chez les chefs de famille. Si les ratios ont dans l'ensemble progressé, c'est grâce à la participation accrue des femmes et des conjoints (l'un et l'autre se confondant souvent) au marché de l'emploi. On sait toutefois que les femmes travaillent à temps partiel dans une proportion de loin supérieure aux hommes, qu'elles sont plus souvent victimes de chômage et que leurs gains monétaires sont plus faibles. C'est le cas pour toutes les catégories d'âge. Fait troublant, le taux de chômage des femmes, habituellement plus élevé que celui des hommes, est plus faible depuis le début des années 1990. Si elle est indicative d'une tendance à venir, cette donnée annonce l'extension probable du travail précarisé qui frapperait maintenant les chefs de famille comme les conjoints, et les hommes comme les femmes. On est peut-être à la veille d'assister à la formation d'une couche stable de travailleurs périphériques qui n'aurait rien à voir avec le sexe des personnes, mais qui serait fortement liée à l'insertion des individus dans des filières d'instabilité où les transitions emploi-chômage seraient la norme[21].

Certes, il faut éviter de dramatiser la situation. À l'heure actuelle, le travail à temps partiel reste beaucoup plus répandu chez les femmes que chez les hommes, en partie parce qu'il correspond à une volonté (choisie ou imposée par leur situation familiale) des premières de ne s'insérer que provisoirement sur le marché de l'emploi. Mais, depuis le début des années 1980, il a nettement crû chez les hommes alors qu'il s'est stabilisé chez les femmes, tant chez le groupe des 25-44 ans que chez celui des 45 ans et plus. C'est ce qui explique que le taux de sortie nette de la classe moyenne chez l'ensemble des femmes salariées ait été nul entre 1981 et 1989. Si le salariat ne diminue ni dans l'absolu, ni en termes relatifs, il semble connaître une transformation dans sa nature. Cette transformation va dans le sens d'une désagrégation, ce qui est tout à fait contraire à la tendance observée à l'ère du fordisme.

Une telle désagrégation est également visible en ce qui concerne les ménages et les familles. Le tableau 13 permet de constater l'ampleur du phénomène. Celui-ci comprend deux volets principaux : d'une part, la montée importante des ménages non familiaux depuis 1961, notamment les ménages d'une seule personne, et la chute correspondante des ménages familiaux ; d'autre part, la progression continue des familles monoparentales et des unions consensuelles,

Tableau 13

Structure du ménage et de la famille au Canada, 1951-1991
(données en pourcentage)

année	ménages privés	ménages familiaux			ménages non familiaux		
		total	uni-familiaux	multi-familiaux	total	1 personne	ménage de groupe
1951	100,0	88,7	82,0	6,7	11,3	7,4	3,9
1961	100,0	86,7	83,0	3,7	13,3	9,3	4,0
1971	100,0	81,7	79,7	2,0	18,3	13,4	4,9
1981	100,0	75,2	74,1	1,1	24,8	20,3	4,5
1991	100,0	72,2	71,1	1,2	27,8	22,9	4,9

	familles de recensement	famille époux-épouse			familles mono-parentales	total des familles	
		total	couples mariés	unions consensuelles		avec enfants	sans enfant
1951	100,0	90,1	–	–	9,9	–	–
1961	100,0	91,6	–	–	8,4	–	–
1971	100,0	90,6	–	–	9,4	–	–
1981	100,0	88,7	83,1	5,6	11,3	68,2	31,8
1991	100,0	87,0	77,2	9,9	13,0	64,9	35,1

Source : *Recensements du Canada.*

et la diminution corrélative de la proportion des couples mariés. Pour certains, ces données témoignent du fait que le rattachement à une entité familiale n'est plus aussi nécessaire à la survie économique des individus[22]. La vie conjugale non cohabitante, à laquelle s'adonnent par choix ou par obligation bien des couples « virtuels », exprime la diversité des rapports matrimoniaux contemporains. Fait à signaler, le pourcentage des familles sans enfant a dépassé le tiers des familles en 1991. Si cette situation coïncide avec la maturité normale du cycle de vie des familles, elle rend compte aussi de l'effet engendré, sur le désir et la stratégie de fécondité des couples, par la mosaïque des situations matrimoniales de cette fin de siècle. Dans l'ensemble, les familles époux-épouse avec enfant(s), unité de consommation par excellence et socle sociologique fondamental du fordisme, ont décliné en pourcentage du total des familles au profit du monoparentalisme et des relations éphémères de toute nature[23]. Il sera intéressant de voir comment évoluera la constitution des patrimoines familiaux dans ce nouveau contexte d'émiettement des unités de base.

En fait, les changements qui ont affecté la structure familiale et le rapport au travail d'une proportion notable d'Occidentaux et de Canadiens depuis la fin des années 1970 n'ont pas été profitables sur le plan économique. Ils ont entraîné des tendances dissemblables à celles qui s'étaient manifestées au sortir de la Seconde Guerre mondiale. Au cours des derniers vingt ans, on a en quelque sorte assisté à la déstructuration partielle d'un régime de vie qui avait mis trente ans à se modeler. Celui-ci était marqué par de fortes régularités et permanences dans le cycle de vie et le mode de structuration des familles et des ménages. Ces régularités étaient constitutives des grands équilibres macroéconomiques du fordisme. Elles avaient un effet de stabilisation sur le mouvement de la croissance. Par ces remarques, notre intention n'est pas d'appliquer un *criterium* moraliste au régime de vie en émergence qui est certes marqué par beaucoup d'instabilité au chapitre de la formation et de la reproduction des unités de base[24]. Il s'agit tout simplement d'insister sur l'adéquation existant, en contexte de croissance durable, entre le progrès technique, l'évolution de la demande fondée sur la mutation des modes de vie, et l'emploi. Encore faudrait-il ajouter une quatrième variable : celle de l'innovation sociale, c'est-à-dire l'aménagement progressif, pour le bénéfice de la majorité, de l'ordre productif qui s'instaure.

Les mirages de la « république des instruits »

Que peut-on espérer pour l'avenir ? On pourrait soutenir qu'il y aura tôt ou tard reprise d'une croissance durable au moment où, par suite d'un ensemble de conjugaisons sociétales difficilement programmables, les modes de vie et la norme sociale de consommation seront à nouveau révolutionnés, c'est-à-dire mueront qualitativement et structurellement grâce à l'application des découvertes qui sont apparemment sur le point de germer dans les domaines de la bio-technologie, de la génétique animale et humaine, des nouveaux alliages, de la micro-électronique et des lasers. Dans ce cas, l'extension des marchés coïncidera avec une transformation des conditions d'existence des individus, ce qui favorisera le développement de nouveaux secteurs économiques où les surplus de main-d'œuvre trouveront éventuellement de l'emploi. Les secteurs qui se développeront le plus ne seront peut-être pas liés à la production des marchandises, mais à la prestation de services (information, banque de données, publications, enseignement, formation, etc.). À défaut d'une telle mutation, la croissance restera hésitante, intermittente et convulsive, étant donné les dynamismes qui marquent le système du capital[25].

Plusieurs voient dans l'avènement imminent de la « société digitale » le signe avant-coureur d'une telle mutation des modes de vie. Celle-ci sera apparemment déterminante et profitera au plus grand nombre[26]. La révolution des moyens de communication par la fibre optique, le téléphone cellulaire, l'internet, le *E-mail*, les systèmes multifonctionnels, etc., et l'apparition de la réalité virtuelle sont identifiées par les partisans du paradigme informatique comme les conditions du dépassement de la réalité existentielle des hommes et des femmes d'aujourd'hui. Non seulement ces technologies — et bien d'autres à venir — rendront possible une utilisation flexible et constructive du temps, ce qui dégagera de larges espaces de liberté utilisables à des fins ludiques ou marchandes, mais de nouveaux domaines s'ouvriront à l'emploi, tant du côté de la production que des services. L'abaissement des coûts de fabrication et de transport provoqués par la miniaturisation des produits et par la « réduction » économique des distances favoriseront la diffusion du mode de vie anticipé auprès du plus grand nombre. Les aménagements virtuels rendus possibles par le câblage intensif des hommes, des machines et des bâtiments permettront au télétravail et au téléshopping, si ce n'est aux télérencontres, de réaliser leur plein potentiel. La domotique, c'est-à-dire la transformation de la sphère privée en un espace de vie optimalement organisé, rationalisé et utilisé, maximisera la productivité de l'existence. Bref, le capital et le travail se fonderont dans une grande symbiose organique, *'round the clock*.

Ces visionnaires pèchent par excès d'optimisme. Leurs anticipations sont fondées sur des pronostics utopiques et des cas d'espèces bien plus que sur des analyses empiriques ou des vues macroscopiques. Ils oublient en effet que pour que change l'ordre des choses, la technologie doit elle-même être partie prenante d'un bouleversement structurel qui touche aux logiques sociales et aux rapports sociétaux. Seules, les structures techniques ne suffisent pas à engendrer le changement social. Ce sont plutôt les acteurs qui mènent le changement en s'emparant de l'innovation technique pour en orienter les utilisations. C'est le grand enseignement que nous a légué l'histoire.

Or, la société qui est en train de se structurer prend une forme bien moins idéale que celle qui procède des visions prophétiques des inconditionnels de l'«informatisme» et de l'«espace cybernétique». Elle s'installe en effet dans la dualité et reproduit toute la gamme des stéréotypes, des différenciations, des hiérarchisations et des pouvoirs qui avaient marqué les temps modernes. La société digitale a beau être envisagée par ses ténors comme la république des instruits, elle n'en est pas moins inégalitaire.

Il n'est d'ailleurs pas simple d'interpréter l'avènement de la société duale dans le contexte de la présente mutation industrielle. Selon la théorie de Kondratieff, elle pourrait n'être qu'une phase transitoire coïncidant avec le moment initial d'un cycle long au cours duquel le développement des forces productives enclenchera une cascade d'interactions positives qui donneront lieu à un mouvement ascensionnel s'étendant sur quelques décennies. Dans ce cas, l'inégalité rampante qui ronge le tissu social serait temporaire et correspondrait à ce que l'humanité a toujours connu au moment de ses grandes transitions industrielles. C'est de cette manière que des analystes interprètent l'indescriptible chaos qui marque le «décollage économique» des États du pourtour de la baie du Bengale et de la mer de Chine.

Mais il se pourrait aussi que la dualisation dont nous avons continuellement fait état dans ce travail rende compte d'une mutation déjà amorcée du régime collectif d'existence dans le contexte de l'avènement d'un nouveau mode de développement techno-économique. Une mutation qui bénéficiera à ceux et à celles que l'on a plus tôt appelé les «branchés», c'est-à-dire l'ensemble des personnes liées, dans des positions «gagnantes», aux processus informationnels et communicationnels propres à la réflexivité contemporaine : une classe dont la figure emblématique est le *circum*-entrepreneur, dont les symboles sont l'ordinateur portatif, le télécopieur et le téléphone cellulaire, dont la métaphore est l'homme-virtuel et le slogan, « Être hors là[27] ». Mais une mutation dont souffrent assurément les « court-circuités », c'est-à-dire l'ensemble des personnes tenues à l'écart, incapables de s'insérer, refusant de participer ou participant aux processus informationnels et communicationnels dans des positions périphériques et subordonnées : une classe dont la figure emblématique est le télétravailleur, dont les symboles sont le bureau alvéolisé, le téléphone et l'écran cathodique, dont la métaphore est l'« homme-zappé » et le slogan, « Sois là, sur demande ». Il s'agirait au fond d'une mutation qui provoquerait une désaffiliation autant qu'une intégration, ce qui est bien différent de la société du post-emploi évoquée par les faiseurs d'utopies.

Dans ce cas, il y aurait lieu de convenir que les trente glorieuses ont été, sur le plan de la progression générale des conditions de vie de la population, une période exceptionnelle et cesser de la prendre pour une référence ou la considérer comme la norme... en espérant y revenir. Il faudrait admettre aussi que la formation de la classe moyenne n'était pas inscrite au cœur du capitalisme comme l'une de ses tendances inéluctables, mais qu'elle s'est développée comme l'un de ses avatars passagers, à la suite notamment des luttes menées par les travailleurs industriels pour modifier leurs conditions d'existence. Si cette assertion était juste, le défi serait, compte tenu de l'ascendant apparemment très fort qu'exerce l'imaginaire techno-cratique et capitaliste dans le monde occidental à l'heure actuelle, d'envisager un modèle de société participative qui, sans bloquer le développement de la « société digitale » et sans empêcher que ne se réalisent ses bénéfices potentiels, permettrait à ceux qui en sont structurellement exclus — ou dont elle se départit occasionnellement — de vivre dans la dignité.

Le progrès technologique appelle l'innovation sociale pour s'émanciper économiquement. C'est par le biais d'un tel processus innovateur que l'on a, dans les sociétés capitalistes après la Seconde Guerre mondiale, posé les conditions d'une croissance assez longue. Chose certaine, s'en tenir à la Raison instrumentale, à la « Perfoptimalisation », à la Technoscience et à la « Statentreprise » pour définir l'horizon collectif, c'est s'exposer à ce que la société existe dans le meilleur et dans le pire.

CHAPITRE 7

Fragmentation du sujet politique et dispersion civique

Un problème majeur hante l'horizon des États contemporains : celui de la production du sujet politique collectif et celui de la réconciliation, dans une unité transcendante, des appartenances, des allégeances et des identifications multiples, électives et performatives. C'est dans ce contexte trouble qu'évolue le Canada. S'il est, sur le plan économique, soumis aux dynamismes et aux contraintes de l'économie migrante, il est, sur le plan politique, marqué par la tourmente des logiques de représentation sociale et d'expression identificatoire propres au postkeynésianisme.

Bien que le Canada se soit historiquement bâti dans la diversité plus que dans la convergence, les dislocations dont il subit actuellement les secousses entraînent en son sein des ordres particuliers de problèmes dont la solution semble hors de portée. La crise des finances publiques, par le holà qu'elle met au processus de construction institutionnelle de la « nation canadienne », ne fait qu'accentuer la difficulté de trouver une échappatoire du côté de l'artifice. Marqué par des demandes de reconnaissance politique de la part d'acteurs dont les logiques d'expressivité sont variées, les exigences incompatibles et les finalités contradictoires, l'État canadien semble entré dans un cercle vicieux dont le dénouement n'apparaît pas clair pour l'instant. Du point de vue des grands équilibres à trouver entre les intérêts individuels et collectifs, entre l'égalité et l'autonomie, entre le libéralisme et le fédéralisme, le Canada semble dès à présent l'un des laboratoires le plus captivant du monde.

Dans ce dernier chapitre, nous abordons la question de la dislocation de l'espace du politique au Canada. Plus précisément, nous décelons trois facteurs majeurs qui rendent difficile la production de l'unité et de l'identité dans cet État et qui provoquent une crise des modes de régulation et de représentation en son sein. Avant d'en arriver là, nous formulons quelques éléments d'une problématique concernant la production des sujets politiques dans les sociétés postkeynésiennes ; nous nous interrogeons ensuite sur les changements et les altérations qui ont touché le Canada à un point tel que l'on peut en parler comme d'un État postkeynésien[1].

Sujets désynthétisés, agora excentrée

Dans notre esprit, le keynésianisme ne désigne pas seulement un mode d'intégration économique de travailleurs-consommateurs dans la dynamique générale d'un régime d'accumulation du capital. Il renvoie aussi à un mode de production des sujets politiques et, par extension, des citoyens. Ceux-ci, définis en tant qu'acteurs normalisés, cautionnent réciproquement leurs actes par l'acceptation des termes d'un contrat sociopolitique dont le fiduciaire et le légataire unique est l'État. « Vendant » leur personne privée en contrepartie d'une identité octroyée, celle de personne civile qui les assure d'une couverture tout risque accordée par un État providentiel et bienfaiteur, les sujets politiques « keynésiens », en honorant les termes du « contrat », s'assurent également les privilèges d'une reconnaissance et d'un soutien officiels, ceux que leur procure la société légalisée dans laquelle ils sont les participants accrédités[2].

La notion de postkeynésianisme, à laquelle nous n'accolons aucun statut théorique mais que nous voulons essentiellement descriptive, cherche à résumer et à décrire certaines inflexions ou dissolutions des principes et des modes d'action formels de l'État keynésien. Elle traduit aussi l'altération des formes d'identité politique dominant prévalant en son sein.

On pourrait discuter longuement pour savoir si le postkeynésianisme marque une intensification ou une hypertrophie, une sophistication ou une stylisation, une radicalisation ou une exacerbation des formes politico-sociales propres au keynésianisme. Disons qu'il est probablement tout cela à la fois, qu'il est vulnérable aux interfaces et qu'il n'échappe pas à la logique convulsive et paradoxale de l'évolution des choses. Les tendances centrifuges qui sont caractéristiques du postkeynésianisme étaient certainement déjà présentes, contenues à l'état de possibilité dans le keynésianisme. Quant aux excentrations à l'œuvre dans la société postkeynésienne, elles traduisent l'épuisement en même temps que la mutation amorcée des formes régulatrices qui agissaient au sein de la société keynésienne. Ces formes, on s'en souviendra, contribuaient à structurer cette société en tant qu'entité productrice de puissants effets de recentrement, de massification et de nivellement. C'est dans ce cadre que les individus étaient amenés à se reconnaître mutuellement, à se situer respectivement et à se définir les uns les autres.

S'agissant du rapport qu'entretiennent entre elles ces deux logiques de constitution de la réalité sociale que sont le postkeynésianisme et le keynésianisme, l'hypothèse qui nous semble la plus raisonnable consiste à dire qu'en tant que processus objectif et réflexif, le postkeynésianisme ne se développe pas en totale rupture avec ce qui le précédait. Il se présente plutôt comme une recherche visant à résoudre les principaux blocages propres à la société keynésienne (trop d'homogénéité et d'égalité pour les uns, pas assez pour les autres). Il apparaît aussi comme une tentative par les acteurs de fonder sur de nouvelles bases les principes acquis de reconnaissance mutuelle, d'expression identificatoire et de hiérarchisation sociale.

Cela dit, si l'on postule que le postkeynésianisme marque une transition par rapport au keynésianisme sur le plan de la régulation et de la représentation, quelle est, dans ce nouveau contexte, la forme existentielle et identitaire que prend le sujet politique ? En d'autres termes, comment s'établit — ou ne s'établit pas — la concordance entre l'unité et l'identité dans la société postkeynésienne ? Plus largement, quel est le dénominateur commun sur lequel se fonde et s'édifie cette nouvelle configuration sociétale ?

Pour répondre à cette question, nous nous appuierons sur la réflexion de Michel Freitag[3]. On dira ainsi que dans la société postkeynésienne, le sujet politique est d'abord un individu qui est conscient de son identité subjective et qui l'assume. Il cherche à l'accréditer, à l'asseoir, à la promouvoir et à la réaliser dans toute l'extension que lui permet son inscription dans un corps social. On notera que la période actuelle coïncide avec une mutation de la réalité individuelle. Si, dans les sociétés keynésiennes, l'individu était l'expression d'un universel, que le peuple était formé par un ensemble d'*alter ego* et que la société était un référent synthétique en même temps qu'une expressivité collective, on assiste, avec l'avènement du postkeynésianisme, à un certain renversement des perspectives. Les identités se forment librement au sein d'un véritable marché des identifications et favorisent l'apparition d'individualités divergentes et mouvantes. Le peuple n'existe plus que comme un agrégat de « gens », ensemble d'individus décontextualisés dont l'identité à géométrie variable ne reproduit pas automatiquement les besoins fonctionnels d'un système communautaire. La société enfin, ayant perdu son unité transcendante, a mué en un environnement diffus auquel on se réfère par la notion apparemment neutre de « social ».

La variabilité identitaire du sujet est une question préoccupante sur le plan politique au Canada, comme ailleurs en Occident. La raison de cette inquiétude est bien simple : elle soumet décisivement l'évolution sociale à l'univers du complexe et du contingent, ce qu'ont en horreur tous les décideurs. Il n'est pas simple d'expliquer cette polyvalence référentielle de la part de l'individu. Elle pourrait traduire la recherche d'une réalisation instantanée et indistincte de tous ses désirs. Elle pourrait aussi marquer la remise en cause, par le sujet, du rapport traditionnel qu'il établissait entre ses expériences vécues et ses horizons d'attente, rapport dans le cadre duquel il construisait en outre son identité et sa conscience historique. À l'heure actuelle, c'est comme si le sujet, en tant qu'être de frôlements continuels, refusait de s'inscrire ou de se projeter dans un *continuum* rétrospectif ou prospectif, ayant assimilé l'idée que le futur était devenu absolument imprévisible. Au lieu de se représenter dans la vie de tous les jours et de trouver dans cette image le fondement de sa permanence, l'individu serait plutôt amené à construire et à reconstruire continuellement sa personnalité, et donc son identité et sa conscience historique, à l'aune des processus d'interaction dans lesquels il ne cesse de s'engager. La variabilité et la versatilité du sujet traduiraient donc son adaptation et sa réaction *positives* à l'ensemble changeant des flux, des codes et des messages auxquels il doit faire face dans son quotidien[4].

Certes, l'individu ne vit pas pour autant dans l'isolement. Il entretient des relations d'intérêt avec d'autres personnes dans le cadre de regroupements ou de mouvements sociaux qui fondent leur existence dans le partage d'un certain nombre de valeurs, de modèles culturels ou de civilisation, et de caractères particuliers. Il faut souligner ici l'importance de ces mouvements sociaux. Ceux-ci ne sont pas apparus récemment. Mais leur émergence comme force politique a considérablement changé les modalités d'expression de la citoyenneté dans la société. Dans la mesure où, nous dit Freitag, ces mouvements sociaux expriment la consolidation organisationnelle de toutes sortes d'intérêts particuliers (de nature corporative) qui acquièrent un statut officiel par le biais d'une reconnaissance publique, judiciaire et médiatique, on a vu s'instaurer un décalage croissant entre, d'un côté, l'universalisme transcendant (associé au concept d'État) et l'unité de l'identité communautaire (lié au concept de nation) et, de l'autre, la spécificité empirique de plus en plus marquée des formes de mobilisation portées par ces mouvements sociaux. Ceux-ci revendiquent désormais des droits au nom de leurs identités et de leurs intérêts particuliers. Ces intérêts sont fondés sur l'idée d'une reconnaissance et d'un respect de la différence et de l'autonomie, de même que sur la défense du sujet.

C'est ainsi, continue Freitag, que l'idée d'appartenance et de participation politique s'est trouvée modifiée. La citoyenneté s'est décomposée en une multitude de modalités et de degrés de participation organisationnels et corporatifs par rapport auxquels les groupes se trouvent hiérarchisés de trois manières : selon la puissance qu'ils détiennent empiriquement dans les jeux d'influence, selon la capacité qu'ils ont de mobiliser toutes sortes d'intérêts et d'identités spécifiques, et selon les aptitudes qu'ils déploient pour faire reconnaître au « public », par l'entremise de médias le plus souvent, la légitimité de leurs objectifs ou la valeur des desseins qu'ils poursuivent. Aux États-Unis, cette tendance a été associée à la montée de la cyberdémocratie, dont on ne sait pas encore s'il s'agit d'une manifestation d'hyperdémocratie ou l'expression d'une sclérose démocratique[5].

Il n'est certes pas excessif de prétendre que le sujet politique, dans l'État postkeynésien, s'est complètement fragmenté en un ensemble de subjectivités catégorielles de plus en plus immédiatement concrètes et particulières. Ces subjectivités recherchent, par le biais d'une action protectrice, la constitution de sphères singularisées d'autonomie privée en se référant, pour justifier leurs prétentions, aux « droits de la personne » et donc à une « liberté » définie de manière entièrement privée. Ce faisant, la citoyenneté de droit qui prévalait dans les sociétés keynésiennes a effectivement mué en une citoyenneté de fait, ouvrant ainsi la porte, comme nous l'avons vu, à l'apparition de déphasages et d'inégalités civiques qui favorisent l'avènement d'une citoyenneté duale fondée sur l'appartenance des gens à des réseaux stratifiés de pouvoir, d'action, de sociation et de socialisation. À n'en pas douter, le postkeynésianisme marque une époque de surenchérissement des identifications et des identités. Celles-ci participent de l'ambivalence actuelle de l'action collective qui, plus souvent qu'autrement, est menée selon l'idéologie des « communautés menacées » ou de la « victimisation catégorielle ». Il n'est pas jusqu'aux contribuables qui, ulcérés par les ponctions de l'État et les « excès des gouvernements », sont en voie de se constituer en un véritable mouvement social dont les adhérents se regroupent autour d'un idéologème à consonance sèche qui inspire aussi les « politopragmatistes » : « C'est assez ! »

Le Canada en tant qu'État postkeynésien

Quels sont donc, pour reprendre les termes de la question plus tôt formulée, les changements et les altérations, les évolutions et les mutations qui ont à ce point touché le Canada pour que l'on puisse en parler comme d'un État postkeynésien ? Sans épuiser le sujet, on exposera les idées suivantes.

Le premier changement marquant la transition postkeynésienne du Canada concerne le mode de représentation politique auquel aspirent de plus en plus de citoyens. Cherchant de nouveaux lieux d'intervention et d'association, ceux-ci contredisent la tradition qui veut que l'on s'en remette aux autorités politiques, notamment à un exécutif central qui leur semble fort éloigné des préoccupations concrètes des gens, pour administrer la chose publique[6]. Attribuer les pouvoirs à des ordres inférieurs de gouvernement de manière à canaliser les flux locaux d'émancipation vers une rénovation sociale salvatrice, rapprocher la population des institutions décisionnelles en vue de rétablir le lien de confiance entre la base et l'autorité publique, tels sont les nouveaux paradigmes qui balisent la réflexion politique au pays. Pour les partisans de l'idée de décentralisation, la gestion macroscopique d'États centraux apparaît rien de moins que l'archétype de temps révolus, d'autant plus que la sympathie populaire envers les élites et l'*establishment* s'est étiolée au cours des dernières années. C'est sur de nouvelles bases, plus égalitaristes et plus spécifiques tout à la fois, que doit être assurée la pratique du pouvoir au Canada.

Le deuxième indice d'évolution du Canada vers le postkeynésianisme découle de la critique de l'idée du « citoyen universel », fiduciaire d'un État exécutif qui se fait en retour bienfaiteur et protecteur, au profit du concept de « groupe opprimé ». Ce concept offre à ses « usagers » une solution valable pour leur participation politique en leur permettant de se regrouper à partir d'une plateforme utilitaire et immédiatement rentable, celle de la proximité et du partage de leurs conditions de vie. Il justifie aussi leur représentation directe dans l'agora. On sait qu'au Canada, l'enchâssement de la Charte des droits et libertés de la personne dans la Constitution a favorisé l'explosion des demandes de reconnaissance politique de la part d'une pléiade de groupes désireux de s'afficher sur la place publique à partir de leur position différenciée. Selon Alan Cairns, la Charte a contribué à polariser différentes formes d'identifications au sein du tissu social canadien et, en leur permettant d'acquérir une légitimité politique sans précédent, rendu plus difficile la réalisation de l'unité nationale fondée sur les équilibres politiques habituels[7].

Le troisième changement affectant la matérialité de l'État canadien et indiquant sa mutation postkeynésienne tient à l'érosion de l'identité canadienne au profit d'autres identifications plus restreintes ou plus larges. Ce phénomène confirme la tendance, observée par plusieurs commentateurs, d'un rejet marqué des ancrages traditionnels, notamment de l'État-nation et de la communauté politique territorialisée. Autrement dit, l'importance des parcours personnels combinée à l'obtention de certaines garanties juridiques qui protègent leurs droits privés entraînent les individus à dissocier leur histoire, donc leur présent et leur avenir, d'un parcours collectif qui n'est ni vécu, ni perçu comme le lieu effectif ou même principal de leur action. En pratique, cette déconnexion entre l'action personnelle et le parcours collectif se traduit par le fait que, pour un citoyen, l'intégration à un groupe n'entraîne plus nécessairement le partage d'un seul lieu commun ni d'une seule culture. Les frontières identitaires cessent d'être lovées au sein d'un seul creuset, l'État-nation, lequel n'arrive plus à contenir la multipolarité de la société civile et l'émergence en son sein de diasporas virtuelles. Du point de vue de la constitution de communautés d'appartenance de type national, cette situation représente un problème majeur qui se vit sous la forme d'une « crise de la référence et de la symbolique nationale ».

Cette crise de la représentation symbolique du lieu commun — il s'agit là d'un quatrième changement modifiant structurellement l'État canadien et caractérisant sa mutation postkeyésienne — trouve ses conditions à un autre niveau : dans la remise en cause des interprétations traditionnelles de l'histoire nationale et des conceptions spatio-temporelles sur lesquelles elles sont fondées. À ce chapitre, les peuples autochtones, les associations féministes, les groupes minoritaires et les membres des communautés culturelles ont été les contestataires les plus actifs des paramètres connus du grand récit historique du Canada. Critiquant sa vision linéaire et progressive, libérale et patriarcale, dualiste et intégratrice des choses, ils ont insisté pour que ce récit soit « réécrit » en intégrant des notions de « différence », de « relativité » et d'« historicité ». De cette façon, ils ont marqué leur désir de rompre avec la trame infirme, réductrice et archiclassique, disent-ils, de cette configuration narrative du *Nous* collectif.

Le cinquième changement modifiant le substrat de l'État canadien et scandant son évolution vers le postkeynésianisme tient à l'importance grandissante acquise par les immigrants de fraîche date au pays. Contrairement à l'idée répandue, ceux-ci ne « vivent » pas naturellement l'identité qui leur est octroyée par leur statut de nouveau citoyen résidant au Canada. Ils l'adoptent ou la refusent, la modifient ou la recomposent dans des formes souvent originales. Si celles-ci élargissent singulièrement le paysage culturel de la « nation », elles mettent aussi à l'épreuve la représentation admise d'une société canadienne qui repose sur l'apport initial et le *leadership* de deux peuples fondateurs (ou de trois, si on inclut les Amérindiens). On rétorquera que le phénomène migratoire est loin d'être nouveau au

Canada, qu'il est au contraire au cœur de l'histoire de ce pays. Cela est incontestable. Force est de reconnaître toutefois que, pendant longtemps, les immigrants arrivant au Canada s'intégraient en pratique à l'une ou à l'autre des deux grandes conformités canadiennes, l'anglophone ou la francophone, et en assimilaient rapidement les traits et l'*ethos* dominants. Cela est de moins en moins le cas. Non seulement les immigrants continuent d'assumer positivement leur origine, qui est de plus en plus non britannique ou non française, mais ils fondent leur intégration au pays sur deux concepts originaux par rapport à la tradition politique canadienne : celui de la société multinationale et celui du patriotisme civique.

La remise en cause des équilibres régulateurs existants, sur le plan tant politique et social que culturel et symbolique, à partir d'une critique de l'universalisme indifférencié et de l'égalité substantielle des droits ; la déconstruction des grandes représentations communes ; l'émergence de nouvelles identifications fondées sur le particularisme culturel et sur la différenciation individuelle ; et la déterritorialisation des appartenances et des visions collectives, montrent que l'État canadien est entré dans une période de transition que résume bien la notion descriptive de postkeynésianisme. Comment, dans ces conditions, produire un sujet politique en même temps qu'un État national ? Autrement dit, comment produire de l'unité et de l'identité dans la dissension ? Tel est le dilemme, telle est l'impasse du pays. Plutôt que de proposer des modalités de résolution à cette véritable équation infernale, nous tenterons de faire ressortir l'ampleur et la profondeur des germes d'implosion et d'explosion plantés au sein de l'État canadien par l'affirmation virulente des tendances que nous venons de décrire.

Références multipolaires, consensus difficile
1. Un régime politique contesté de toutes parts

La production concordante de l'unité et de l'identité se révèle un grand défi par suite de la remise en cause des équilibres traditionnels sur lesquels était fondé le fédéralisme canadien. Cette remise en cause s'est faite au profit d'une conception de la communauté politique qui repose essentiellement sur les notions de libéralisme et d'individualisme. Cette nouvelle conception, qui s'est affirmée au pays depuis le début des années 1980, a considérablement modifié la nature des consensus existant au Canada entre État et citoyen, entre droits individuels et droits collectifs, et entre égalité sociale et autonomie provinciale. Il est clair que jusqu'à présent, aucun compromis n'a pu être trouvé pour aménager ou réconcilier la divergence des points de vue sur l'avenir du Canada. L'incompatibilité des positions tenues par les uns et les autres — le Québec comptant comme un acteur parmi plusieurs — est plus grande que jamais. On se demande comment on pourra pratiquement parvenir à ce que certains appellent une voie médiane[8]. Trois exemples serviront à illustrer notre point :

a) La dynamique à l'origine de la représentation au sein des instances décisionnelles du système politique canadien est fortement contestée par nombre d'acteurs, réunis en groupes ou en associations, qui recherchent des modes d'intervention plus directs et efficaces, et des formes de participation plus définies et achevées dans les structures organisationnelles et décisionnelles de l'État. Au cours des dernières négociations constitutionnelles, la revendication des provinces de l'Ouest pour un sénat élu, égal et efficace, qui assurerait une représentation équitable des intérêts régionaux au Parlement, incarnait précisément cette aspiration. En réclamant que l'on transforme la Chambre des communes en une chambre d'égalité plutôt qu'en une chambre des provinces, de manière à « miner la substance monolithique » de l'État, les associations féministes ne visaient pas autre chose[9]. Il n'est pas jusqu'à la revendication des nations autochtones pour l'autonomie gouvernementale qui ne s'inscrivait dans cette logique de la représentation directe. Inutile de dire que la volonté des Québécois de faire reconnaître (au moins) le principe de la société distincte et celui de peuple fondateur au sein de la Constitution s'inspire d'une réforme, jugée nécessaire, de la représentativité et des institutions au Canada dans le sens d'une consolidation des acquis historiques. Advenant de nouveaux pourparlers constitutionnels, il est certain que tous ces acteurs feront pression pour être entendus. Certains justifieront leur demande au nom d'un fédéralisme renouvelé et d'une critique du pancanadianisme instauré par la Constitution de 1982. D'autres le feront à l'aune d'une conception procédurale du libéralisme et d'un appui au principe de l'égalitarisme formel des individus. D'autres encore fonderont leur velléité sur le respect de la diversité régionale et sur la prémisse de l'autonomie provinciale. Tous trouveront matière à leur revendication dans la tradition politique canadienne ou dans quelque clause constitu- tionnelle qu'ils interpréteront à leur avantage. Chacun cherchera appui à sa croisade auprès de segments différenciés de la population. Dans un État où la technologie facilite grandement la formation de groupes d'intérêts réels ou virtuels, décuple la puissance des *lobbies* et favorise l'avènement de l'hyperpluralisme, on ne voit pas com- ment cette tendance pourrait se résorber.

b) La dualité fondatrice, l'un des principes qui régularisent l'État canadien tant sur le plan politico-symbolique que sur le plan socio- culturel, est également remise en cause. Bon nombre de groupes sont préoccupés par ses aspects « réducteurs » et par sa logique ana- chronique en regard du caractère multinational du Canada et de la nouvelle culture politique qui prévaut en ce pays[10]. Cette position est soutenue par les peuples autochtones et par plusieurs mouve- ments sociaux, notamment celui des femmes, qui se réclament du principe universel de la « société juste ». Elle l'est aussi par les mem- bres de communautés ethniques ou culturelles qui s'accommodent mal des clivages dualistes traditionnels et qui se reconnaissent bien dans la vision civique instituée par la Constitution de 1982. Il n'est pas jusqu'aux gens de l'Ouest qui, en invoquant le principe de l'éga- lité des provinces, contestent l'idée de la dualité fondatrice (qu'ils considèrent partie prenante de l'hégémonie du Canada central) pour se rabattre sur une vision du Canada où les intérêts des commu- nautés régionales sont également pris en considération. Selon la perspective qu'ils défendent, il n'y a plus de statut particulier ni de droits différentiels, mais une égalité constitutionnelle des provinces. À l'opposé, tout en soutenant inconditionnellement la thèse des deux peuples fondateurs au Canada, d'autres acteurs estiment qu'elle est présentement interprétée d'une manière incompatible avec la tradi- tion politique canadienne et qu'elle empêche leur pleine émancipa- tion en tant que collectivité agissante. Cette position est évidemment défendue par les souverainistes québécois. Insatisfaits du fait que la dualité fondatrice ne s'incarne en pratique que dans la dualité lin- guistique, ils souhaiteraient que soit mis en œuvre le principe de la dualité politique, c'est-à-dire que le Québec devienne un État à part entière tout en restant partenaire privilégié du Canada.

c) La reconnaissance des personnes comme citoyens universels constitue un deuxième principe régulateur central de l'État canadien qui est débattu. La raison avancée veut que ce principe et le système redistributif qu'il sert à légitimer, en massifiant les perspectives et en homogénéisant les problèmes et les solutions, ne répondent plus aux conditions d'épanouissement d'acteurs ou de groupes qui recherchent des réponses particulières à leurs besoins spécifiques. Nombreux sont les intervenants qui épousent cette critique du régime canadien — associé à l'unitarisme et au centralisme — en invoquant à leur avantage certaines dispositions de la Constitution de 1982 ou en se référant à l'autonomie provinciale inhérente au fédéralisme canadien. Ainsi, l'immixtion d'Ottawa dans les sphères de compétences provinciales — ingérence effectuée au nom du principe de l'égalité de tous les Canadiens — a été contestée par le Québec, mais aussi par d'autres provinces, notamment l'Ontario. Selon ces provinces, l'usage inconditionnel du pouvoir fédéral de dépenser, de taxer et de réglementer, a bouleversé l'équilibre traditionnel du fédéralisme canadien entre l'efficacité économique, l'équité nationale et l'autonomie provinciale. Tirant profit de leur reconnaissance explicite comme « groupe » dans la Charte de 1982 ou des dispositions protégeant les droits individuels, d'autres intervenants ont récupéré le potentiel émancipateur de ce document pour justifier le respect de leurs droits spécifiques et privés, s'arrogeant de cette manière une reconnaissance publique cependant dissociée de toute idée de contrat social sanctionnant à rebours cette nouvelle quête identitaire. C'est ainsi que de deux solitudes, le Canada est passé à plusieurs.

On voit bien comment ces trois ordres de revendications — plus de contrôle direct, un équilibre de la fédération qui ne repose plus sur la dualité fondatrice et la critique de l'idée du citoyen universel au bénéfice d'une reconnaissance de l'équité pragmatique entre les groupes — minent les fondements du fédéralisme canadien. Ils provoquent en cet État une crise profonde de la régulation et de la représentation.

Il importe en effet de comprendre, pour prendre cet exemple, que la critique de l'idée du citoyen universel remet en cause, dans son esprit et sa pratique, le mode de régulation sur la base duquel l'État central avait assis sa légitimité et bâti sa « figure providentielle » depuis le milieu des années 1930 : celui d'une gestion centralisée, hétéronome et homogénéisante d'individus pratiquement interchangeables et perçus comme des facteurs de production qui circulent et consomment de manière optimale à l'intérieur d'un espace économico-social intégré et s'étendant d'un océan à l'autre. On sait à quel point cet idéal, qui se comprend tout à fait dans le contexte de la régulation keynésienne, a été porté loin par Pierre Trudeau. Pendant tout le temps où il a occupé la charge de premier ministre du Canada, celui-ci a incarné l'idée d'un nationalisme pancanadien fondé sur le fédéralisme recentré. Il est possible que l'endettement de l'État fédéral oblige le gouvernement actuel à rompre avec cette tradition régulatrice. La remise en cause, par le biais d'aménagements essentiellement techniques, de certains programmes universels, et l'ouverture apparemment manifestée par Ottawa pour une redistribution des pouvoirs en faveur des administrations provinciales et des peuples autochtones, vont dans ce sens. En même temps, on sent une forte réticence chez la classe politique canadienne à délaisser le modèle de la normalité *ad mare usque ad mare* qui est le fondement de son pouvoir. Tel qu'il fonctionne actuellement, le régime fédéral institue en effet la classe politique canadienne comme mandataire d'un gigantesque système de mise en circulation et de transfert des richesses au pays. Cela l'assure d'un ascendant et d'un contrôle déterminant sur la destinée de l'État, de même que d'une position privilégiée dans l'imaginaire collectif du bien-être. Chose certaine, en justifiant la prétention du gouvernement fédéral de promouvoir l'égalité des chances de tous les Canadiens, la Constitution de 1982 a eu un effet contradictoire. Elle a renforcé, théoriquement au moins, l'assise centralisatrice du gouvernement fédéral ; mais elle a sapé encore plus l'équilibre traditionnel entre l'égalité et l'autonomie au Canada.

Il en est de même pour la revendication de l'« accès au contrôle », qui est la forme que prend le pouvoir dans les sociétés décisionnelles et organisationnelles. À cet égard, c'est l'espace de légitimité et d'exercice du pouvoir effectif de la classe politique canadienne, et celui des technocrates qui gèrent quotidiennement l'appareil d'État, qui s'est fissuré au profit de groupes concurrents cherchant eux aussi, à partir d'une rhétorique prônant l'adaptabilité organisationnelle, le pragmatisme et l'opérativité, à se constituer une base fonctionnelle à partir de laquelle ils pourraient se déployer dans l'espace politique[11]. Si ces tentatives ont fait ressortir l'avantage éventuel d'une gestion pluraliste de la chose publique au pays, elles ont aussi montré que l'atteinte d'une situation d'équilibre entre les intérêts individuels ou groupusculaires d'un côté, et les intérêts collectifs de l'autre, était on ne peut plus difficile à orchestrer et que l'avenir du Canada comme État unitaire pourrait en pâtir.

Finalement, la contestation de l'idée de dualité fondatrice comme paramètre essentiel d'aménagement des équilibres internes de la fédération n'a pas été sans causer d'angoissants vertiges à toute la classe politique canadienne. Si celle-ci montre une certaine ouverture pour soutenir les *desiderata* de certains groupes, ceux des peuples autochtones notamment, rien n'empêche que sa démarche est hésitante et irrésolue. En fait, remettre en cause la dualité fondatrice comme principe au moins symbolique de régulation et de représentation au pays créerait un vide représentatif que voudraient combler autant de groupes inspirés par l'idéologie de la rectitude politique. On imagine à quel point serait multiplié, dans un tel contexte, le nombre de protagonistes produisant chacun son « adversaire ». Quant à la reconnaissance dans toute son extension du caractère distinct de la société québécoise, il n'en est tout simplement pas question. L'idée de dualité fondatrice ne saurait s'exiler dans celle de dualité politique. Au contraire, le défi est plutôt de constituer une communauté politique nationale tout entière mobilisée par la construction d'une identité canadienne.

Jusqu'ici, la crise de régulation et de représentation au sein de l'État canadien a été absorbée par le système politique de deux manières : par la négociation continuelle — et l'on sait à quel point ce mode de « résolution » des conflits, peu importe qu'il retarde, englue ou fasse avancer les choses, constitue une dimension permanente de l'expérience politique canadienne ; et par le recours systématique aux tribunaux de la part des intervenants, façon d'inscrire ou de faire valoir leurs droits dans les cadres du régime constitutionnel associé à l'instauration de la Charte des droits et libertés de la personne[12].

L'absorption sur un mode technico-juridique de la « crise canadienne » a donné lieu à une digestion très difficile de ses effets pervers. D'une part, les séances de négociation constitutionnelle, en plus d'être extrêmement onéreuses, ont complexifié la situation en élargissant sensiblement le débat et en faisant écho à tous les groupes qui se manifestaient sur la scène publique. À ce chapitre, il n'est plus possible ni pensable de revenir « en arrière ». D'autre part, la techno-judiciarisation du débat constitutionnel a transformé ce qui aurait pu être une délibération publique à caractère universel et rationnel en une arène de plaidoieries ultimement soumises au verdict de la Cour suprême. Outre le fait de favoriser l'apparition d'une véritable culture de la complainte institutionnalisée au pays, l'utilisation des tribunaux comme mode de résolution des problèmes a substitué à l'incorporation des acteurs dans l'agora un mode de représentation essentiellement légaliste des points de vue. Cette pratique a certes fait la fortune des juristes. Mais elle a aussi transformé l'espace public en un champ publicitaire et médiatique où les intervenants ont pu, à leur aise, mettre en œuvre leurs stratégies d'influence, éprouver leur rhétorique démagogique et affronter leurs adversaires politiques sur le terrain de la stricte partisannerie. Peut-on espérer inventer de nouvelles formes de vie collective et revivifier l'espace du politique par de tels manèges qui n'ont rien à voir avec l'avènement d'une quelconque éthique de l'authenticité ? Une pluralité de solitudes, c'est bien connu, ne crée pas une société[13].

2. *Le mondial et le local* : loci *concurrents du projet nationalitaire*

La production simultanée de l'unité et de l'identité au Canada se révèle être un défi difficile pour une deuxième raison, liée à l'apparition, chez les sujets politiques individuels, de nouvelles territorialités d'appartenance et de référence. À ce titre, il faut souligner l'identification transétatique et postnationaliste dont se réclament bon nombre de Canadiens. D'autres appartenances sont plus localisées. Certaines tiennent au sentiment affirmé des uns de vivre dans de grandes cités branchées sur le monde et marquées par le cosmopolitisme. D'autres s'enracinent dans l'adhésion de citoyens à diverses problématiques régionalistes. Ces affiliations identitaires, qui ne s'enferment pas dans le projet nationalitaire classique, sont importantes. Elles touchent une proportion significative de la population. Elles se traduisent surtout par la remise en cause de l'idée d'État-nation comme lieu central d'intervention politique et espace exclusif d'allégeance et d'identification. D'où la crise de légitimité qui s'ensuit pour les entités nationales[14].

Au cours des vingt dernières années, on a vu se multiplier les groupes et les réseaux d'action pour qui la planète est le terrain d'intervention privilégié, celui à partir duquel ils se définissent une identité, celui aussi par rapport auquel ils entendent reconfigurer l'espace du politique. Amplifiant ce qu'on a appelé des « évasions de l'État[15] », ces acteurs ont inscrit dans l'ordre du jour politique des gouvernements nationaux tout un ensemble de questions pour lesquelles des solutions lucides ne peuvent être trouvées qu'en autant que les États se dissolvent dans une espèce de communauté transnationale, cédant ainsi une grande partie de leur souveraineté traditionnelle et amenuisant leur capacité à se représenter en tant qu'États indépendants définissant leur autonomie, c'est-à-dire leurs propres frontières d'inclusion et d'exclusion.

Au cours de cette même période s'est également imposée, dans l'horizon politique et symbolique des États contemporains, une nouvelle figure identitaire, celle de l'être performant. Celui-ci trouve son fondement existentiel dans les stratégies globales d'accumulation des entreprises, si ce n'est dans les accords commerciaux de libre-échange. Son théâtre d'action est le monde. Ce « monde » a bien sûr une extension spatiale, littéralement celle de la planète. Mais il consiste surtout en une arène de réalisation du destin individuel de personnes dont le principe vital est d'assurer leur survie, donc de démontrer leur appartenance au clan des « gagnants », en prouvant leur capacité à jouer ou à déjouer la concurrence internationale. Mus par leur ambition sans bornes, ces « êtres performants » font preuve d'allégeances multiples et circonstancielles. Leur identité, élective et éclatée, est avant tout de nature professionnelle[16]. S'il ne faut pas surestimer l'importance numérique de cette classe internationaliste, force est d'admettre que ses valeurs et que son style de vie, véhiculés par l'entremise de médias prestigieux dans lesquels bien des « non-admis » trouvent leurs mirages quotidiens, obtiennent beaucoup d'écho médiatique.

Or le modèle de l'être performant est largement approuvé par l'élite politique et économique canadienne. Particulièrement valorisée dans les sphères où on élabore les représentations symboliques et idéologiques qui surplombent et légitiment l'idée de l'État-nation compétitif, cette figure identitaire a contribué à démembrer la représentation traditionnelle de l'État national. La mise en proue symbolique du *circum*-entrepreneur au faîte de l'État a largement favorisé l'inscription de la mondialité au cœur de l'appareil étatique et du projet de promotion nationalitaire. Si bien que, pour les États, l'enjeu mondial s'est avéré déstructurant sur le plan de leur capacité à se représenter comme espace médian d'agrégation et lieu de convergence. Dans ce contexte, l'internationalisation des communications et la métaphore du « village global » n'ont fait qu'accentuer l'érosion des liens culturels qui unissaient autrefois les Canadiens. *World class,* telle est l'idéologie instantanée qui influence de plus en plus de gens dans leur procès d'autoréflexivité et dans la représentation qu'ils se font de leur rapport au monde.

L'attachement des acteurs à cette structure référentielle, temporelle et spatiale qu'est la mondialité, n'a pas été sans conséquence sur le plan politique et social au Canada. D'une part, il a favorisé l'inscription de ces acteurs au sein d'un espace communicationnel qui déborde largement le territoire national. Ce faisant, il a ouvert la voie à l'affirmation d'une allégeance supranationale que ses porte-étendards, militants utopistes, opportunistes d'affaires ou politiciens mondialistes, proclament haut et fort à chaque occasion qui leur est donnée. D'autre part, compte tenu de l'écho qu'ont reçu sur la scène politico-médiatique ces militants de la globalisation, il a contribué à l'émergence d'une véritable culture politique transnationale dont l'effet premier a été de faire ressortir la désuétude relative de l'idée de territorialité nationale. Suivant l'hypothèse émise par Breton et Jenson[17], il y a lieu de reconnaître dans l'apparition de cette culture transnationale l'expression d'un processus social réel qui s'enracine dans des réseaux d'action et de pouvoir en voie de mondialisation. On conçoit dès lors facilement l'importance qu'il faut accorder aux enjeux posés par la mondialité à l'État-nation : celle-ci, par la façon dont elle est assumée et prise en charge par des groupes et des segments toujours plus nombreux de la population et influents de l'élite, est porteuse d'une redéfinition spatiale des grands paramètres de la vie politique canadienne. Elle se veut aussi forum d'expression positive pour une pléiade d'individus qui trouvent désormais leurs allégeances, leurs reconnaissances et leurs lieux d'identification dans une arène aux dimensions supranationales.

Mais le débordement de l'espace nationalitaire ne se fait pas que par le « haut ». Il s'effectue aussi par le « bas ». Les manifestations régionalistes de citadins adhérant positivement à l'idée hypermoderne de la *polis* — sorte de cité-monde cosmopolite, branchée et performante —, et les doléances de populations « périphériques » décidées à reconquérir leur place dans l'ordre du monde par la promotion de leur territoire immédiat favorisent la dislocation de l'« espace national ». Ayant pris conscience que leur ville évolue à un rythme et sous des modes qui la distinguent des autres régions formant l'État dans lequel elle prend place, les premiers dissocient leur avenir de celui des zones déphasées du « pourtour ». Ils se recentrent, réellement et symboliquement, sur leur espace « globalisé ». C'est à cette échelle qu'ils définissent leur action et bâtissent leur imaginaire. Soucieux que leur avenir ne soit pas sacrifié par des gouvernements entièrement voués à la donne mondialiste, les seconds n'ont de cesse de réclamer leur dû, à savoir les moyens d'assurer leur propre développement. Entrant en concurrence avec les élites des grandes cités, qui voient dans la croissance de leur ville « la clef de tout le reste », les populations périphériques s'accrochent à leur coin de pays, de manière à « n'être pas en reste ». Dans les deux cas s'évertuent des acteurs en manque d'identification nationalitaire qui trouvent, dans leurs croisades respectives pour « la grande cité branchée » ou « la région délaissée qu'il faut réanimer », leurs principales attaches. De nouveau, ces attitudes ne sont pas porteuses sur le plan de la production de l'unité et de l'identité nationale.

3. La difficulté d'élaborer un grand récit collectif

Un troisième facteur concourt à amplifier la dislocation de l'espace du politique au Canada. Il s'agit de la difficulté apparente d'édifier un grand récit collectif qui active le sens communautaire et qui propose, sur le plan symbolique, un mode de représentation de l'État qui satisfasse les aspirations et les visions des groupes en présence. Il semble que l'on ne trouve plus au Canada de lieu de reconnaissance et de réciprocité, sauf celui du social conçu comme espace de valorisation et de promotion de ses droits particuliers ou corporatisés, espace notamment étendu par la Charte de 1982. L'idée n'est pas de dire que de tels grands récits collectifs n'existent pas[18]. Mais leur trame ne convient apparemment pas pour accueillir les divergences constitutives de l'entité canadienne.

Ainsi, plusieurs de ces récits sont fondés sur une conception dualiste et méta-ethnique de la destinée du pays[19]. Dans ce cas, les moments forts de l'histoire collective se réduisent à la saga ininterrompue des rapports conflictuels entre les francophones et les anglophones, ou entre Québec et Ottawa. Si elle rassure les « anciens » Canadiens dans leur conviction identitaire classique et dans leur position politique antinomique, la trame mémorielle de ces récits reste incompréhensible aux « nouveaux » ou ne les intéresse pas.

D'autres récits sont fondés sur une espèce de conception mythique du Canada, éden dont la substantialité résiderait dans un ensemble d'images et de symboles suscitant le patriotisme de ses habitants. Dans ce cas, la narration tourne autour de la beauté vierge du pays, de son étendue et de ses ressources inépuisables, du bien-être qu'il offre à ses habitants, de la possibilité pour tous de s'installer n'importe où sur un vaste territoire s'étendant de l'Atlantique au Pacifique, etc. Or, à l'heure actuelle, ces récits cadrent mal avec le discours réaliste de la dette, avec celui de la compétitivité à tout prix et avec celui de la rationalité à toute enseigne. Inutile de dire qu'ils ne provoquent pas l'engouement populaire tant ils sont détachés de la situation vécue par les gens. Il semble d'ailleurs, si l'on se fie au résultat d'un sondage effectué par la firme Environics, que les Canadiens aient délaissé, entre les années 1985 et 1991, un grand nombre de symboles unificateurs auxquels ils attachaient précédemment de l'importance. Le drapeau, l'hymne national, le multiculturalisme, le bilinguisme, la Société Radio-Canada et la monarchie ont ainsi décliné au profit d'un nouvel instrument de promotion identitaire, la Charte des droits et libertés de la personne. Celle-ci incorpore tout un train de valeurs à saveur individualiste. Ses effets fédératifs, contrairement à ce que l'on prévoyait au départ, sont faibles.

Il est jusqu'au grand récit mettant en valeur l'« esprit canadien » qui passe mal. Comme le soulignait justement Donna Dasko, non seulement on n'a pas eu droit, dans la dernière décennie, à l'équivalent de la construction d'un chemin de fer transcontinental, de la création d'un réseau national de radio et de télévision ou de l'établissement d'un régime d'assurance-maladie pour galvaniser la fierté canadienne, mais il semble peu probable qu'un projet de cette ampleur puisse être réalisé d'ici la fin du siècle[20]. C'est comme si l'on manquait de « matière » pour écrire l'histoire du « génie canadien ». Ce que l'on propose à la place — des percées technologiques pointues, des exemples d'entrepreneurship, des astronautes arborant l'unifolié, etc. — ne suffit apparemment pas à créer de nouveaux mythes unitaires[21]. Force est de dire que les grands projets de l'heure (extension de l'ALÉNA, privatisation des sociétés publiques, démembrement de l'État assurantiel, etc.) vont à l'encontre de l'entreprise de construction institutionnelle de la nation canadienne à laquelle s'était attelé le gouvernement fédéral après la guerre et dont la Charte de 1982 promettait d'être la pierre angulaire. Elle s'est plutôt révélée la pierre d'achoppement du projet.

L'impossibilité apparente d'édifier, par l'entremise de grands récits nationaux, une communauté de sens dans laquelle se reconnaissent les sujets politiques, a suscité un grand pessimisme sur l'avenir du Canada et provoqué l'apparition d'un vide consensuel. Celui-ci s'est rempli de ressentiments, d'antagonismes, de désirs de rectitude et de complaintes exprimées par autant d'intervenants sur la scène publi-médiatique.

Des analystes ont interprété cette polyphonie de voix comme un moment fort de restructuration de l'esprit communautaire où chacun exprime librement ses idées et fait reconnaître la valeur et la justesse de ses revendications. Dans l'action présente des mouvements sociaux, certains ont vu la possibilité d'une reconstruction d'un *Nous* articulée autour du principe des équivalents démocratiques et d'une subjectivation plus complexe[22]. Ces analyses sont exagérément optimistes. En réalité, l'espace du politique est devenu une véritable tour de Babel. Dans la mesure où l'injonction juridique et le discours légaliste ont remplacé le jugement et l'éthique politiques, on ne sait plus comment canaliser, vers des arrangements politiques et civiques transcendants, les demandes qui fusent de partout. Dans cette logique de la réciprocité juridique, fondement d'éthiques de tout et de n'importe quoi, un droit n'appelle pas un devoir. Il suggère plutôt, advenant une réplique de l'adversaire, le recours à un autre droit et ainsi de suite à l'infini.

La conséquence de tout cela est évidente. Au lieu de permettre le rapprochement de groupes de personnes désormais constitués en parties légales et concurrentes et de favoriser la recréation du sens communautaire, de l'esprit démocratique et de l'amitié civique, le débat public s'enlise dans des affrontements insolubles. Ceux-ci atrophient davantage le politique entendu comme réflexivité du vivre-ensemble et responsabilité collective des finalités de la vie sociale[23]. Ils provoquent le recentrement des doléances vers la seule dimension groupusculaire. Loin de rendre possible la formulation d'un nouveau grand récit collectif, cette logique de constitution sociétale favorise la multiplication des micro-récits. Ceux-ci font de la différence le point de départ et le point d'arrivée de leur rhétorique. Si bien que sous le couvert d'une richesse participative et d'un élargissement de l'espace démocratique, c'est un appauvrissement du discours et de la pratique du politique qui survient. Triomphatrice comme jamais, la parole fragmentée, surdéterminée par la pensée légale, provoque l'aplatissement du sens civique. Elle favorise l'avènement de l'identité narcissique et nourrit le processus technobureaucratique de gestion et de régulation du social. Celui-ci ne traite désormais que des demandes provenant d'interlocuteurs dotés de puissances variables d'intervention publique et qui se sont emparés, au terme de joutes très compétitives et spécialisées, d'une position avantageuse au sein de l'espace discursif, lieu majeur de production identitaire à l'ère de la société médiatique et cybernétique. C'est ce qui amenait Alan Cairns à conclure que dans leur relation à l'État, les groupes d'intérêt, qu'ils soient associations reconnues ou mouvements sociaux, avaient développé un rapport de clients à patron[24]. Et c'est ce qui poussait Frank Ankersmit à affirmer qu'à l'heure actuelle, les gouvernants étaient en manque d'une esthétique du politique[25]. Dans la mesure où la gouverne politique ne consiste plus qu'en un perpétuel louvoiement obéissant aux pressions des groupes d'intérêt — « Diriger, c'est suivre », entonne-t-on partout avec entrain en Occident —, l'on ne peut que lui donner raison.

À cet égard, on est en droit de se demander si l'hypervalorisation de la différence, notion qui nourrit la démarche de nombreux intervenants et sur laquelle pivote tout le champ politique canadien à l'heure actuelle, n'est pas un camouflage discursif visant à masquer l'apparition d'un nouvel inégalitarisme au sein de l'espace public. Un inégalitarisme provoqué par le désir de groupes concurrents — sorte de corporations identitaires — d'accéder de manière privilégiée, sous prétexte que leur différence est un fondement légitime à l'obtention de droits spécifiques, aux ressources collectives transitant par les appareils d'État[26]. Comme l'écrivait Louis Dumont, il n'est pas de différence qui, dans les cadres culturels d'une société quelconque, ne s'interprète comme différence de valeur, donc comme hiérarchie explicite ou implicite[27].

Dans cette perspective, on peut interpréter de deux manières ce fameux discours de la différence : comme une réponse aux dangers d'une logique de la communauté et de l'identification qui réprime l'hétérogénéité et dévalue la spécificité si elle ne la nie pas complètement[28]; ou comme le prélude à l'apparition de formes larvées de hiérarchisation donnant lieu, dans une société à tradition libérale comme le Canada, à l'institution d'une citoyenneté de fait plutôt que de droit, et à un cadre civique stratifié plutôt que convergent, où chaque être est une île autosuffisante qui ne doit rien à la communauté[29]. Si l'on accepte la thèse de Ralph Dahrendorf voulant qu'en ces temps d'incertitude, de plus en plus de gens refusent de vivre dans des sociétés multiraciales et multiculturelles et que les années 1980 ont coïncidé avec une amplification de l'idée de séparation par rapport à celle d'égalité[30], il est à craindre que ce soit la deuxième pratique de la différence qui ne s'insinue malicieusement au cœur du social. En ce cas, Michel Freitag verrait juste : l'idéologie de la différence est intimement liée à l'instrumentalisation du collectif, à la pragmatisation du champ politique et au retour en force de l'expressivité privée dans la sphère publique[31]. Dans un système qui donne du droit et de l'argent à ceux qui ont assez de voix pour se faire entendre, on ne doit pas être surpris d'un tel diagnostic. Triste destin de la démocratie. Dramatique augure pour la gouverne d'un État...

CONCLUSION

Les problèmes dont nous avons fait état dans cet ouvrage et qui sont au cœur du devenir canadien n'ont rien de mineur. Ils ne pourront être réglés par des procédures technobureaucratiques. Dans la mesure où ils touchent directement à la question de la régulation et de la représentation en cet État, c'est à cette échelle qu'ils devront être posés et résolus.

Ces problèmes n'appellent pas nécessairement la dissolution du Canada, bien que cette option soit envisagée par plusieurs intervenants qui y voient un moyen salutaire pour résoudre les impasses concernant la gouverne du pays. Cela dit, il ne fait aucun doute que pour éviter de s'enfoncer dans les sables mouvants, le Canada devra être repensé autrement.

Pour y arriver, les visions obsessionnelles qui inspirent la réflexion et qui marquent la démarche de bien des décideurs et des « débatteurs » à l'échelle du pays — par exemple le culte de l'*opting out* et le principe du « Ottawa-est-le-meilleur-juge » — devront être dépassées. Le système du fédéralisme recentré, incarnation du nationalisme canadien auprès duquel il trouve en retour sa justification, compte certainement comme l'un des facteurs le plus nuisible à l'évolution des choses. Nous parlons de fédéralisme recentré parce que cette notion nous semble moins péjorativement connotée que d'autres. Elle traduit aussi notre position : dans sa forme *actuelle,* le système du fédéralisme canadien est un système qui tend à la centralisation et qui est fondé sur la prééminence et sur la prédominance d'un État central fort dirigé par un exécutif puissant. Cela ne veut pas dire que ce système n'est pas marqué par des formes de décentrement. Il l'est au contraire. C'est après tout la nature même du régime fédératif que d'être fondé sur une dialectique de la centralisation et de la décentralisation des pouvoirs entre ses parties constituantes. Compte tenu des défis qui marquent la socioéconomie canadienne, il apparaît cependant que le fédéralisme canadien devrait être réformé et revivifié à partir de ses bases régionales, c'est-à-dire qu'il devrait évoluer vers un décentrement plus prononcé. Il nous semble futile de déterminer, comme préalable à toute réforme du régime canadien, si le fédéralisme qu'on y pratique est, en lui-même ou par rapport à d'autres régimes semblables dans le monde, plus ou moins centralisé ou décentralisé, rigide ou flexible, fixe ou évolutif, symétrique ou asymétrique, etc.; de même, il nous semble superflu de déterminer s'il est idéalement centralisé ou décentralisé. Ces exercices ne servent qu'à justifier des positions politiques sectaires camouflées sous de pseudo-théories du fédéralisme comparé ou d'une philosophie idéale typique du fédéralisme.

★

Le nationalisme n'est pas une idéologie qui soit bonne ou mauvaise. Il en est de même pour le fédéralisme en tant que régime d'aménagement des rapports politiques entre des entités plus ou moins souveraines. C'est l'évolution historique qu'ils ont suivie et la tangente qu'ils ont prise au Canada, à la faveur de contextes économiques et politiques changeants, qui fait qu'ils constituent maintenant des obstacles à la résolution des problèmes affligeant le pays.

Pour une bonne partie de la population canadienne, le système du fédéralisme recentré, qui est l'un des fondements sur lequel peut s'élever la « nation canadienne », appelle nécessairement l'égalité formelle des provinces. Cette égalité est le ciment constitutif d'un « tout », le Canada, sorte d'entité physique et symbolique qui, par sa masse critique, peut apparaître distinct d'une entité voisine géante, les États-Unis, toujours susceptible de l'absorber dans sa propre masse par les effets d'attraction titanesques qu'elle exerce dans son pourtour.

On sait à quel point l'identité canadienne, dans sa composante anglophone, est fondée sur une dialectique fort ambiguë d'attraction et de répulsion envers les États-Unis. Pour nombre de Canadiens anglais, l'Amérique représente à la fois le meilleur et le pire. Elle personnifie l'*Autre*, sorte de miroir négatif de *Soi*, face auquel il faut contruire son identitaire, sa différence et sa conscience. *A contrario*, le rapport qu'entretiennent les Québécois francophones vis-à-vis des États-Unis n'incorpore pas de composante répulsive. Il est plutôt fondé sur une certaine attirance. Cela tient peut-être à la proximité des figures emblématiques dominant respectivement le panthéon des Américains et celui des Franco-Québécois, le cow-boy et le coureur des bois. Entre ces cavaleurs impulsifs et débridés s'expriment des sympathies, se manifestent des complicités, se développent des affinités qui ont peu à voir avec l'image que véhicule le cavalier de sa Majesté, police montée à cheval du Canada, sentinelle du bon ordre dans un monde marqué par l'exploration et la conquête perpétuelle des grands espaces. Cette métaphore, on le sait, n'est toutefois que cliché...

Toujours est-il que dans la logique argumentaire de bien des Canadiens, le fédéralisme décentré[1], en affaiblissant des maillons de la chaîne canadienne et en détruisant l'un des principes d'allégeance qui fut apparemment au cœur de l'institution du pacte confédératif de 1867, ne pourrait qu'entraîner la dissension entre les provinces, amplifier les germes de fractionnement du territoire et favoriser l'ingestion du Canada par les États-Unis. Si cet argument a du poids, reste qu'il empêche l'émergence d'une représentation du Canada qui sort de l'équation identitaire classique voulant que le fédéralisme recentré, en tant que nourrice de la nation canadienne, soit par le fait même matrice protectrice du pays et gage de sa pérennité.

Il est une deuxième raison pour laquelle le nationalisme canadien constitue un obstacle à la rénovation du pays. Pour la classe politique canadienne et pour la technobureaucratie assurant le fonctionnement quotidien de l'appareil d'État central, le « système canadien » ne peut avoir de sens que si l'on admet, au préalable, l'idée d'une homogénéité des formes de la régulation dans tout le territoire national. De même, ce « système » ne peut fonctionner que si l'on accepte la primauté des normes exécutives de l'administration fédérale sur celles édictées par les gouvernements inférieurs (principe de la limitation des compétences des provinces). Cette prétention est fondée sur la reconnaissance de postulats politiques et juridiques à caractère universel, par exemple l'égalité des citoyens au sein d'un même territoire, et sur des principes de rationalité économique, par exemple la circulation optimale des facteurs de production au sein d'un espace agrégé. On sent, derrière la rhétorique progressiste et utilitaire qui enrobe le discours des acteurs fédéraux — dont on comprend néanmoins qu'ils agissent ainsi —, un intérêt difficile à cacher : celui de maintenir, dans son esprit tout au moins, le système existant d'allocation et de distribution des richesses au pays, et celui d'assurer la primauté de l'administration centrale comme institution de gouverne au Canada.

Historiquement, c'est grâce à sa capacité de lever des impôts, d'imposer des taxes et de toucher des droits de douane que le gouvernement fédéral a pu s'instituer grand argentier au Canada. À la longue, la « capacité de dépenser » d'Ottawa a littéralement fait système. Elle a surtout confirmé le gouvernement central dans un rôle de timonier de la destinée du pays. Non seulement elle a contribué à établir la classe politique canadienne comme trésorière de fonds réels et virtuels considérables, ce qui l'a doté d'un ascendant déterminant sur l'évolution de l'économie politique au pays, mais elle a consacré la fonction publique fédérale en tant que gestionnaire empirique de cet argent, ce qui l'a assuré d'une position enviable dans les rapports de pouvoir visant au contrôle de l'organisation pratique des milieux de vie[2].

De ce point de vue, l'imposition de lignes directrices définies depuis Ottawa est un moyen pour l'ensemble des fonctionnaires œuvrant au sein de l'administration centrale de s'assurer qu'un terrain concret au sein duquel s'exerce ou pourrait s'exercer son pouvoir ne lui échappe pas. Sans prétendre que les tiraillements qui marquent chaque tentative de négociation des compétences mineures ou majeures attribuées par la Constitution aux divers ordres de gouvernement consistent en des luttes de pouvoir entre, d'un côté, des administrations publiques et de petits chefs récalcitrants à abandonner leurs prérogatives et leur statut, et, de l'autre, des acteurs concurrents qui veulent s'en emparer, force est d'admettre que ces conflits d'intérêts jouent puissamment dans l'éternisation des différends. Le fédéralisme n'est pas qu'un régime politique qui s'accompagne de procédures technobureaucratiques. Il s'agit également d'un système et d'un lieu de pouvoir. À maints égards, cette situation est préjudiciable à l'avancement des dossiers.

On aurait tort toutefois de réduire le « problème canadien » à des conflits d'intérêts entre des technobureaucraties toujours désireuses, par politiciens interposés, d'étendre leur espace de contrôle. Les conflits qui caractérisent les relations entre les administrations publiques expriment surtout, à une échelle microscopique, une somme de macro-rapports de force qui se déroulent entre des acteurs civils tantôt regroupés en mouvements sociaux, tantôt en associations formelles, tantôt en groupes de pression, et qui ont tous pour objectif de profiter du système tel qu'il s'est institué au fil des ans.

Le Canada a plus de 125 ans d'existence. Au cours de cette période, nombreux sont les acteurs qui ont développé, en regard de l'administration centrale, des attentes particulières. Celles-ci ont fréquemment mué en une dépendance directe. Au point que la remise en cause radicale des compétences et des juridictions attribuées au gouvernement fédéral, par les modifications majeures qu'elle entraînerait dans le système d'allocation et de distribution des richesses au pays, risquerait de faire pâlir rapidement l'étoile de ces «maraudeurs impénitents de la manne publique». On comprend dans ces conditions que le système tel qu'il existe ne soit pas aisément modifiable : des habitudes ont été contractées, des usages se sont établis, des acquis se sont institués, des complicités se sont créées, des visions ont été assimilées. Les intérêts en cause dans cette dynamique fonctionnelle de l'accès aux richesses collectives et de leur «partage» transcendent allègrement l'appartenance linguistique, culturelle ou provinciale des participants. Comme le veut le dicton, « à cheval donné, on ne regarde pas la bride » ; et la figure de la souveraine britannique qui apparaît sur les billets émis par la Banque du Canada n'a jamais dérangé ceux qui en accumulaient des liasses dans leurs goussets, qu'ils soient francophones, anglophones ou allophones. Si l'État central est la créature d'intérêts particuliers, comme l'affirment plusieurs critiques du régime fédéral, il a aussi enfanté ses rejetons. Indissociablement liés dans leur défense mutuelle, l'un et l'autre ne sont pas prêts de lâcher prise.

Le quatrième facteur rendant difficile la rénovation du système canadien tient au fait que, pour un grand nombre d'habitants au pays, l'État central est l'un des lieux majeurs d'expression et l'un des supports principaux de promotion de la canadianité. Cette façon d'envisager les choses a certainement pour conséquence d'assouplir leur position et d'amoindrir leur appréhension en regard des velléités représentatives et législatives du gouvernement central. On définira la canadianité comme une manière de se nommer ou de s'identifier par référence à l'entité géopolitique que représente le Canada d'un océan à l'autre[3]. Tous les Canadiens, y compris les Québécois francophones, portent en eux cette trace de canadianité. Cela dit, elle s'exprime de différentes manières. Pour les uns, elle se traduit par une allégeance inconditionnelle au fédéralisme recentré. Elle recoupe largement l'idée de nation, voire celle de patrie, lesquelles renvoient à un sentiment d'appartenance beaucoup plus ferme, sinon organique au collectif. Pour les autres, la canadianité est une sensation plus lâche et plus floue qui n'appelle pas d'engagement volontaire pour la cause. Elle désigne un attachement, une sensibilité, une mémoire, une émotion, une affection. Mais peu importe ce qu'elle exprime et comment elle se traduit en pratique, la canadianité est un fait structurant de l'entité canadienne. C'est l'extension que donnent à cette allégeance ou à cet attachement les nationalistes canadiens qui constitue un obstacle au dépassement des visions classiques et à l'élévation des débats. Dans l'esprit de ces gens, la canadianité exprime un engagement résolu pour le Canada. Or, suivant leurs dires, le Canada, comme État et comme pays, ne peut exister en dehors du fédéralisme recentré, régime normalisateur et exécutif, puisque c'est sur ce socle que se fonde la nation canadienne et que s'élève le nationalisme pancanadien, forme offensive d'expression de la canadianité face à l'*Autre* « anthropophage », l'Américain. Entre la canadianité, le fédéralisme recentré et le Canada (nation + État), se découvre donc un lien de nature quasi ontologique. Rompre cette unité signifie défaire la fibre constitutive du pays, car une telle entité ne peut exister autrement que dans sa forme actuelle. Tout autre scénario, par exemple que le Canada puisse perdurer comme pays sans qu'il ait à prendre la forme d'un État marqué par le fédéralisme recentré (avec ses dérives inévitables vers la pratique des « normalisations nationales »), est rejeté sous prétexte qu'il s'agit précisément d'une condition indispensable à l'épanouissement du pays ; de même l'idée que le Canada puisse survivre à l'instauration d'un fédéralisme décentré ou d'un pluralisme fédéral.

Si tous les arguments que nous venons d'évoquer sont valables sur le plan de la logique politique puisqu'ils expriment les intérêts de groupes et de forces socioéconomiques bien identifiées pour lesquelles le régime en place fait sens, il faut admettre qu'ils contribuent puissamment au maintien d'un état politique des choses qui a d'importantes incidences sur la détérioration de la situation économique et sociale au pays.

Il appert en effet que le système du fédéralisme recentré ne convient plus comme matrice générale de régulation au Canada. Les logiques d'accumulation qui marquent l'espace capitaliste mondial et canadien engendrent des déphasages spatiaux qui sont eux-mêmes générateurs de micro-ordres, vertueux ou vicieux, pour lesquels la meilleure intervention possible consiste probablement en l'application de micro-régulations différenciées, adaptées aux spécificités des marchés locaux. L'idée, par ces micro-régulations différenciées, n'est pas de renforcer les déséquilibres entre les milieux de vie — ce qui ferait inévitablement éclater toute entité politique qui ne peut pas reposer sur l'institutionnalisation de différences économiques et sociales en son territoire. Il s'agit plutôt de tirer profit des dynamismes inhérents à ces milieux pour régénérer et revivifier la socioéconomie.

De ce point de vue, les gouvernements locaux sont certainement mieux placés qu'une autorité centrale, éloignée des préoccupations concrètes des gens et dont l'assise est précisément fondée sur les régulations macroscopiques, pour mettre au point des mécanismes de gestion qui soient efficaces en regard des besoins immédiats des collectivités empiriques. Cette proposition, essentiellement pragmatique, ne devrait pas être interprétée comme la justification d'un mouvement de délégation, vers les gouvernements régionaux ou les autorités locales, des responsabilités présentement assumées par les administrations centrales, sans qu'il y ait transfert de compétences ou sans compensation financière. Le *dumping* est une option sans vision d'avenir.

En étant liée à une nouvelle répartition des pouvoirs en matière de fiscalité, l'instauration du principe des micro-régulations différenciées pourrait avoir deux avantages : d'abord, consacrer le rôle moteur des gouvernements locaux dans la création d'interactions vertueuses ou dans la résorption d'enchaînements vicieux au sein des espaces restreints, territorialités concrètes d'évolution et de mouvance des facteurs de production, qu'elles administrent. On l'a vu précédemment, c'est à l'échelle de ces micro-espaces — et non plus à celle des grands ensembles territoriaux — que se manifestent effectivement les dynamismes ou les contradictions engendrés par l'économie migrante. Cela est particulièrement vrai dans le cas du Canada, pays aux vastes étendues. Le deuxième avantage imparti au principe des micro-régulations différenciées serait de permettre aux collectivités locales de jouer un rôle majeur, innovateur, dans l'élaboration des solutions aux problèmes qu'elles vivent, tant sociaux que civiques, car ce sont elles qui connaissent les besoins de leur milieu et qui détiennent les remèdes adaptés au « mal-développement » qui le caractérise.

Telle qu'elle est actuellement pratiquée au Canada, la macro-régulation étatique renforce plutôt qu'elle ne diminue les effets les plus cuisants causés par l'économie migrante. Complètement déconnectée des besoins spécifiques surgissant des milieux locaux et exprimés par leurs populations, elle se révèle inefficace pour engendrer des interactions économiques et sociales entraînantes et cumulatives. Cette situation ne contribue en rien à favoriser l'émergence d'une nouvelle esthétique du politique[4].

À l'heure actuelle, le système du fédéralisme recentré, par les postulats de symétrie et d'uniformisation sur lesquels il repose, tient de l'idéologie plus qu'il ne se révèle un cadre adéquat de régulation économique et sociale. Or, les conséquences politiques découlant de cette situation sont importantes. Au lieu d'engendrer un partenariat réel de la part des participants au processus de négociation continuel portant sur les compétences respectives des divers ordres de gouvernement du Canada, elle exacerbe les tensions entre les acteurs. Ces tensions sont particulièrement vives entre Québec et Ottawa, compte tenu que la province préconise une position décentralisatrice qui va, selon le parti au pouvoir, de l'accommodement à l'opiniâtreté. Au lieu d'évoluer vers la mise en place de micro-régulations différenciées assorties d'un financement équivalent pour les instaurer, c'est le système recentré qui perdure et les problèmes qui persistent.

L'idée des micro-régulations différenciées comme principe régulateur au Canada n'est pas neuve. Si elle n'est nullement contraire à l'esprit et à la pratique du fédéralisme, elle contrevient à la tradition politique canadienne, celle en tout cas défendue par l'*establishment* nationaliste qui, sur ce plan, est devenu plus intraitable depuis une quinzaine d'années. En pratique, elle pourrait correspondre à une forme quelconque, à inventer, de fédéralisme décentré. Or, un tel régime est perçu négativement par bien des intervenants. Il est ou bien associé à la dissolution éventuelle du Canada en tant qu'entité, ou bien lié à l'apparition d'inégalités civiques entre les habitants du pays. La raison avancée pour soutenir cette thèse est la suivante : tous les gouvernements provinciaux n'ont pas ni n'auraient les mêmes ambitions progressistes que l'autorité centrale en matière de promotion sociale et de droits individuels et collectifs. Cette vision repose en bonne partie sur une équation idéaliste établie entre le gouvernement fédéral, sa pratique régulatrice et le bien-être général de la population. Il est certes vrai de dire qu'au Canada, c'est le gouvernement fédéral qui a pris l'initiative d'instaurer un régime régulateur de type keynésien et bon nombre de programmes d'assurance et d'assistance sociale protégeant les familles et les individus en cas de coups durs. Ce régime a toutefois subi plusieurs altérations depuis le début des années 1980, et la philosophie qui l'anime a changé. À l'heure actuelle, la pratique régulatrice de l'État central accentue les germes d'apparition d'une citoyenneté duale et ne contrevient pas à l'amplification des déphasages sociaux et spatiaux au pays. Sur le plan économique, elle apparaît largement inadéquate pour enrayer les enchaînements négatifs engendrés par la circulation du capital migrant.

Il est faux de prétendre que le fédéralisme décentré est la forme d'aménagement des rapports politiques au Canada qui soit la plus profitable au règne du capital. Cette thèse suppose en effet que le système du fédéralisme recentré est une garantie de l'équilibre des rapports de force entre tous les acteurs qui composent la socioéconomie canadienne. On l'oublie facilement, l'édification de ce système n'est pas le produit historique d'une mainmise sur l'appareil d'État fédéral par des éléments éclairés de la population. Elle est le résultat de sa prise en charge par des groupes désireux d'y inscrire et d'y instituer leur pouvoir. La classe politique canadienne et la fonction publique fédérale ne furent pas et ne sont pas les acteurs les moins intéressés dans ce processus. Va-t-on décentraliser pour multiplier plus facilement les tickets modérateurs ?, demande-t-on avec l'air de celui qui veut protéger la veuve et l'orphelin du départ éventuel du Père (ici associé au gouvernement fédéral). Cette question est certainement valable. Dans certains cas, l'histoire l'a prouvé, deux ordres de pouvoir valent mieux qu'un pour permettre à la société civile de s'émanciper dans sa diversité et ses contradictions. *Small is not always beautiful!* Par ailleurs, les Canadiens ont depuis longtemps appris à profiter des litiges et de la concurrence auxquels se livrent les gouvernements pour administrer les collectivités. C'est ce qui explique en partie le phénomène des dédoublements de programmes et de dépenses au pays. À la question posée plus haut, il est toutefois impossible de formuler une réponse *a priori*. Le verdict dépendrait des rapports de force qui s'établiraient au sein des espaces sociaux et politiques concrets[5]. Nous ne croyons évidemment pas qu'un régime de fédéralisme décentré ne produirait que du bon, surtout s'il était institué au terme de joutes acrimonieuses entre des acteurs mus par la statégie du sauve-qui-peut. Nous faisons tout simplement le pari, à la suite de l'argumentation développée dans cet essai, qu'un tel régime contribuerait à diminuer le pire, sur le plan économique tout au moins[6].

L'idée des micro-régulations différenciées n'est pas une proposition idéologique mais pragmatique. Elle est fondée sur le postulat voulant que, dans les sociétés contemporaines, les grandes métropoles, d'une part, et certaines régions restreintes, d'autre part, sont devenues des «zones sans pays» et que leurs territorialités se développent à des rythmes particuliers, en entretenant des liens plus ou moins ténus avec l'économie nationale. En pratique, ce qu'on appelait les «enjeux nationaux» (économiques, sociaux, politiques, identitaires) n'existent plus pour ces zones. Sans être autonomes ni souveraines, elles évoluent au gré des tendances de l'économie migrante, en subissent les enchaînements positifs ou négatifs et, à la longue, se singularisent dans leurs conformations socioéconomiques. Il est évident par exemple que la région du sud-ouest de la Colombie-Britannique, en étant favorablement stimulée par les circuits du capital et du travail migrants ou volants, profite d'une situation qui ne se répète pas nécessairement ailleurs au pays, ni n'entraîne dans les autres provinces les effets de cascade que l'on était en droit d'espérer au moment où le Canada constituait une économie plus «fermée», en tout cas mieux intégrée.

Face à cette situation, l'intervention du gouvernement central est sans conséquence, car les effets de croissance marquant la zone vancouvérienne ne sont pas transférables à d'autres zones. Celles-ci sont animées — ou ne le sont pas — pour des raisons et par des facteurs différents. Au point que la pratique régulatrice d'Ottawa s'apparente quasiment aux activités d'une agence de compte, de compensation et de transit : des taxes et des impôts, prélevés dans une zone forte, sont transférés vers d'autres zones, utilisés pour financer des programmes publics nationaux, pour payer la dette ou pour assurer le fonctionnement de l'administration fédérale. Certes, selon cette dynamique, l'esprit et surtout l'image du modèle fédéral sont conservés : des ponctions de richesses sont effectuées là où les conditions le permettent et transférées là où les besoins se font sentir. En réalité, il s'agit d'une redistribution à somme nulle. Non seulement des montants faramineux sont perdus, littéralement évaporés, dans le processus administratif du transfert, mais les effets engendrés par ce système sont on ne peut plus minces. Ce qu'il faudrait transférer, en effet, ce sont moins des fonds que des dynamismes de marché. Or, ceux-ci ne sont pas exportables dans l'espace et ils sont difficilement recréables. Si les administrations publiques peuvent régulariser les excès des marchés et compenser artificiellement l'absence de leurs effets dans certaines zones, l'expérience démontre qu'elles n'arrivent pas à se substituer aux marchés sur une longue période. L'exemple des interventions massives de l'État dans l'est du Canada, entre les années 1960 et 1980, est à cet égard éloquent. Malgré les sommes considérables investies dans la restauration économique des provinces maritimes, cette région demeure une zone faible du pays.

Chaque zone, forte ou faible, étant caractérisée par des enchaînements micro-économiques particuliers, vertueux ou vicieux, l'idée serait, par l'application de micro-régulations différenciées, de renforcer les uns ou d'éliminer les autres en exploitant au maximum les ressources disponibles et en ciblant précisément les problèmes. La régulation des marchés du travail et la formation de la main-d'œuvre seraient, dans cette perspective, les deux champs d'intervention sur lesquels devraient porter les premiers efforts de décentralisation des pouvoirs. La raison sous-tendant cette proposition est bien connue : la configuration des marchés du travail n'obéit plus à une dynamique nationale, surtout au Canada, mais se conforme dans l'axe de gravitation réciproque de deux matrices d'enchaînements socioéconomiques, le mondial et le local[7]. Les grands régimes d'assistance publics, qui ont une fonction déterminante dans la régulation générale du mode de vie des populations désaffiliées et de leur intégration dans la société globale, pourraient aussi être mis à profit dans le cadre de micro-régulations adaptées aux besoins distincts des zones fortes et des zones faibles. La configuration des marchés de l'emploi, les caractéristiques technico-professionnelles des bassins de main-d'œuvre régionaux et les caractéristiques socio-économiques des populations locales font en effet que l'espace canadien n'existe pas comme un tout, mais plutôt sous la forme d'un agrégat de sous-espaces détenant des avantages ou connaissant des désavantages comparés. Un interventionnisme mieux ciblé de la part d'administrations publiques régionales pourrait, à cet égard, avoir des répercussions plus probantes sur la restauration de ces sous-espaces que la stratégie actuelle fondée sur la prédominance d'objectifs nationaux et le maintien du système. Enfin, il est une foule de secteurs d'activités qui, compte tenu de leurs ancrages régionaux ou des conditions particulières de leur développement, bénéficieraient éventuellement du principe des micro-régulations différenciées. Ces secteurs (forêts, mines, tourisme, logement, loisirs, affaires municipales et urbaines, etc.) sont déjà sous compétence provinciale d'après le partage des pouvoirs inhérents à la Constitution du Canada. Mais force est d'admettre que le gouvernement central, grâce à son pouvoir de dépenser, a largement empiété sur ces domaines de responsabilité au cours des ans. Par voie législative, il a établi tout un train de mesures normatives qui pèsent sur la capacité effective des gouvernements inférieurs d'imposer leurs vues. Au total, le principe des micro-régulations différenciées pourrait mener à une amélioration de la compétitivité des zones fortes dans l'économie mondiale. Il pourrait aussi être à l'origine d'une revivification des zones faibles en favorisant et en soutenant l'action des populations locales dans la prise en main de leur milieu.

Face à un tel scénario, beau sur papier mais combien difficile à réaliser au Canada, quatre problèmes surgissent immédiatement. Le premier a trait au rôle qui serait dévolu à l'autorité fédérale dans un tel système décentré. Le second découle du fait que la majorité des provinces bénéficie actuellement du mode de redistribution des richesses collectives qui est propre au régime canadien : comment, dans un système décentré, ces provinces — et notamment les moins populeuses — arriveraient-elles à financer les régulations qu'elles mettraient en place ? Le troisième problème est d'ordre existentiel :

le Canada survivrait-il comme pays à l'instauration d'un fédéralisme décentré qui privilégierait l'autonomisation accrue des provinces[8] ? Enfin, puisque le régime des micro-régulations différenciées, en favorisant ou en approfondissant l'articulation des territorialités locales à la donne mondiale, donc en accélérant l'avènement de la société flexible, susciterait la création de richesses sans empêcher que ne se manifestent la désaffiliation et la marginalisation, quel serait le sort des laissés pour compte dans ce nouveau système ?

★

Ces questions marqueront les réflexions des Québécois et des Canadiens à l'horizon de l'an 2000. Plutôt que d'y répondre précipitamment, on préférera lancer quelques idées en espérant que le lecteur n'y voit pas l'expression d'une position sectaire, mais le fruit de la réflexion menée tout au long de cet essai :

— Ce n'est pas l'affirmationnisme québécois mais le nationalisme canadien qui est présentement source de problème au Canada. En tant qu'État, le Canada aura un avenir dans la mesure où il sera capable de se redéfinir à partir de ses bases régionales, dans le cadre d'un pluralisme fédéral. Cela implique un renversement de la dynamique actuelle de fonctionnement du système canadien et de sa philosophie. L'alternative du Canada est la suivante : évoluer vers le décentrement et ainsi relever le défi de l'ordre global, ou subir les vicissitudes du régime de l'économie migrante.

— Il n'existe pas un mauvais nationalisme canadien et un bon affirmationnisme québécois. C'est pour des raisons empiriques que l'on peut parler du premier négativement et du second positivement, en autant que son postulat ne soit pas celui de l'obsession souverainiste.

Le nationalisme canadien, tel qu'il est maintenant défendu, a rompu avec ce qui constituait la substance historique de l'État canadien : la diversité. Il a mué en une espèce d'idéologie unitaire qui non seulement justifie un système de régulation désuet, mais empêche le renouvellement des grands arrangements sur lesquels est fondé le Canada. Le nationalisme canadien, enchâssé dans la Constitution de 1982, marque une nouvelle étape dans l'étatisation d'un pays, ce qui est immanquablement néfaste. Comme si l'on ne croyait plus en la possibilité d'un pays sans corset...

La démarche québécoise a connu un processus contraire. Au lieu de s'enliser dans un nationalisme sans horizon, elle a mué en un affirmationnisme dont les ambitions et les fondements sont étroitement arrimés à l'évolution interne et externe de la province. Cette mutation pragmatique peut bien être dénoncée par les néo-patriotes qui n'ont de cesse de réclamer la création d'une État francophone indépendant. Elle n'en demeure pas moins conforme aux aspirations de la majorité des Québécois qui n'a d'envie que pour un seul projet : celui d'une nouvelle révolution tranquille. Toute dérive vers l'indépendantisme ou le souverainisme exacerbé, d'un côté, et toute tentation de s'en tenir à l'état actuel des choses, de l'autre, sont rejetées par la masse. Le référendum d'octobre 1995 a été la preuve convaincante de cette position mitoyenne, incarnation de la sagesse populaire. On aurait tort en effet d'interpréter les résultats de cette consultation générale dans une perspective de liesse souverainiste. La quasi-victoire des forces du « oui », sur le plan de la répartition des votes exprimés, commande une analyse plus perspicace, compte tenu qu'une part significative du soutien à la « coalition pour le changement » s'explique sur la base d'une présomption de partenariat avec le Canada. De manière générale, les Québécois continuent largement d'envisager l'avenir suivant les termes de cet énoncé canonique de leur identitaire binational : « Un Québec fort dans un Canada uni. » C'est ce que le gouvernement formé et dirigé par Lucien Bouchard semble avoir compris. D'où son approche largement pragmatique : une approche menée sous les auspices d'un affirmationnisme tranquille, suite sans doute logique — et symboliquement mobilisatrice — de la révolution tranquille.

— Contrairement à ce que prétendent plusieurs idéologues du fédéralisme recentré, la redéfinition du Canada à partir de ses bases régionales n'entraînerait pas une perte fatale d'allégeance des Canadiens envers le Canada. On assisterait plutôt à l'apparition ou au renforcement d'une double allégeance, l'une envers la région, l'autre envers le pays[9]. Cette double allégeance, qui ne serait pas du tout vécue sur le mode de la contradiction ou de l'ambiguïté, irait précisément dans le sens de l'intérêt mixte et de la double identification qu'ont toujours manifestés et éprouvés les Canadiens, y compris les Québécois, envers la politique provinciale et fédérale, d'une part, et pour leur territoire immédiat et leur pays, d'autre part.

Force est d'ailleurs d'admettre que cette double allégeance est l'une des particularités le plus caractéristique de l'esprit, de la philosophie et de la pratique politiques des Québécois, y compris les francophones. Nombre d'observateurs se sont mépris sur l'identité québécoise en voulant la réduire à sa dimension la plus expressive : française et nationalitaire, c'est-à-dire attachée et rattachée à la terre et au peuple du Québec. Cette identité est plutôt plurielle et mouvante, composite et instable, kaléidoscopique et fuyante, folklorique et cosmopolite, locale et internationale, éternelle et infidèle. Ainsi que Jacques Godbout l'a écrit dans un roman bien connu, elle a toujours eu plusieurs têtes. Elle est faite d'histoire inextricablement liée avec l'*Autre*, de mémoire d'*Ailleurs*, d'émotions mêlées, d'affections secrètes et d'attachement inavoué envers l'*Autre*. Cet *Autre*, miroir négatif de *Soi* autant que figure projetée de *Soi*.

Il est naïf de croire que le sentiment d'appartenance à un pays découle logiquement, voire automatiquement, du rapport contractuel, institué, liant des sujets à un État. Le fait de vivre dans un État et d'y bénéficier du statut de citoyen détenant des droits formels n'implique pas que l'on considère ce territoire de résidence comme son pays. De même, la création d'un nouvel État n'est pas la garantie que les citoyens tombant sous ses compétences lui offrent leur cœur en exclusivité. Les « migrations civiques » sont bien plus communes et beaucoup plus fréquentes que les « migrations patriotiques » ou « poétiques ».

Le Canada existe à la fois comme État et comme pays, y compris pour les Québécois francophones, et ce bien au-delà de sa forme instituée. Le Canada est à la fois un État réel, et un pays réel et fictif. Cette composante fictive est une dimension fondamentale, peut-être déterminante de son histoire, de son actualité et de son devenir. L'erreur, commise par les « débatteurs » braqués, est de croire que l'entité canadienne ne se réduit qu'à sa seule composante institutionnelle, qui est en quelque sorte sa matière physique et sa substance spirituelle. Puisque, selon eux, le gouvernement fédéral est le corps et l'esprit du pays, le Canada ne peut survivre à la modification de sa forme politique actuelle, qui est gage de sa pérennité. En termes clairs, si le régime meurt, le pays meurt aussi.

Or, l'État canadien a bel et bien mis au monde ses enfants qui se sont installés dans la maison, l'ont tranquillement apprivoisée, l'ont inondée de leurs larmes et illuminée de leurs espoirs, s'y sont querellés et rebellés, en ont claqué les portes, s'y sont réfugiés à nouveau, l'ont meublée de leurs projets et remplie de leur imaginaire. Que la maison soit rénovée au point de n'être plus reconnaissable, elle sera toujours un lieu de mémoire pour ses occupants. Une mémoire marquée de souvenirs tristes et heureux, bourrée d'images grandioses et affreuses, faite de situations tragiques et comiques, gorgée de sons mélodieux et discordants, saturée de paroles méprisantes et rassurantes, farcie de moments dramatiques et idylliques. Cette mémoire sera active tant qu'existera le pays réel. Et ne mourra pas tant que durera le pays fictif.

En 1996, le Canada n'est pas qu'un amalgame d'institutions et de programmes sociaux dans lesquels se résume et s'épuise l'identité canadienne. Quant au Canadien, il existe hors de son statut de citoyen et hors des droits qui lui sont garantis par la Charte de 1982. Le Canada est bel et bien un pays, et l'identité canadienne, une fidélité et une fierté réelles qu'ont dans la peau la très grande majorité des personnes habitant ce territoire, même si leurs identifications débordent largement cette *memoria*. Seuls les nationalistes canadiens impénitents et les indépendantistes purs et durs semblent ne pas avoir compris que le pancanadianisme, comme idéologie, philosophie et vision d'avenir, ne peut être que la conscience historique malheureuse du Canada au même titre que l'indépendantisme ne peut être que la conscience historique malheureuse des Franco-Québécois.

Lancée en 1867, la célèbre formule de Georges-Étienne Cartier selon laquelle « le Canada étant fait, restait à faire les Canadiens » pourrait être inversée sans crainte que ne se dissolve l'entité et sans avoir à jeter le bébé avec l'eau du bain. À n'en pas douter, les Canadiens étant faits — même tricotés sur un mode clairsemé —, le Canada pourrait être refait. Peut-être à l'aune d'une devise plus emballante du genre : « Chemins divers, visée commune. »

NOTES

Introduction

1. À ce sujet, voir *Detraditionalization. Critical Reflections on Authority and Identity*, sous la dir. de Paul Heelas, de Scott Lash, et de Paul Morris, Oxford, Blackwell, 1996.

Chapitre 1 • Panorama de l'économie migrante

1. Nation évidemment entendue au sens d'État ou de pays constitué en État-nation. Sauf indication contraire, c'est de cette manière que nous envisagerons aussi les choses dans cet essai. Nous justifierons plus loin notre position.

2. À noter que l'idée de nomadisme n'implique pas qu'une entreprise dont les relations avec sa base nationale originelle sont faibles, n'a pas d'« identité nationale » ou n'utilise pas la carte d'une certaine « identification nationale », ou de plusieurs, pour mieux se positionner au sein des rapports internationaux de concurrence. L'avantage du « pays d'origine » est stratégiquement utilisé par les firmes pour se ménager des privilèges concurrentiels auprès de bassins de consommateurs ou de gouvernements réputés « partenaires naturels ». Bien que cela soit effectivement le cas pour certaines d'entre elles et parmi les plus importantes au monde, les entreprises ne sont généralement pas devenues apatrides. Mentionnons pour terminer que la question de la « nationalité » des firmes est différente de celle qui veut qu'en s'internationalisant, les entreprises perdent leur *ethos* et leurs caractères d'origine. En fait, c'est le contraire qui semble survenir. Il est en effet ardu de pratiquer la « globalisation » jusque dans le mode de gestion de la firme, dans la composition de la haute direction, etc.

3. Diminuer ne signifie pas éliminer. Nombre de firmes continuent en effet de choisir leur localisation en fonction de la disponibilité sur place de diverses ressources, qu'elles évaluent certainement selon le principe des avantages comparatifs. Cela dit, dans une économie de plus en plus centrée sur la production, l'échange et le traitement de biens intangibles, les dynamismes traditionnels à l'origine de la localisation des entreprises connaissent d'importants changements. Les mesures de déréglementation du commerce international,

le décloisonnement des marchés nationaux et l'évolution erratique des monnaies les unes par rapport aux autres — contre laquelle les firmes tentent de se protéger — jouent un rôle non négligeable dans la recherche par les entreprises de lieux stratégiques d'implantation. La réduction de la distance économique entre les pays et la capacité d'intégration mondiale des activités de production rendue possible par l'utilisation de systèmes informatiques sophistiqués, ajoutent également à la capacité des firmes de se mouvoir dans l'espace et d'instaurer des stratégies de localisation qui échappent aux précédents déterminismes géographiques.

4. Michel Beaud, *Le Système national-mondial hiérarchisé*, Paris, La Découverte, 1987; Deanne Julius, *Liberalization, Foreign Investment and Economic Growth*, Londres, Shell Selected Papers, 1993.

5. Cela dit, l'Afrique reste, en comparaison d'autres continents, largement en marge du système économique instauré par les nouveaux circuits capitalistes. La désintégration des institutions, et plus généralement de la société civile dans de nombreux États, provoque l'évasion des capitaux et des cerveaux au bénéfice des autres parties du monde. L'Afrique (sauf cas d'exception comme l'Afrique du Sud) est de plus en plus laissée à elle-même, l'écho que l'on donne à l'expansion apparente du sida et à la recrudescence des guérillas interethniques sur ce territoire ne faisant que renforcer, dans l'imaginaire occidental, l'idée d'un continent « léprosé » et moribond.

6. Robert Salais et Michael Storper, *Les Mondes de production. Enquête sur l'identité économique de la France*, Paris, Éditions de l'ÉHÉSS, 1993.

7. À noter que contrairement à ce qui prévalait à l'ère du fordisme, les petites entreprises disposent d'atouts qui ne sont pas négligeables par rapport aux grands groupes industriels pour s'installer avantageusement dans la concurrence internationale. Ces atouts résident dans leur réaction rapide à l'évolution des marchés qui se configurent maintenant sous la forme de créneaux spécifiques, dans leur capacité à éviter certaines forces d'inertie propres aux grandes organisations et dans leur capacité aussi à gérer et à faire circuler de la manière la plus efficace l'information à l'intérieur de leurs structures. Ce dernier avantage leur est imparti par le fait qu'elles peuvent tirer profit de la malléabilité des microsystèmes informatiques pour accélérer la transmission des données entre des intervenants responsables dont les rapports avec les grands décideurs ne sont pas médiatisés par une intendance intermédiaire. À ce sujet, voir « The Fall of Big Business », *The Economist*, 17 avril 1993, p. 13-14.

8. Robert Salais et Michael Storper, *op. cit.*, p. 10.

9. Au Canada, le processus d'intégration des marchés de consommation a été facilité par l'ALÉNA. À ce sujet, voir « Invasion of the Retail Snatchers », *Business Week*, 9 mai 1994, p. 72-73. Voir aussi James W. Simmons, « The Canadian Market and Activities Oriented to Consumers », dans *Canada and the Global Economy. The Geography of Structural and Technological Change*, sous la dir. de John N. H. Britton, Montréal/Kingston, McGill/Queen's University Press, 1996, p. 316-334.

10. Idée empruntée à Henri Bourguinat, *La Tyrannie des marchés. Essai sur l'économie virtuelle,* Paris, Economica, 1995, p. 119.

11. L'ouvrage phare en ce qui a trait à la théorisation et à la description du régime fordiste reste celui de Michel Aglietta, *Régulation et crises du capitalisme. L'expérience des États-Unis,* Paris, Calmann-Lévy, 1976.

12. Pour une analyse du développement économique du Canada dans la période de l'après-guerre à partir de la problématique du fordisme, voir Jane Jenson, « Different but not Exceptional : Canada's Permeable Fordism », *Revue canadienne de sociologie et d'anthropologie,* 26, 1 (1989), p. 69-94, François Houle, « La crise et la place du Canada dans la nouvelle division internationale du travail », dans *Le Canada et la nouvelle division internationale du travail,* sous la dir. de Duncan Cameron et de F. Houle, Ottawa, Éditions de l'Université d'Ottawa, 1985, p. 79-102 ; et plusieurs contributions à l'ouvrage intitulé *Politique et régulation. Modèle de développement et trajectoire canadienne,* sous la dir. de Gérard Boismenu et de Daniel Drache, Montréal/Paris, Méridien/ L'Harmattan, 1990.

13. Alan M. Rugman et Joe R. D'Cruz, « Théorie des réseaux d'entreprises », *Multinationales en Amérique du Nord,* sous la dir. de Lorraine Eden, Calgary, University of Calgary Press, 1994, p. 119-134.

14. Voir à ce sujet « 21st Century Capitalism. How Nations and Industries Will Compete in the Emerging Global Economy », *Business Week (Special 1994 Bonus Issue),* décembre 1994. À noter que les notions de « centre » et de « périphérie », ainsi que leurs dérivés, sont employées ici sous réserve de nos remarques précédentes. D'où l'emploi de guillemets.

15. Nous parlons de « norme sociale de consommation » dans le sens attribué à cette notion par M. Aglietta, *op. cit.,* chap. 3.

16. Voir en particulier l'ouvrage de Michael J. Piore et de Charles Sabel, *The Second Industrial Divide,* New York, Basic Books, 1984.

17. Robert Rochefort, *La Société des consommateurs,* Paris, Odile Jacob, 1995.

18. Ces marchandises étaient l'automobile, l'ensemble des biens d'équipement ménager et le logement unifamilial. À ce sujet, voir André Granou, *Capitalisme et mode de vie,* Paris, Cerf, 1974.

19. Que l'on se souvienne à cet égard des investissements entraînés par la construction des chemins de fer, des canaux et des réseaux routiers, et des infrastructures dont avaient besoin les usines automobiles et les acieries. De telles dépenses ne sont pas entraînées par la production ou par la mise en service des biens centraux du régime d'existence qui est en train de s'imposer en Amérique du Nord et en Europe de l'Ouest. En fait, les budgets les plus importants sont dorénavant impartis aux activités de recherche et de développement, d'une part, et à la pratique du marketing analytique, d'autre part. Sur les rapports entre les âges technologiques et les types de croissance qui s'ensuivent, voir Edward J. Nell, *Transformational Growth and Effective Demand,* New York, MacMillan, 1992.

20. Il va de soi que nous endossons la thèse selon laquelle il n'est plus possible

de recourir à la distinction traditionnelle manufacture/service pour décrire l'évolution du système productif. En fait, non seulement ces deux grands secteurs économiques sont de plus en plus intégrés de manière dynamique, mais quantité de « biens » actuellement consommés par les individus et les ménages consistent en des services.

21. La part des services dans les achats totaux des entreprises, petites ou grandes, est également en hausse. Ces services consistent en des compétences que l'on se procure, en des informations auxquelles on veut accéder, en de l'ingénierie communicationnelle et organisationnelle que l'on veut détenir, etc. Il s'agit là de facteurs déterminants dans la joute concurrentielle que se livrent les entreprises postfordistes dont les quatre moteurs de croissance et de compétitivité sont la qualité, la flexibilité, la rapidité d'exécution et l'information. À ce sujet, voir « Between Two Worlds. A Survey of Manufacturing Technology », *The Economist,* 5 mars 1994. Voir aussi « The Craze of Consultants », *Business Week,* 25 juillet 1994, p. 60-66.

22. C'est un problème sans fin que d'essayer de déterminer qui du producteur ou du consommateur a le dernier mot sur la détermination des biens fabriqués et mis en marché. À l'heure actuelle, il est évident que la complexité des enquêtes de consommation et des tests de motivation, d'une part, et que la flexibilité des processus productifs, d'autre part, servent les intérêts des producteurs autant que ceux des consommateurs. Les consommations sur mesure ou personnalisées peuvent bien être interprétées comme autant de variations sur un même thème, elles n'en sont pas moins perçues, par tout un chacun, comme des moyens de se distinguer. « On est tous égo », tel est le slogan (emprunté à une campagne publicitaire des boutiques de vêtements *Le Château*) qui résume peut-être le mieux le statut du consommateur dans l'univers de la production flexible.

23. « The individual, the tiniest market ever », « Database Marketing », *Business Week,* 5 septembre 1994, p. 56 et suiv.

24. À ce sujet, voir Francis Pavé, « Les NTIC (nouvelles technologies de l'information et de la communication) et l'organisation des entreprises », dans *Le Paradigme informatique. Technologie et évolutions sociales,* sous la dir. de Christopher Freeman et de Henri Madras, Paris, Descartes & Cie, 1995, p. 77-99.

25. Pour les « gagnants » du système en émergence, l'élection du domicile comme lieu principal ou secondaire d'exercice de leurs activités ne renvoie nullement à un quelconque procès de réinvestissement ou de revalorisation de la sphère privée. Il traduit plutôt la soumission plus grande encore de celle-ci aux normes et aux valeurs en vigueur dans la sphère économique. Plus le logement est pourvu des marchandises centrales associées au style de vie de la « société informationnelle », plus ses propriétaires ont l'impression d'être en avance sur les « autres » et d'offrir aux leurs tout ce qu'il faut pour « performer » dans un monde exigeant et global, et ainsi être heureux. À vrai dire, le « surbranchement » fait des logements ainsi connectés de simples appendices de la sphère économique et les transforme en une myriade de microespaces de production

et de consommation relativement indépendants les uns des autres et réagrégés en une unité signifiante grâce à une méga-opération technique où la fibre optique tient le rôle de câble magique. Dans le logement *high-tech* (qui n'est pas la norme, rappelons-le), l'interaction entre les personnes passe par la machine et se situe sur des plans de convergence médiatisés par des constellations d'images virtuelles et de flux extérieurs. L'articulation du local et du mondial est ainsi possible, 24 heures par jour, 7 jours par semaine. Vivre en simultanéités, gérer ses impondérables et sa complexité, tel est le défi des « gagnants » à l'horizon de l'an 2000.

Chapitre 2 • « Migrants » et « enracinés » : les nouvelles catégories sociales

1. Il faudrait néanmoins préciser que beaucoup de petites et moyennes entreprises qui ne versent pas du côté de l'exportation sont malgré tout partie prenante de réseaux productifs dominés par de grandes firmes transnationalisées. D'autres ont émergé dans le sillage des nouvelles formes de gestion du travail et de la production pratiquées par les grandes entreprises privées ou publiques, soit la délégation « externe » des tâches et la sous-traitance. Les PME appartenant à ces deux dernières catégories dépendent finalement de la croissance des grands groupes industriels et de leurs stratégies d'expansion. Or, celles-ci sont largement conditionnées par l'évolution des marchés mondiaux. Il existe évidemment des PME qui, produisant des biens ou des services voués à la consommation finale, desservent des marchés locaux. Elles ont particulièrement intérêt à ce que les conditions économiques prévalant dans leur environnement immédiat soient favorables.

2. *Peddling Prosperity. Economic Sense and Non-Sense in the Age of Diminished Expectations*, New York/Londres, Norton, 1994, chap. 10.

3. La thèse de Krugman, fortement inspirée par le cas américain, souffre d'une vision de l'économie qui évolue en circuit fermé. Il ne tient pas suffisamment compte de l'importance acquise, dans le nouveau régime économique, par le capital migrant et volant. Krugman semble aussi ignorer le mode d'arrimage des entreprises « enracinées » aux grands groupes transnationalisés. De manière générale, il minimise les effets de l'économie mondiale et de l'intégration des marchés sur l'évolution interne des pays, sur leur croissance relative et sur les problèmes spécifiques qu'ils connaissent.

4. Le lecteur comprendra que nous distinguons ici le phénomène de la migration internationale, qui est une constante de l'histoire (et notamment de l'histoire de l'Amérique du Nord), de ce que nous appelons la transnationalisation des flux de travail. Celle-ci renvoie à la mise en circulation réelle ou virtuelle du travail dans un espace mondial et ce, dans l'optique des conditions posées par le procès de globalisation du capital industriel.

5. L'idée n'est pas de prétendre que toute la force de travail est « mise en orbite » autour du capital migrant. Bien que la tendance soit croissante, la plus grande partie de la main-d'œuvre n'est pas encore directement touchée par la restructuration des marchés du travail découlant de la mondialisation économique.

Dépendamment des zones, une portion plus ou moins grande de travailleurs est affectée par cette donne. La main-d'œuvre restante subit pour sa part, dans la conjoncture actuelle, les effets de la déprime économique générale qui caractérise les États occidentaux. Ce marasme a plusieurs causes dont certaines sont liées aux enchaînements vicieux engendrés, à l'intérieur des espaces nationaux, par le régime de l'économie migrante et par le système du capital qui prévaut maintenant. Par effet de cascade et de propagation, les restructurations qui touchent les marchés du travail déjà soumis aux ballottements de la transnationalisation enveniment également les marchés qui ne le sont pas. Dans l'ensemble — c'est du moins notre hypothèse — les formes de la stratification sociale qui émergent présentement dans les États d'Amérique du Nord et d'Europe de l'Ouest prennent leur sens par rapport aux procès de globalisation économique et sociale qu'entraîne le régime de l'économie migrante.

6. À noter que la dualisation dont nous parlons n'empêche pas que se manifestent concurremment d'autres phénomènes de hiérarchisation, de stratification et de polarisation économique et sociale qui traversent chacun des mondes vécus.

7. « The Rise of the Overclass », *Newsweek,* 31 juillet 1995.

8. Banque mondiale, *Rapport sur le développement dans le monde 1995* (Le monde du travail dans une économie sans frontières), Washington D.C., Banque mondiale, chap. 10.

9. *Controlling Immigration. A Global Perspective,* sous la dir. de Wayne A. Cornelius, de Philip L. Martin et de James F. Hollifield, Stanford, Stanford University Press, 1994.

10. Cette situation est particulièrement répandue aux États-Unis ainsi que, dans une moindre mesure, en Italie où l'« économie informelle » constitue l'une des épines dorsales du régime d'accumulation prévalant dans ce pays. Au Canada, l'entrée de travailleurs illégaux qui trouvent à s'employer dans les secteurs marginaux ou informels de l'économie est un phénomène moins important, bien que difficilement quantifiable. Il semble que les États-Unis restent, de loin, la « terre d'asile » la plus attrayante en Amérique. De manière générale, la présence de travailleurs migrants au Canada, qu'ils soient légaux ou illégaux, s'articule à la problématique d'ensemble du marché du travail au pays, celui-ci étant marqué par des formes de bipolarisation plus grandes qu'avant.

11. Saskia Sassen, *The Global City : New York, London, Tokyo,* Princeton, Princeton University Press, 1991 ; id, *Cities in a World Economy,* Thousand Oaks (CA), Pine Forge Press, 1994 ; *Dual City. Restructuring New York,* sous la dir. de J. H. Mollenkopf et de M. Castells, New York, Russell Sage Foundation, 1991 ; R. Ross et K. Trachte, « Global Cities and Global Classes : The Peripheralization of Labor in New York City », *Review,* VI, 3 (1993), p. 393-431.

12. Donald J. Savoie, « Mondialisation et gestion politique », Ottawa, Centre canadien de gestion, 1993.

13. À ce sujet, voir « Y a-t-il des exclus? L'exclusion en débat », édition spéciale de *RIAC-Lien social et Politiques*, 34 (automne 1995).

14. Comme en témoignent les discussions qui ont cours dans le cadre des forums internationaux, lesquelles font ressortir la persistance des identités nationalitaires. À ce sujet, voir Martin Shaw, « Global Society and Global Responsability : The Theoretical, Historical and Political Limits of "International Society" », *Millenium. Journal of International Studies*, 21, 3 (hiver 1992), p. 421-435.

15. Michel Forsé et Simon Langlois, « Comparative Structural Analysis of Social Change in France and in Quebec », dans *Convergence or Divergence? Comparing Recent Social Trends in Industrial Societies*, Montréal & Kingston/Francfort, McGill/Queen's University Press/Campus Verlag, 1994, chap. 10.

16. Pour une argumentation intéressante en ce sens et qui insiste sur les lacunes des catégories sociologiques et des données statistiques qui prennent en compte les formes nouvelles d'inégalités perçues et vécues par les ménages et les individus dans la société actuelle, voir Jean-Paul Fitoussi et Pierre Rosanvallon, *Le Nouvel Âge des inégalités*, Paris, Seuil, 1996, chap. 2.

17. Comme nous les concevons, ces processus migrateurs renvoient à la mouvance réelle ou virtuelle des personnes, c'est-à-dire à leur intégration dans un espacetemps de circulation qui les distingue de ceux qui n'y sont pas intégrés.

18. Stephen Schecter, « De la stratification sociale dans la société postmoderne », *Société* (Québec), n° 11 (été 1993), p. 88.

19. Passage tiré de Robert Castel, *Les Métamorphoses de la question sociale. Une chronique du salariat*, Paris, Fayard, 1995, p. 467.

20. On sait qu'en 1995, le taux d'épargne a atteint au Canada un plancher depuis la fin de la guerre. Les prévisions laissent entendre que cette chute se poursuivra d'ici l'an 2000. Le vieillissement de la population compte évidemment comme l'un des facteurs explicatifs du phénomène. Il semble également que les ménages aient cherché à maintenir leur niveau de vie en puisant dans leurs épargnes et en axant leurs stratégies de dépenses en fonction de préoccupations à court terme, se gardant ainsi de mettre de l'argent de côté pour l'avenir. À ce sujet, voir Sylvie Riopel, « Que nous réserve l'an 2000? », *En perspective* (Mouvement Desjardins, Montréal), 6, 5 (mai 1996), p. 3-4.

21. À l'heure actuelle, selon le Bureau international du travail, environ 30 % de la force de travail mondiale, soit 820 millions de personnes, est en chômage ou sous-utilisée. En 1994, dans les pays de l'OCDE, c'est près de 50 millions de personnes qui n'avaient pas d'emploi (qu'elles en cherchent un ou qu'elles aient renoncé à en chercher un) ou qui avaient accepté un emploi à temps partiel alors qu'elles souhaitaient travailler à temps plein. À ce sujet, voir Institut français des relations internationales, *Ramses 95. Synthèse annuelle de l'actualité mondiale*, Paris, Dunod, 1994, p. 193-229.

22. Au Canada, entre 1967 et 1993, la proportion des familles — excluant les familles monoparentales — ne dépendant que du salaire de la femme est passée de 2 % à 20 %. Mentionnons par ailleurs que dans près de un million de

familles au pays, la femme gagne plus que l'homme. Voir à ce sujet Susan Crampton et Leslie Geran, « Les femmes comme principal soutien de famille », *L'Emploi et le revenu en perspective*, 7, 4 (hiver 1995), p. 28-32, n° 75-001F au catalogue.

23. Harvey Krahn, « Accroissement des régimes de travail atypiques », *L'Emploi et le revenu en perspectives*, 7, 4 (hiver 1995), p. 42, n° 75-001F au catalogue.

24. *L'Allongement de la jeunesse*, sous la dir. d'Alessandro Cavalli et de Olivier Galland, Poitiers, Actes sud/Observatoire du changement social en Europe occidentale, 1993.

25. Une étude faisant état de l'expansion prise par l'économie parallèle au Canada depuis le début des années 1990 l'estimait à environ 4,3 % du PIB, soit 30 milliards de dollars. Voir Philip Smith, « Évaluation de la dimension de l'économie souterraine : le point de vue de Statistique Canada », *L'Observateur économique canadien*, 7, 5 (mai 1994), p. 3. 16-3. 31, n° 11-010 au catalogue. Pour une évaluation plus exhaustive des différentes composantes de l'économie informelle, voir *La Dimension de l'économie souterraine au Canada, 1992. Études de comptabilité nationale*, Ottawa, Statistique Canada, n° 13-603F au catalogue, hors série. Voir enfin Bernard Fortin *et al.*, *L'Économie souterraine au Québec. Mythes et réalités*, Sainte-Foy, PUL, 1996.

26. Cette réalité ne devrait pas surprendre. L'« espace d'appartenance » n'exprime pas un lieu naturel d'évolution ou d'incorporation de l'être. Il coïncide avec l'inscription et la représentation de pratiques sociales concrètes d'acteurs électifs, et traduit la configuration de pouvoirs en exercice. À ce sujet, voir *Mapping the Futures. Local Cultures, Global Changes*, sous la dir. de Jon Bird *et al.*, Londres, Routledge, 1993.

27. « Beyond International Society », édition spéciale de *Millenium. Journal of International Studies*, 21, 3 (hiver 1992), particulièrement les articles de M. J. Peterson et de Ronnie D. Lipschutz.

28. Alberto Melucci, *The Nomads of the Present. Social Movements and Individual Needs in Contemporary Societies*, Philadelphie, Temple University Press, 1989 ; *Global Culture. Nationalism, Globalization and Modernity*, sous la dir. de Mike Featherstone, Londres, Sage, 1990 ; R. B. J. Walker, « Social Movements/ World Politics », *Millenium. Journal of International Studies*, 23, 3 (1994), p. 669-700.

29. Warren Magnusson, « Social Movements and the Global City », *Millenium. Journal of International Studies*, 23, 3 (1994), p. 621-645.

30. Karl-Otto Hondrich et Theodore Caplow, « Conflicts and Conflict Regulation », dans *Convergence or Divergence ? Comparing Recent Social Trends in Industrial Societies, op. cit.*, chap. 8.

31. Formule empruntée à Manuel Castells, « Les flux, les réseaux et les identités : où sont les sujets dans la société informationnelle ? », dans *Penser le sujet. Autour d'Alain Touraine*, sous la dir. de François Dubet et de Michel Wieviorka, Paris, Fayard, 1995, p. 344.

32. Stephen Schecter, *loc. cit.*

33. Pour un exemple convaincant, réussi et relevé d'un brin d'humour de cette

mise en scène de soi, voir Herménégilde Chiasson, « Trente identités sur un nombre illimité », dans *La Question identitaire au Canada francophone : récits, parcours, enjeux, hors-lieux*, sous la dir. de J. Létourneau, avec la collab. de Roger Bernard, Sainte-Foy, PUL, 1994, p. 267-289.

Chapitre 3 • *Régulation étatique et citoyennetés vécues*

1. Les contraintes posées par la mondialisation des marchés, d'une part, et le spectre de la dette publique, d'autre part, constituent en cette fin de siècle les deux axes de l'idéologie qui est la plus véhiculée au sein de l'espace public. Depuis la chute des communismes, cette idéologie a remplacé, dans l'imaginaire occidental, la figure du « Malin » jusque-là incarnée par le péril rouge. L'*Autre* change de propriété : il est désormais de nature économique bien plus que politique.

2. Pour une explication de cette position, dont nous reprenons ici intégralement des passages, voir Véronique Dassas, Thierry Hentsch, André Cadotte, Ivan Maffezzini et Nicole Morf, « La nation, archaïque et actuelle », *Conjonctures*, n° 16 (été 1992). C'est à la lumière de cette problématique de la nation que nous envisagerons, plus tard dans cet essai, la question du « nationalisme » québécois que nous dénommons plutôt « affirmationnisme ».

3. C'est le propre de l'époque actuelle que de coïncider avec l'établissement d'alliances stratégiques ponctuelles entre les États et les entreprises, l'un et l'autre « acteur » cherchant, grâce à cette collaboration, à s'arroger des parts toujours plus grandes du marché mondial. Il est important de noter que ces alliances ne reposent pas nécessairement sur le principe d'une « parenté nationale » entre l'entreprise et l'État, mais sur celui d'une coalition opportune d'intérêts convergents. On consultera à ce sujet « Sovereignty at Bay : An Agenda for the 1990's », édition spéciale de *Millenium. Journal of International Studies*, 20, 2 (été 1991).

4. Il faudrait relativiser cette affirmation à la lumière de l'importance grandissante que prennent les gouvernements supranationaux et les organismes internationaux dans l'administration des entités territoriales souveraines, le cas de la Communauté européenne étant à cet égard l'un des plus éloquents. Cela dit, les États, jaloux de leurs prérogatives, ne cèdent pas volontiers, de leur propre chef, les parcelles de leur pouvoir, fût-il formel plutôt que réel. À ce sujet, voir Shirly Williams, « Sovereignty and Accountability in the European Community », dans *The New European Community : Decision Making and Institutional Change*, sous la dir. de Robert O. Keohane et de Stanley Hoffman, Boulder (CO), Westview Press, 1991.

5. On pense ici en particulier au rôle prépondérant que jouent la Banque mondiale (BM), l'OMC (Organisation mondiale du commerce), le Fonds monétaire international (FMI) et l'Organisation pour le développement et la coopération économique (OCDE) dans la détermination ou l'orientation des politiques économiques et sociales à l'intérieur de pays réputés souverains. En fait, ces organismes supranationaux, quelle que soit la portée effective de leur

influence, suscitent voire provoquent largement la convergence des idées et des imaginaires qui marque présentement l'univers de la régulation publique.

6. Au cours des dernières années, la proportion de chômeurs de longue durée par rapport au nombre total de chômeurs n'a pas cessé de croître, notamment en Europe. Voir Godfried Engbersen, Kees Schuyt, Jaap Timmer et Frans Van Waarden, *Cultures of Unemployment: A Comparative Look at Long-Term Unemployment and Urban Poverty,* Boulder (CO)/Oxford, Westview Press, 1993. Au Canada, entre 1975 et 1982, sept personnes sur dix ayant été en chômage ont vécu cette situation plus d'une fois et, pour la moitié de ces derniers, elle s'est répétée au moins quatre fois. Voir G. Boismenu et A. Noël, « La restructuration de la protection sociale en Amérique du Nord et en Europe », *Cahiers de recherche sociologique,* n° 24 (1995), p. 51.

7. Et ce, sans compter le vieillissement de la population dans les pays du « Nord ». L'entretien des personnes âgées par le biais de transferts directs et de services, notamment de santé, entraîne une ponction grandissante sur les ressources publiques. On prévoit d'ailleurs que l'industrie de la santé et son marché de l'emploi resteront parmi les secteurs les plus dynamiques et les plus prospères dans les années à venir. À cet égard, on peut penser que les États-Unis, à cause des pressions se faisant sentir sur leur territoire (structure d'âge de la population, caractère concurrentiel de l'offre de services de santé, imaginaire du bien-être individuel) conserveront une avance sur les autres en ce qui a trait à la prestation de services de santé spécialisés. À ce sujet, voir Peter G. Peterson, « Will America Grow Up Before it Grows Old ? », *The Atlantic Monthly,* 277, 5 (mai 1996), p. 55-86.

8. Expression empruntée à Robert Castel, *Les Métamorphoses de la question sociale, op. cit.,* p. 423.

9. À ce sujet, voir Karen Maser, « Qui épargne pour la retraite ? », dans *L'Emploi et le revenu en perspective,* 7, 4 (hiver 1995), p. 15-21, n° 75-001F au catalogue; Hubert Frenken, « Les REÉR — possibilités inexploitées », dans *ibid,* p. 22-27. Mentionnons par ailleurs qu'à l'heure actuelle, au Canada, sur 100 hommes qui atteignent l'âge de 65 ans, 1 est riche, 8 sont financièrement à l'aise, 14 éprouvent une certaine gêne financière et doivent travailler, 24 sont décédés et 53 ont besoin d'aide financière. Chez les femmes, la situation est plus dramatique : 3 sont financièrement à l'aise ou riche, 11 doivent travailler, 4 sont décédées et 82 ont besoin d'aide financière. Corporation financière Mackenzie, *L'Investisseur REÉR,* 3, 1 (janvier-février 1994), p. 1.

10. Simon Langlois, « Inégalités et pauvreté : la fin d'un rêve ? », dans *Le Québec en jeu. Comprendre les grands défis,* sous la dir. de Gérard Daigle, avec la collab. de Guy Rocher, Montréal, PUM, 1992, p. 260.

11. Heinz-Herbert Noll et Simon Langlois, « Employment and Labour-Market Change : Toward Two Models of Growth », dans *Convergence or Divergence ? Comparing Recent Social Trends in Industrial Societies, op. cit.,* p. 103.

12. Si la demande de reconnaissance exprimée par la génération des 18-35 ans ne s'épuise pas dans la problématique du ressentiment, elle en est une com-

posante importante. À ce sujet, voir les études éclairantes publiées sous la dir. de Jacques Grand'Maison, *Vers un nouveau conflit de générations. Profils sociaux et religieux des 20-35 ans*, Montréal, Fides, 1992, et *Une génération de bouc émissaire. Enquête sur les baby-boomers*, Montréal, Fides, 1993.

13. Voir à cet égard les dispositions de l'Accord de libre-échange nord-américain (ALÉNA) portant sur la circulation des personnes et l'admission temporaire des gens d'affaires.

14. À nos yeux, la « culture Benetton » constitue l'un des paramètres d'une culture internationaliste qui est en train de s'affermir. Sa diffusion est notamment facilitée par les moyens modernes de communication. Par culture internationaliste, on entend cet ensemble de pratiques et de comportements, de codes de paraître et d'habitudes qui constituent autant d'attributs distinctifs d'une élite en voie de structuration. Le modèle existentiel de cette élite, diffusé par une pléiade de revues *in* allant des aéro-magazines aux journaux d'affaires en passant par les « revues-modes », définit l'horizon et nourrit l'imaginaire d'un nombre grandissant de personnes qui s'identifient à la culture haut de gamme et dont le sentiment d'appartenance évolue au gré des occasions d'investissement du capital financier, immobilier ou idéel à travers le monde — les idées sont en effet un capital symbolique dont la valeur se mesure désormais en terme d'aéro-miles obtenus grâce à la fréquence des invitations reçues pour prononcer des conférences à l'étranger !

L'éthique et l'esthétique de la « culture Benetton », comme on sait, s'incarnent dans un slogan bien de son temps : *United Colors of the World*. Oserions-nous rapprocher ce slogan, identification type de ceux qui à notre époque s'affichent comme acteurs internationalistes sans drapeaux (et que l'on pourrait nommer, en mémoire du regretté chanteur rock John Lennon qui promouvait noblement cette cause, les *lennonnistes*), de cet autre slogan qui a galvanisé bien des hommes et des femmes, *léninistes* avoués ou non, tout en justifiant des pouvoirs sournois : *United Workers of the World* ?

15. « Wired Democracy », *Time Magazine*, 23 janvier 1995, p. 41-46.

16. Une bonne partie de l'argumentation mise de l'avant par les « débatteurs » s'appuie sur cette fausse conscience militante qu'est le ressentiment, lequel se cache derrière une sophistique de l'équité et de la justice. En tant que moyen d'escroquer la considération sociale, le ressentiment transforme la « victime de l'abus des *autres* » en irresponsable congénital, ce qui le disculpe de toute faute et lui octroie cette prétention de s'afficher sur le marché des griefs à titre de demandeur impénitent. Or, nombreux sont les théoriciens qui ont démontré que les idéologies du ressentiment ne menaient qu'à la consécration des narcissismes collectifs, qu'à la substantialisation des différences, qu'à la privatisation des universaux civiques et qu'à la tribalisation axiologique. À ce sujet, voir Marc Angenot, *Les Idéologies du ressentiment*, Montréal, XYZ Éditeur, 1996.

17. Pour un exemple d'analyse en ces termes, voir John Myles et Les Teichroew, « The Politics of Dualism : Pension Policy in Canada », dans *States, Labor Markets and the Future of Old-Age Policy*, sous la dir. de J. Myles et de

J. Quadagno, Philadelphie, Temple University Press, 1991, p. 84-104 ; voir aussi Alain Noël, « Les politiques sociales et la polarisation des revenus », *Nouvelles Pratiques sociales*, 7, 1 (1994), p. 215-227.

18. Il serait d'ailleurs éclairant d'étudier en détail le système linguistique et la sémantique générale à travers lesquels est présenté ce scénario de restauration dont l'État se fait le grand timonier, et qui est apparemment fondé sur le postulat « irréprochable », quasi naturel, de la rationalité économique et de la raison instrumentale.

19. Robert Castel, *Les Métamorphoses de la question sociale, op. cit.*, p. 418 et suiv. Dans le cas du Canada, voir Jacques Beauchemin, Gilles Bourque et Jules Duchastel, « Du providentialisme au néolibéralisme : de Marsh à Axworthy. Un nouveau discours de légitimation de la régulation sociale », *Cahiers de recherche sociologique*, 24 (1995), p. 15-47.

20. Leslie A. Pal, « Sizing Up the State », dans *Un État réduit/A Down-Sized State ?*, sous la dir. de Robert Bernier et de James Iain Gow, Sillery/Montréal, PUQ/ÉNAP/PUM, 1994, p. 433-435.

21. Cela n'est d'ailleurs pas sans entraîner des joutes acerbes entre des techno-bureaucraties désireuses de s'emparer, par sous-ministres et ministres interposés, de champs de compétences, d'intervention ou de gestion concurrents.

22. Sur le concept d'espace civique comme catégorie opérationnelle d'étude des reconformations de la société civile en cette fin de siècle, voir « Spaces of Citizenship », édition spéciale de *Political Geography*, 14, 2 (février 1995). Pour une analyse empirique de la formation d'espaces civiques différenciés, voir Christopher McCall, « Les murs de la Cité : territoires d'exclusion et espaces de citoyenneté », *RIAC-Lien social et Politiques*, 34 (automne 1995), p. 81-92.

23. Au Québec, c'est ce dilemme que n'a pu trancher le comité Bouchard-Fortin chargé de scruter l'ensemble des programmes provinciaux de sécurité du revenu dans la perspective de leur réforme globale. D'où la publication de deux rapports proposant des orientations générales divergentes : *Chacun sa part*, de Camil Bouchard, de Alain Noël et de Vivian Labrie, et *Pour un régime équitable axé sur l'emploi*, de Pierre Fortin et de Francine Séguin.

24. À plus d'un titre, la réforme du programme d'assurance-chômage (maintenant appelé programme d'assurance-emploi) par le gouvernement fédéral est indicative de cette philosophie tranchée qui a suscité des réactions violentes de la part des catégories de travailleurs concernées. La restructuration du programme s'est faite à l'aune d'un principe d'économie très bien mis en lumière par Robert Castel : il est plus facile et plus réaliste d'intervenir sur les effets les plus visibles d'un dysfonctionnement social, écrit le sociologue, que de contrôler le processus qui l'enclenche, parce que la prise en charge de ces effets peut s'effectuer sur un mode *technique*, tandis que la maîtrise du processus exige un traitement *politique*. Voir R. Castel, « Les pièges de l'exclusion », dans *RIAC-Lien social et Politiques*, 34 (automne 1995), p. 17.

25. « Post-Industrialism and the Service Economy », dans *The New Era of Global Competition. State Policy and Market Power*, sous la dir. de Daniel Drache et

de Meric S. Gertler, Montréal/Kingston, McGill/Queen's University Press, 1991, p. 362.

26. *Citizenship and Social Class*, Cambridge, Cambridge University Press, 1950.

27. Voir le texte de François Fourquet portant ce titre dans *Production de l'assentiment dans les politiques publiques. Techniques, territoires et sociétés*, n° 24-25, Paris, ministère de l'Équipement, des Transports et du Tourisme, 1993.

28. *La Dynamique de l'Occident*, Paris, Calmann-Lévy, 1975, p. 292-293.

29. Formule empruntée de R. Castel, *Les Métamorphoses de la question sociale, op. cit.*, p. 449.

30. À ce sujet, voir Tzvetan Todorov, *La Vie commune. Essai d'anthropologie générale*, Paris, Seuil, 1995, p. 75.

31. Idée inspirée du roman d'Hélène Monette, *Unless*, Montréal, Boréal, 1995.

Chapitre 4 • Déphasages économiques et spatiaux

1. Fernand Martin, « L'impact régional de l'accord de libre-échange nord-américain (ALÉNA) selon le paradigme régional-international », Université de Montréal, Département des sciences économiques, septembre 1992 ; Fredric C. Mentz et Sarah H. Stevens, *Economic Opportunities in Freer U.S. Trade with Canada*, Albany, SUNY Press, 1991 ; Pierre-Paul Proulx, « Québec in North America : From a Borderlands to a Borderless Economy, *Québec Studies*, 16 (été-automne 1993), p. 23-37 ; Canada West Foundation, « On Track : Canada-U.S. Free Trade Agreement After Two Years », *Western Perspectives*, (février 1991) ; *Growth Policy in the Age of High Technology : The Role of Regions and States*, sous la dir. de Jurgen Schmandt et de Robert Wilson, Boston, Unwin Hyman, 1990 ; J. Raynauld, « Canadian Regional Cycles and the Propagation of U.S. Economic Conditions », *Canadian Journal of Regional Science*, 10 (1987), p. 77-89 ; T. J. Courchene, « Mon pays, c'est l'hiver », *Canadian Journal of Economics*, vol. 25 (1992), p. 759-789.

2. G. Lewis Code, « The Canadian Metropolis in the Global Economy : Toronto, Montréal and the Financial Services Industry », « Discussion Paper », n° 46, Toronto, York University, Department of Geography, 1996.

3. Bali Ram, Y. Edward Shin, Michel Pouliot, *Les Canadiens en mouvement*, série « Le Canada à l'étude », n° 96-309F au catalogue, Ottawa/Toronto, Statistique Canada/Prentice Hall, 1994.

4. Pierre-Paul Proulx, « La décentralisation : facteur de développement ou d'éclatement du Québec ? », *Cahiers de recherche sociologique*, n° 25 (1995), p. 155-180.

5. R. Hayter et T. J. Barnes, « Labour Market Segmentation, Flexibility and Recession : A British Columbian Case Study », *Enrivonment and Planning C : Government and Policy*, 10 (1992), p. 333-353. Voir aussi William J. Coffey et J. J. McRae, « Service Industries in Regional Development », Montréal, Institute for Research on Public Policy, 1989 ; M. E. Hepworth, « The Geography of Technological Change in the Information Economy », *Regional Studies*, 20 (1986), p. 407-424.

6. Cynthia Ghorra-Gobin, « Démétropolisation en Amérique du Nord ? Quelques observations », dans *Études canadiennes/Canadian Studies*, n° 29 (1990), p. 33.

7. A. J. Scott, « Industrialization and Urbanization : A Geographical Agenda », *Annals of the Association of American Geographers*, 76, 1 (1986), p. 25-37 ; Guy Vincent, « Une nouvelle centralité urbaine au Canada », thèse de doctorat, Université Laval, Département de géographie, 1992 ; Paul Villeneuve, « Les métropoles canadiennes : ambivalences postmodernes », *Études canadiennes/ Canadian Studies*, n° 29 (1990), p. 47-57.

8. Voir *North American Cities and the Global Economy*, sous la dir. de P. K. Kresl et de G. Gappert, Thousand Oaks (CA), Sage, 1995 ; Panayotis Soldatos, *Les Nouvelles Villes internationales. Profil et planification stratégique*, Aix-en-Provence, Serdeco, 1991.

9. William J. Coffey, « The Role and Location of Service Activities in the Canadian Space Economy », dans *Canada and the Global Economy, op. cit.*, p. 335-351 ; R. Keith Semple, « Quaternary Places in Canada », dans *ibid.*, p. 352-373.

10. On aurait tort de ne pas considérer l'importance de ce fait dans la répartition géographique du vote pour le « oui » ou pour le « non » lors du référendum de 1995 sur la souveraineté-partenariat. Précisons que toutes les régions périphériques ou semi-périphériques du Québec (Gaspésie-Côte-nord, Saguenay-Lac-Saint-Jean, Nord-Ouest, Mauricie-Bois-Francs, Laurentides, Lanaudière) ont appuyé la cause souverainiste. Bien que favorable, cet appui a été mitigé dans les régions de Québec et de Montérégie. En Estrie et dans la région de Chaudière-Appalaches, l'une et l'autre cause ont reçu un assentiment à peu près équivalent des votants. À l'opposé, les régions de Laval, de Montréal-Est et de Montréal-Ouest, où est concentrée la plus large portion de la population québécoise, ont dit non au projet de souveraineté-partenariat, à l'instar de ce qui est survenu en Outaouais.

11. M. A. Goldberg et John Mercer, *The Myth of the North American City*, Vancouver, UBC Press, 1986.

12. John Mercer, « The Canadian City in Continental Context : Global and Continental Perspectives on Canadian Urban Development », dans *Canadian Cities in Transition*, sous la dir. de Trudi H. Bunting et de Pierre Filion, Toronto, Oxford University Press, 1991, p. 63 et suiv.

13. À ce sujet, voir *Shock Waves. The Maritime Urban System in the New Economy*, sous la dir. de George J. Benedetti et de Rodolphe H. Lamarche, Moncton, Institut canadien de recherche sur le développement régional, 1994.

14. B. Planque, « Mutation économique et dynamique spatiale », texte polycopié, cité par Pierre-Paul Proulx, *loc. cit.*, p. 171.

15. Voir *Du local au planétaire. Réflexions et pratiques de femmes en développement régional*, sous la dir. de Denyse Côté *et al.*, Montréal, Les Éditions du remue-ménage, 1995 ; Tod Rutherford, « Socio-Spatial Restructuring of Canadian Labour Markets », dans *Canada and the Global Economy, op. cit.*, p. 407-432.

16. Benjamin Higgins, « Halifax, the Maritimes' Metropolis : A Fragile Equili-

brium », dans *Shock Waves. The Maritime Urban System in the New Economy,* *op. cit.,* chap. 7.

17. Garth Stevenson, « The Decline of Consociational Democracy in Canada », dans *Canadian Politics : Past, Present and Future,* St. Catherines (Ont.), Brock University, Department of Politics, 1992, p. 47-73 ; François Houle, « La pluralité des identités nationales et l'évolution du fédéralisme canadien », manuscrit, 1995.

18. Donald G. Lenihan, Gordon Robertson et Roger Tassé, *Canada : La voie médiane,* Montréal, Québec/Amérique, 1995, p. 69.

19. Gilles Paquet, « Penser la socialité au Québec », manuscrit, 1995.

20. À ce sujet, voir le passionnant débat publié autour du livre de Fernand Dumont (*Genèse de la société québécoise,* Montréal, Boréal, 1993) dans *Recherches sociographiques,* 36, 1 (1995), p. 77-120. Voir aussi Gilles Thérien, « *Memoria* et imaginaire dans la culture québécoise », dans *La Mémoire dans la culture,* sous la dir. de Jacques Mathieu, Québec, PUL, 1995, p. 331-340.

21. G. Lewis Code, « Toronto, Montréal and Processes of Metropolitan Dominance : Financial Services and the Canadian Urban System, 1871-1991 », thèse de doctorat, York University, Department of Geography, 1995.

22. Cet imaginaire, que l'on a crûment réactivé dans le préambule (*Déclaration de souveraineté*) du *Projet de loi sur l'avenir du Québec,* s'appuie sur trois balises : le sentiment d'un *Nous* bien défini, le souvenir de l'« humiliation de la Conquête » et la vision holiste et dualiste des forces sociales en présence au Canada, [soit] le Québec et le « Canada anglais ». Voir à ce sujet Max Nemni, « Le "dés"accord du lac Meech et la construction de l'imaginaire symbolique des Québécois », dans *Le Québec et la restructuration du Canada, 1980-1992,* sous la dir. de Louis Balthazar, de Guy Laforest et de Vincent Lemieux, Sillery, Septentrion, 1991, p. 167-197.

23. Nous nous entendons sur le fait qu'il existe une frange d'environ 40 % de la population, largement composée de Franco-Québécois, qui supporte carrément la souveraineté parce qu'ils sont favorables au projet ou parce qu'ils ont des craintes quant aux conséquences à long terme du fédéralisme sur le Québec. Il est plus difficile de cerner la position des autres partisans dont l'appui est lié à quantité de facteurs évolutifs. Chose certaine, il ne s'agit pas de souverainistes inébranlables. Au référendum d'octobre 1995, la présomption d'un partenariat avec le Canada, le manque de vision des forces du « non » et les bourdes commises par les ténors de cette option (Garcia, Beaudoin, Martin), le « vote stratégique pour forcer le changement constitutionnel », la lassitude envers « un débat qui n'en finit plus », les promesses de toutes sortes et le projet de bâtir une nouvelle société québécoise (voir la plaquette *Le Cœur à l'ouvrage,* Québec, 1995), ont largement influencé le vote d'environ 10 % de la population, notamment les jeunes, qui s'est ralliée au « camp du changement ». Le charisme personnel de Lucien Bouchard, personnage envisagé par plusieurs par le biais de l'allégorie du sauveur, a certainement produit un effet positif mais que l'on ne devrait pas surestimer (+ 2 % environ). Il faut en effet avouer

que l'« effet Bouchard » a largement reposé sur la crédibilité que le « négociateur en chef pressenti du Québec » a donné à l'idée de partenariat avec le Canada. Au point que l'on peut se demander si cet affirmationniste pourrait gagner la population québécoise à sa cause s'il ne la liait pas, encore plus solidement et explicitement que la dernière fois, à un projet de partenariat intégratif avec le Canada. Dernier point : malgré ce que l'on dira, il est clair que Lucien Bouchard, grâce à ses qualités de grand tribun politique, a injecté à la démarche référendaire et à ses suites un sens qu'elle n'avait pas eu en 1980 : celui de grand *happening*. Nombre de Québécois on en effet voté avec une certaine désinvolture en s'imaginant que le lendemain de la veille ne serait pas bien différent du jour « R » et qu'ils pourraient renouer, comme si de rien n'était, avec leur confort, leur indifférence ou leur routine. Pour plusieurs, voter « oui » signifiait tout simplement se donner la possibilité d'avoir deux pays (ou un pays ayant deux ancrages), façon de consacrer formellement la double allégeance qui marque leur identitaire. Sur toutes ces questions, voir les résultats du sondage Sondagem publiés dans *Le Devoir*, 11, 12 et 13 novembre 1995.

24. Qu'on en juge d'après les mémoires soumis devant les commissions itinérantes sur l'avenir du Québec. On sait par ailleurs que l'appui des jeunes âgés entre 18 et 24 ans n'était pas majoritairement sympathique à la cause souverainiste jusque tard dans la campagne référendaire (*La Presse,* 14 octobre 1995, p. B-9). En fait, le résultat du référendum, qui en a surpris plusieurs par rapport aux pronostics d'avant campagne, commande une lecture lucide des facteurs *conjoncturels* qui ont provoqué un engouement apparent pour la thèse du « oui ». Dans le cas des jeunes en particulier, il y aurait lieu de se demander ce qu'un « oui » signifiait vraiment à leurs yeux : l'endossement des thèses nationalistes ? la volonté idéaliste de fonder une nouvelle république utopique ? un pari jusqu'au-boutiste devant l'absence d'alternative ? Et quoi encore ?

25. Cette façon de voir est évidemment refusée par les souverainistes qui prétendent que la réticence du peuple découle d'un « manque de compréhension », d'une information insuffisante, d'une réserve excessive, etc. ; et qu'à force d'explications, d'astuces et de « conscientisation », les gens finiront bien par saisir le message. Dans l'imaginaire souverainiste, qui est fondé sur l'idée voulant que le rendez-vous avec l'histoire soit nécessairement pris un jour, il n'y a que des « nationalistes » : des « durs », des « mous » et des « inconscients ». Les autres ne sont tout simplement pas des Québécois !

26. Voir Jane Jenson, « Naming Nations. Making Nationalist Claims in Canadian Public Discourse », *Revue canadienne de sociologie et d'anthropologie,* 30, 3 (1993), p. 337-358.

27. À ce sujet, voir J. Létourneau, avec la collab. de A. Trépanier, « La na(rrac)tion du Québec. Réflexion sur la nation comme espace intermédiaire d'actions et de représentations », manuscrit, 1996.

28. Will Kymlicka, *Liberalism, Community and Culture,* Oxford, Clarendon Press, 1989.

29. Dans cette perspective, il est intéressant de prendre connaissance du contenu

des manuels d'histoire actuellement utilisés dans les écoles secondaires du Québec et de constater, contrairement à ce que certains affirment facilement, que les représentations collectives des Franco-Québécois ne sont pas fondées sur l'idée d'un rejet de l'*Autre,* y compris le Canada, mais sur celle d'une complicité avec l'*Autre-partenaire* dans la construction du futur. Si, jusque vers la fin des années 1960, le récit des manuels tendait à être centré sur le « chromo » de marge (le Canadien français mis en marge par l'*Autre* mais vivant cette marginalité sur le mode de l'accomplissement positif de *Soi* comme témoignage de sa reconnaissance envers la providence), la situation change par la suite. La nouvelle « génération » de manuels propose en effet une version de l'histoire québécoise qui est décisivement marquée par l'idée de succès collectif. Ce succès se vérifie de trois manières : par une résistance obstinée et gagnante contre l'assimilation et la marginalisation orchestrée par l'*Autre*; par un enracinement et une affirmation victorieuse de *Soi* avec l'*Autre,* grâce à *Lui* ou malgré *Lui*; par la montée d'une majorité désireuse de vivre chez *Soi,* sans rejeter l'*Autre,* et de cesser ainsi son exil dans le territoire de son histoire. À ce sujet, voir J. Létourneau, « *Nous Autres les Québécois.* La voix des manuels d'histoire », *Internationale Schulbuchforschung,* 18 (1996), p. 11-30.

30. Certains rétorqueront qu'une telle interprétation ne fait que reprendre la perspective classique d'une sociologie des intérêts. Disons que nous cherchons avant tout à maintenir notre analyse à un niveau d'appréhension empirique de la réalité. Au lieu de poser le problème en des termes philosophiques ou idéalistes, nous envisageons l'affirmationnisme québécois dans le cadre des luttes de pouvoir que se livrent des groupes en compétition pour l'accès à des ressources rares et à du capital symbolique. Cette perspective n'est certainement pas très emballante pour des intellectuels désanchantés par l'hypermodernité — et l'on sait à quel point plusieurs d'entre eux, dépités par les convulsions de la société, se laissent glisser dans les paradis artificiels du « post-romantisme ». Malgré son caractère apparemment « sobre », nous estimons que notre perspective est justifiée. La lecture que nous proposons du « nationalisme » québécois est en effet à peu près absente de l'analyse politique contemporaine du Québec. De plus en plus tributaires du discours public pour nourrir et baliser leurs réflexions — discours où le Québec est invariablement présenté comme s'il s'agissait d'une grande entité monovalente et les Québécois comme d'une famille organique —, les commentateurs subsument ou évacuent largement la question des intérêts particuliers au profit d'une réflexion à prétention universelle sur la communauté politique dans l'État démocratique. Comme si le Québec et les Québécois, transportés par on ne sait quel tapis magique vers un hors-lieu où ne s'exprime aucun conflit primaire d'argent et de pouvoir, avaient d'ores et déjà réussi à transcender la condition des autres sociétés, en particulier (évidemment!) celle du ROC. Tant de complaisance laisse crédule. Combien de René-Daniel Dubois faudra-t-il pour ramener les analystes sur le chemin de la raison critique ? S'il est inutile de verser dans l'excès du célèbre metteur en scène (voir son

« Entretien » dans *Le Monde*, 5 et 6 novembre 1995, p. 10), force est d'admettre qu'un peu plus de prudence analytique serait bénéfique à bien des commentateurs.

31. Dans son *Discours d'ouverture de la 35ᵉ législature de l'Assemblée nationale du Québec*, prononcé le 29 novembre 1994, Jacques Parizeau, alors premier ministre du Québec, n'a fait aucune référence ni n'a évoqué le mot « nationalisme », ce qui est symptomatique de la façon dont on envisage maintenant le projet québécois. Il a par contre mentionné à plusieurs reprises le nom de René Lévesque, tuteur incontesté de l'affirmationnisme québécois depuis une vingtaine d'années. Cela dit, on a noté, durant la campagne référendaire de 1995, une volonté de la part des stratèges souverainistes de démordre du discours économiste et rationaliste, et de ramener le débat à une question d'appartenance profonde, sorte d'essentialisme non affirmé tournant autour de l'idée de « peuple québécois ». Le texte de la *Déclaration de souveraineté du Québec* illustre amplement ce retournement. Cela traduit peut-être l'aporie fondamentale du souverainisme rationaliste qui ne peut dépasser l'état de conscience de la population qu'il entend mobiliser autour de sa cause, état de conscience qui repose certainement sur le sentiment d'être rejeté par l'*Autre* (canadien).

32. Malgré le caractère logique de cette thèse, on surestime probablement la capacité d'un petit joueur comme le Québec de s'insérer positivement dans le système continental nord-américain et d'y bénéficier d'un rapport de force avantageux. Le système créé par l'ALÉNA, dans lequel le Québec aurait tout intérêt à évoluer, ne ressemble en rien au modèle européen de l'Union économique qui a été bâti à l'aune de postulats et de desseins beaucoup plus égalitaristes et communautaires. On doit savoir par ailleurs que le statut infranational du Québec le soustrait à certaines dispositions de l'ALÉNA touchant au protectionnisme, à la concurrence déloyale et aux monopoles publics. Il est illusoire de penser que les États-Unis auraient, en ces matières, une attitude différente de celle, très agressive et dominatrice, qu'ils ont envers leurs autres partenaires économiques. C'est ce qui amenait Stephen Clarkson à écrire que la souveraineté pourrait résulter de fait en une autonomie réduite du Québec dans le contexte politico-économique continental. Voir ses articles « Des lendemains qui déchantent, I et II », *Le Devoir*, 20 et 21 juillet 1995.

33. Sur la façon dont l'« Anglais » est désormais dépeint et mis en scène dans l'histoire collective des Québécois, voir J. Létourneau, « La production historienne courante au Québec et ses rapports avec la construction des figures identitaires d'une communauté communicationnelle », *Recherches sociographiques*, 36, 1 (1995), p. 9-45.

34. On trouverait en effet autant d'arguments pour justifier que pour nier ou nuancer cette position. Suffit-il de dire ici que tout politicien lucide sait pertinemment que l'on ne gagne pas d'élection provinciale au Québec autrement que « sur le dos d'Ottawa ». Les fins renards savent tirer les conséquences de cette vérité dans leurs interventions publiques, et ce depuis Duplessis au

moins. En ce sens, il faut admettre que la fameuse confession d'un Daniel Johnson fils (« *I am a Canadian first and foremost* ») s'est révélée politiquement désastreuse pour l'intéressé.

35. Il est difficile de décrire précisément ce que recouvre l'idée de souveraineté dans le contexte québécois. Si le libellé de la question référendaire permettait d'établir une fois pour toutes que la souveraineté menait franchement à la création d'un État indépendant et paritaire à tout autre État politiquement reconnu et institué, la nature de l'association économique et politique prévue avec le Canada tablait sur le maintien d'un lien fort avec ce pays. Au milieu des années 1990, les Québécois ne sont toujours pas sortis de l'éventail assez large des options politiques préconisées par les acteurs présents dès le début de la Confédération, options qui se sont renforcées au cours des temps.

36. Cette remise en cause est portée par le Reform Party et par le Bloc québécois bien sûr (à partir de positions souvent contradictoires), mais aussi par d'autres élites montantes dans tout le Canada. Tous s'entendent pour dénoncer les dépenses abusives du gouvernement fédéral ainsi que sa tendance à centraliser ou à subtiliser les pouvoirs au profit d'un « *establishment* du nationalisme canadien ». Au cours des dernières années, plusieurs sondages ont fait également ressortir qu'une majorité de Canadiens hors Québec étaient favorables à une diminution importante du rôle du gouvernement fédéral et à une décentralisation des pouvoirs en faveur des provinces, si tel était le prix à payer pour sauvegarder l'unité du Canada. (Cela n'implique évidemment pas que l'on reconnaisssse quelque droit de *veto* au Québec en matière constitutionnelle ou que l'on accepte les conséquences politiques qu'entraînerait son accession instituée au rang de « société distincte »). Enfin, il semble que même en Ontario, bastion du *nation building* au Canada, la critique gronde contre le fédéralisme. Dans un article consacré au « nouvel Ontario » (*Le Devoir,* 6 mars 1995, p. A-6), Lise Bissonnette, rapportant les propos de Graham Fraser, n'hésitait pas à parler, pour caractériser la situation prévalant dans la province la plus riche du pays, d'« un nationalisme ontarien qui ne dit pas encore son nom ». Bien qu'usant d'un qualificatif fort ambitieux pour décrire ce qu'elle veut voir mais qui n'est certainement pas, l'argumentation développée par l'éditorialiste du *Devoir* a néanmoins pour mérite d'indiquer que rien n'est plus acquis au Canada sur le plan de l'intégralité du système de régulation.

37. Dans la mythologie souverainiste contemporaine — dont les figures emblématiques n'ont rien à voir avec celles qui peuplaient le panthéon des idéologues de la survivance —, le sauveur archétypal, père et fondateur du renouveau québécois, est bien sûr René Lévesque. L'héritier naturel, fils spirituel du père et sauveur attendu du peuple, est pour l'instant identifié à la personne de Lucien Bouchard. Il est symptomatique de constater, en lisant la presse ou en écoutant les commentaires des principaux acteurs du mouvement souverainiste, que les Franco-Québécois ne sont pas encore sortis, pour dépeindre leur condition et raconter leur histoire, de certaines allégories et métaphores constitutives de l'*Ancien* et du *Nouveau Testament.*

38. Dans le préambule au *Projet de loi sur l'avenir du Québec*, il était écrit, en page 8 : « Parce que ce pays sera tous ceux, hommes et femmes, qui l'habitent, *le défendent* et le définissent, et que ceux-là, c'est nous. » [Nous soulignons.]

39. François Houle, dans son article intitulé « La pluralité des identités nationales et l'évolution du fédéralisme canadien », *loc. cit.*, écrit avec justesse : « Sans certains fondements identitaires, tels la langue et l'histoire, le nationalisme québécois ne pourrait s'appuyer que sur une quête de citoyenneté démocratique, laquelle existe déjà à l'intérieur du fédéralisme canadien. » Il faut voir là, à notre avis, l'un des fondements le plus puissant à la réserve qu'entretiennent les allophones et les anglophones face au projet souverainiste. Pourquoi, en effet, s'associer à la réclamation de ce que l'on possède déjà — à savoir la citoyenneté démocratique ? Et pourquoi partager un projet qui n'est pas sans s'inspirer, malgré ce que l'on prétend toujours, d'une grammaire politique et d'un roman mémoriel aux accents anciens ? Au lieu de se demander pourquoi les allophones et les anglophones du Québec votent en très forte majorité contre la souveraineté, peut-être faudrait-il envisager le problème autrement et admettre qu'ils sont les seuls à savoir ce qu'il veulent : un État pluraliste et multiculturel fondé sur le principe reconnu de la citoyenneté démocratique. Bien qu'en mutation, le projet souverainiste bute sur cette vision parce qu'il ne peut totalement la prendre en charge.

40. J. Létourneau et Jacinthe Ruel, « *Nous Autres les Québécois*. Topiques du discours franco-québécois sur *Soi* et sur l'*Autre* dans les mémoires déposés devant la commission Bélanger-Campeau », dans *Mots, représentations. Enjeux dans les contacts interethniques et interculturels*, sous la dir. de Khadiyatoulah Fall, de Daniel Simeoni et de Georges Vigneaux, Ottawa, Presses de l'Université d'Ottawa, 1994, p. 282-307.

41. Le Québec, dit-on, est une société distincte. Fort bien, mais en quoi consiste cette distinction ? Selon les intervenants, elle est associée, nous dit Nadia Khouri, aux idéologèmes suivants : « identité collective », « groupement par référence », « nation », « héritage historique », « communauté politique », « statut particulier », « quelque chose d'unitaire » « affirmation d'une solidarité collective », une « communauté d'origine », la « différence », une « collectivité », une « communauté d'inspiration/aspiration », la « langue », la « culture », la « religion », un « être », « peuple », et « souveraineté ». En fait, il est extrêmement difficile de définir une société, une nation ou un peuple comme des entités « en soi ». De tels exercices ne peuvent être fondés que sur une définition du *Nous Autres* où les deux termes du lexème sont mis en opposition flagrante. Voir Nadia Khouri, « "Nous sommes tous distincts", heurs et malheurs d'une formule définitionnelle », dans *Mots, représentations. Enjeux dans les contacts interethniques et interculturels, op. cit.*, p. 251-281.

42. Voir, dans le cas du Canada, Loretta Czernis, *Weaving a Canadian Allegory. Anonymous Writing, Personal Reading*, Waterloo, Wilfrid Laurier University Press, 1994 ; dans le cas du Québec, J. Létourneau, avec la collab. de A. Trépanier, « La na(rrac)tion du Québec », *loc. cit.*

43. À noter que cette réalité a peu d'écho dans la presse québécoise d'obédience « nationaliste ». De manière générale, les commentateurs s'en tiennent à une structure d'exposition binaire des débats et des situations. Le Québec constitue nécessairement l'un des protagonistes. Dans certains cas, ses revendications rejoignent celles des autres provinces. Le plus souvent, il fait cavalier seul. Le rôle du second protagoniste est immanquablement joué par Ottawa et/ou par l'ensemble des provinces anglophones (le « reste du Canada » ou ROC), celles-ci étant envisagées comme un bloc monolithique mû par un projet unique et consensuel. Dans tous les cas, les demandes du Québec sont historiques et légitimes (et, par glissement sémantique, justes et raisonnables), alors que celles du ROC sont techniques, insignifiantes, frivoles ou hérétiques.

44. À l'égard de la concurrence entre Montréal et Toronto, Jane Jacobs a déjà soutenu que la dégradation progressive de la position économique de Montréal face à celle de la Ville-Reine restait un postulat fondamental dans la recherche d'une solution négociée à la crise politique canadienne et québécoise. Voir son ouvrage *The Question of Separatism. Quebec and the Struggle Over Sovereignty*, New York, Random House, 1980.

45. Jacques Parizeau, *Discours d'ouverture de la 35e législature de l'Assemblée nationale du Québec, op. cit.* Cette notion a de nouveau été employée par Lucien Bouchard au moment de son investiture comme chef du Parti québécois. Voir enfin « Un Québec de responsabilité et de solidarité », document préparatoire à la Conférence sur le devenir économique et social du Québec, mars 1996.

46. On se rappellera à cet égard les affiches publicitaires de la campagne du « oui » qui, par un assemblage heureux d'icônes, suggéraient les idées de paix et d'amour, de mobilisation, de construction, d'émancipation, de participation. À n'en pas douter, ces thématiques pleines d'espérance ont été reçues positivement par une partie de la population, en particulier par les jeunes. Sévères, menaçantes et injonctives, les affiches du camp du « non » pouvaient être interprétées comme des armes de chantage, des semonces tutélaires ou des appels au *statu quo*. Elles ne portaient en tout cas aucun message d'avenir.

47. Un test de motivation effectué au printemps de 1994 auprès de consommateurs habitant la ville de Québec est à cet égard tout à fait intéressant. Les résultats de ce test montrent que le nom « Québec », directement associé à un produit, reçoit 86 % de perceptions négatives chez les francophones parce qu'on croit que ce produit est « mauvais, moins de qualité, moins dispendieux, peu appétissant », en somme « pas pour moi ». Pis encore, quand il est précisé qu'un produit qui ne porte pas cette appellation est néanmoins fabriqué au Québec, il perd des plumes. Selon Serge-André Guay, président de la firme responsable du test, les Québécois « ne perçoivent pas les produits fabriqués chez eux comme de bons produits, mais plutôt comme des produits *cheap,* du milieu des allées chez Zeller's, à 1,29 $. » Voir Maurice Girard, « Les Québécois font la fine gueule devant les produits locaux », *Le Devoir,* 27 juin 1994, p. B-2.

48. Nadia Khouri, *loc. cit.*

49. J.-Yvon Thériault, « L'individualisme démocratique et le projet souverainiste », *Sociologie et sociétés,* 26, 2 (automne 1994), p. 27.

50. Voir son article « Mon pays contre une subvention », *Le Devoir,* 25 octobre 1994, p. A-6.

51. Michel Venne, « L'art de se passer d'Ottawa », *Le Devoir,* 25 octobre 1994, p. A-1. Notons que c'est autour de cet argument rationnel que Lucien Bouchard a, durant la campagne référendaire, brodé son discours passionnel à la limite du propos pamphlétaire. Il a mélangé à ces ingrédients primaires un peu de ressentiment larvé et de frustration collective, ajouté des tas de promesses sans contenu, assaisonné sa mixture de quelques bourdes commises par ses adversaires fédéralistes, savamment dosé l'acrimonie et la douceur (si ce n'est la douleur) et copieusement arrosé sa recette de sirop d'érable. Beaucoup avaient faim. Ils ont été comblés. Reste à voir si le thuriféraire les a rassasiés ou s'ils en veulent encore !

52. « L'identité comme acte manqué », *Recherches sociographiques,* 36, 1 (1995), p. 103-111.

53. Il n'est personne au Québec qui présentement demande « moins d'État ». À cet égard, l'on ne doit pas être dupe du discours véhiculé par les regroupements de gens d'affaires, en particulier le Conseil du patronat du Québec. Ceux-là ne veulent pas moins d'État. Ils en réclament plus pour eux mais moins pour les autres. Il est important aussi de ne pas confondre la « demande d'État » avec la critique que l'on fait souvent de sa « monstruosité techno-bureaucratique » ou de sa « taxentricité ».

54. Dans l'imaginaire québécois actuel, l'État-stratège est celui qui recherche un équilibre, une armistice entre les contraintes de l'ordre global et les « traditions de solidarité d'une population ». Ce type d'État, variante pragmatique de l'État-providentiel d'antan, s'oppose apparemment à l'État-commerçant des Klein, Harris, Manning, Chrétien et Charest qui, dit-on, ne poursuit qu'une finalité : celle de redéployer ses missions au profit du capital et des « gagnants ». À ce sujet, voir Le camp du changement, *Le Cœur à l'ouvrage. Bâtir une nouvelle société québécoise, op. cit.,* p. 10.

55. À la sécession politique du Québec, on répond, dans l'Ouest du pays, par la menace d'une éventuelle « sécession économique », sorte de contestation de l'ordre financier du fédéralisme canadien qui repose, comme on le sait, sur des transferts de richesses provenant de la Colombie-Britannique, de l'Alberta et de l'Ontario vers les autres provinces canadiennes. Cette sécession économique pourrait être le prélude à l'apparition de déphasages fondamentaux d'inéquité entre les provinces, premier pas vers la dissolution éventuelle du Canada. D'où l'idée, dans l'optique d'une reconnaissance du droit à la différence et à l'autonomie gouvernementale du Québec et des diverses régions du pays, d'une consolidation de l'union économique et sociale canadienne qui lierait tous les partenaires de la confédération. À ce sujet, voir André Burelle, *Le Mal canadien. Essai de diagnostic et esquisse d'une thérapie,* Montréal, Fides, 1995, p. 206-207.

56. Observation fort perspicace avancée par Eric Hobsbawm dans son ouvrage intitulé *Nations et nationalisme depuis 1780. Programme, mythe, réalité,* Paris, Gallimard, 1992, p. 212.

57. Réflexion inspirée par le propos de Jean-Jacques Simard dans « L'identité comme acte manqué », *loc. cit.*

58. Lise Bissonnette, *loc. cit.*

59. Garth Stevenson, « The Decline of Consociational Democracy in Canada », *loc. cit.*

60. André Burelle, *op. cit.*; Gordon Gibson, *Thirty Million Musketeers,* Toronto, Key Porter, 1995.

Chapitre 5 • Déphasages sociaux

1. Toute analyse dynamique de la socialité fait d'ailleurs apparaître l'idée que les rapports sociaux concrets qui se manifestent entre des individus réels sont marqués par des chassés-croisés d'affiliations, de références et d'allégeances de la part des acteurs. Celles-ci se combinent de manière originale pour former ce que l'on pourrait appeler la « position circonstancielle d'identification » d'un individu.

2. Idée empruntée à Louis Maheu, « Les mouvements sociaux : plaidoyer pour une sociologie de l'ambivalence », dans *Penser le sujet. Autour d'Alain Touraine, op. cit.,* p. 322.

3. Pour un diagnostic semblable dans le cas du Québec, voir Conseil des affaires sociales, *Deux Québec dans un. Rapport sur le développement social et démographique,* Boucherville, Gaëtan Morin éditeur/Gouvernement du Québec, 1989 ; *id., Un Québec solidaire. Rapport sur le développement,* Boucherville, Gaëtan Morin éditeur/Gouvernement du Québec, 1992.

4. Le critère retenu pour déterminer si le nombre de ménages appartenant à la classe moyenne est en train de diminuer ou d'augmenter est celui de leur situation à l'intérieur d'un intervalle donné du revenu médian. Ici, les ménages à revenu moyen correspondent à ceux dont le revenu représentent entre 60 % et 150 % du revenu médian. Il s'agit d'un intervalle assez large qui masque en partie le phénomène de bipolarisation signalé de la classe moyenne. Notons que c'est avec le début des années 1990 que la tendance à la contraction relative de la classe moyenne, manifeste dans les années 1980, s'est quelque peu renversée. Voir Hélène Bégin, « Hausse de l'inégalité des revenus au Québec : mythe ou réalité ? *En perspective* (Études économiques, Mouvement Desjardins), 6, 2 (février 1996), p. 1-4.

5. Pour une étude assez fine de la question dans le cas du Québec, voir Paul Bernard et Johanne Boisjoly, « Les classes moyennes : en voie de disparition ou de réorganisation ? », dans *Le Québec en jeu. Comprendre les grands défis,* sous la dir. de Gérard Daigle, avec la collab. de Guy Rocher, Montréal, PUM, 1992, p. 297-334.

6. René Morissette, John Myles, et Garnett Picot, « L'inégalité des gains au Canada : le point sur la situation », série « Documents de recherche », n° 60,

Ottawa, Statistique Canada, Direction des études analytiques, 1993 ; Garnett Picot, John Myles, Ted Wannell, « Les bons et les mauvais emplois et le déclin de la classe moyenne : 1967-1986 », série « Documents de recherche », n° 28, Ottawa, Statistique Canada, Direction des études analytiques, 1990.

7. Abdul Rashid, *Revenu de la famille au Canada*, série « Le Canada à l'étude », n° 96-318F au catalogue, Ottawa/Toronto, Statistique Canada/Prentice Hall, 1994, chap. 4.

8. *Les Nouveaux Visages de la pauvreté. La Sécurité du revenu des familles canadiennes*, Ottawa, juin 1992.

9. *Ibid*, p. vii. Pour une analyse de la situation dans le cas du Québec, voir Simon Langlois, « Inégalités et pauvreté : la fin d'un rêve ? », dans *Le Québec en jeu. Comprendre les grands défis, op. cit.*, p. 249-263.

10. Conseil économique du Canada, *L'Emploi au futur : tertiarisation et polarisation*, Ottawa, 1990. Au Québec, plus de 40 % des emplois créés entre 1981 et 1996 furent à temps partiel, et 70 % d'entre eux furent occupés par des femmes. Voir « Un Québec de responsabilité et de solidarité », *op. cit.*, p. 33.

11. Surendra Gera, *Le Chômage au Canada. Une vue rétrospective et prospective*, Ottawa, Conseil économique du Canada, 1991, p. 2.

12. Signalons qu'au Canada, la progression de l'emploi avait ralenti au cours de la décennie 1980-1990. Depuis le début des années 1990, on assiste à un nouvel abaissement du rythme annuel, soit de 2 % à 0,8 %. D'ici la fin du siècle, on estime que la création d'emplois avoisinera à peine l'accroissement de la population active. Les prévisions laissent entendre que le taux de chômage se situera généralement au-dessus de 10 % jusqu'en l'an 2000. Voir Sylvie Riopel, « Que nous réserve l'an 2000 ? », *loc. cit.*, p. 2-3.

13. Notons toutefois que ces chiffres sous-estiment la création des emplois à temps partiel, car de nombreux travailleurs qui occupent plusieurs emplois à temps partiel sont classés comme travailleurs à temps plein (ceux qui travaillent au moins 30 heures par semaine, tous emplois confondus), et le nombre de personnes cumulant des emplois est à la hausse. À ce sujet, voir Harvey Krahn, « Accroissement des régimes de travail atypiques », *loc. cit.*, p. 40.

14. Simon Langlois, « Tendances du travail à temps partiel au Canada, 1975-1991 », Québec, série « Rapports de recherche, chantier Tendances socioculturelles », IQRC, 1993, tableau 3, p. 19.

15. Matthew Robertson, « Long Term Unemployment in the Canadian Labor Market : A Longitudinal Perspective », *American Journal of Economics and Sociology*, 45, 3 (1986), p. 277-289.

16. Abdul Rashid, *op. cit.*

17. On sait que bien des économistes refusent d'associer la montée actuelle du travail à temps partiel, du travail temporaire ou à court terme et du travail autonome à une transformation structurelle du marché de l'emploi, quoique celui-ci connaisse apparemment des bouleversements inexplicables (« Something is happening to jobs, but one is not sure what it is »). Selon David Shonfield, l'une des raisons principales de ces bouleversements tiendrait au fait

que les employeurs, influencés par les prophètes de la société du post-emploi, couperaient à qui mieux mieux dans les postes de travail pour accorder leurs violons à l'air du temps. Ce faisant, ils contribueraient à faire de ces pronostics — évidemment exagérés selon Shonfield — de véritables *self-fulfilling prophecies*. Voir Thomas Crampton, « The End of Jobs ? Labor Analysts Claim the Doomsayers Are Wrong », *International Herald Tribune*, 8 mai 1995, p. 9.

18. *Tertiarisation et polarisation de l'emploi*, sous la dir. de Gary Betcherman, Ottawa, Conseil économique du Canada, 1991, chap. 5.

19. Voir Harvey Krahn, « Accroissement des régimes de travail atypiques », *loc. cit.*, p. 41.

20. Gary L. Cohen, *Les Canadiens entreprenants : travailleurs autonomes au Canada*, Ottawa, Statistique Canada, octobre 1988, n° 71-536 au catalogue.

21. Statistique Canada, « Tendances de l'emploi selon la profession : 1976-1993 », dans *Moyennes annuelles de la population active, 1993*, Ottawa, n° 71-220 au catalogue, p. A-8.

22. Donnée citée par Caroline Montpetit, « Le nombre de travailleuses autonomes en hausse marquée », *Le Devoir*, 8 décembre 1994, p. A-4.

23. Gary L. Cohen, *op. cit.*, p. 11.

24. Ian MacRedie, « Travail autonome au Canada : un aperçu », et Jean-Marc Lévesque, « Travail autonome au Canada : un examen plus approfondi », *La Population active*, Ottawa, Statistique Canada, février 1985, n° 71-001 au catalogue.

25. Arthur Gardner, *Travailleurs autonomes*, série « Le Canada à l'étude », n° 96-316F au catalogue, Ottawa/Toronto, Statistique Canada/Prentice Hall, 1994 ; Diane-Gabrielle Tremblay, *L'Emploi en devenir*, Québec, IQRC, 1990, chap. 4.

26. Peter Drucker, « The Age of Social Transformation », *The Atlantic Monthly*, novembre 1994, p. 53-80.

27. Il faut probablement envisager le travail au noir dans le cadre d'une problématique générale de l'emploi émietté et éparpillé qui marque la condition des segments vulnérabilisés et marginalisés de la force de travail. Il n'est pas nécessairement le mode d'insertion dominant ou exclusif des individus en question dans la société globale. Il constitue une stratégie parmi d'autres, ponctuellement utilisée par des personnes qui ne sont pas toujours les mêmes, de reproduction économique en contexte de récession et d'instabilité des marchés de l'emploi.

28. À ce sujet, voir Robert Castel, *Les Métamorphoses de la question sociale, op. cit.*, p. 446 et 474, et André Gorz, *Les Métamorphoses du travail. Quête de sens*, Paris, Galilée, 1988, p. 292 et suiv.

29. Conseil économique du Canada, *L'Emploi au futur. Tertiarisation et polarisation, op. cit.*, tableau 5, p. 16.

30. À noter que l'utilisation d'autres mesures d'inégalité (coefficient de variation, indice de Theil-Entropy, indice de Theil-Bernouilli) confirment les résultats obtenus grâce au coefficient de Gini.

31. E. Blakely et W. Goldsmith, *Separated Societies*, Philadelphie, Temple University Press, 1992 ; « For Richer, For Poorer », *The Economist*, 5 novembre 1994, p. 19-21 ; Anthony B. Atkinson *et al.*, *Pour l'emploi et la cohésion sociale*, Paris, OFCE/FNSP, 1994, chap. 5.

32. En plus des travaux de Morissette, Myles et Picot déjà cités, voir ceux de Madeleine Gauthier : *Une société sans les jeunes ?*, Québec, IQRC, 1994, et « L'insertion de la jeunesse canadienne en emploi », série « Rapports de recherche. Tendances socio-culturelles », Québec, IQRC, février 1991.

33. Propos de Hubert Landier rapportés par Catherine Leroy, « Précaires périphéries », *Les Métamorphoses du travail*, cahier spécial du journal *Le Monde*, 17 mai 1995, p. 9.

34. Pierre-André Julien, « L'économie du Québec en mutation : vers un nouvel équilibre entre les petites et les grandes entreprises », dans *Québec 2000 : Quel développement ?*, sous la dir. de Yves Bélanger et de Pierre Hamel, Sillery, PUQ, 1992, p. 209-228.

35. René Morissette, « Emploi et taille des entreprises au Canada : les petites entreprises offrent-elles des salaires inférieurs ? », série « documents de recherche », nº 235, Ottawa, Statistique Canada, Division d'analyse des entreprises et du marché du travail, Division des études analytiques, 1989. Voir aussi D. Michael Ray, « Employment Creation by Small Firms », dans *Canada and the Global Economy*, *op. cit.*, p. 175-194.

36. Conseil économique du Canada, *L'Emploi au futur*, *op. cit.*, p. 14.

37. John Myles, « Post-Industrialism and the Service Economy », dans *The Era of Global Competition : State Policy and Market Power*, sous la dir. de Daniel Drache et de Meric S. Gertler, Montréal/Kingston, McGill/Queen's University Press, 1991, p. 351-366 ; B. Bluestone et B. Harrison, *The Great American Job Machine. The Proliferation of Low Wage Employment in the U.S. Economy*, New York, Basic Books, 1988 ; R. W. Rumberger et H. M. Levin, *Forecasting the Impact of New Technologies on the Future Job Market*, rapport de recherche, Standford University School of Education, 1984.

38. On se rappellera par ailleurs qu'entre 1981 et 1989, le pourcentage des travailleurs à plein temps toute l'année a cru de 2,5 points pour les tranches de gains inférieures à 17 662 $ (dollars constants de 1989) et de 0,6 points pour la tranche allant de 17 662 $ à 22 429 $. Ce pourcentage a chuté pour chacune des tranches de gains allant de 22 429 $ à 45 424 $. Il a par contre augmenté de 0,5 points pour la tranche allant de 40 385 $ et de 1,3 points pour la tranche supérieure à 54 249 $. Ce phénomène de bipolarisation se vérifie à peu près chez les travailleuses à plein temps toute l'année et chez l'ensemble des hommes salariés. À ce sujet, voir R. Morissette, J. Myles, G. Picot, « L'inégalité des gains au Canada », *loc. cit.*, tableau 2, p. 33.

39. Daniel Cohen, *Les Infortunes de la prospérité*, Paris, Julliard, 1994, chap. 3. À noter que les observateurs sont nombreux, tant en Europe qu'au Canada, pour établir une corrélation positive entre l'amplification du chômage de longue durée et la générosité des programmes de sécurité du revenu. C'est

pour mettre fin à ce cercle vicieux du « chômage entretenu » que les décideurs justifient leur volonté de réformer le système existant de soutien au chômeurs. Voir à ce sujet J. Beauchemin, G. Bourque et J. Duchastel, *loc. cit.*

40. *Caractéristiques des familles comptant 2 soutiens en 1992*, Ottawa, Statistique Canada, n° 13-215 au catalogue, p. 10. Voir aussi Susan Crampton et Leslie Geran, « Les femmes comme principal soutien de famille », *loc. cit.*

41. Voir en particulier les travaux de Peter Drucker déjà cités.

42. Statistique Canada, « Tendances de l'emploi selon la profession : 1976-1993 », dans *Moyennes annuelles de la population active, 1993*, Ottawa, n° 71-220 au catalogue. Voir aussi l'article de P. Bernard et J. Boisjoly.

43. Guy Fréchet, Simon Langlois et Michel Bernier, « Mouvements d'entrée et de sortie sur le marché du travail et précarité de l'emploi », dans *Chantiers sociologiques et anthropologiques. Actes du 51ᵉ Congrès de l'ACSALF,* sous la dir. de André Turmel, avec la collab. de Claude Bariteau et de Gilles Pronovost, Montréal, Méridien, 1990, p. 57-79.

44. Voir à ce sujet les résultats d'un sondage portant sur les angoisses des Québécois, *Magazine Affaire plus,* novembre 1994, p. 14.

45. *Maclean's,* 108, 52 (25 décembre 1995/1ᵉʳ janvier 1996), p. 20.

46. Dannis Gilbert et Joseph A. Kahl, *The American Class Structure. A New Synthesis,* Belmont (CA), Wadsworth, 1993, tableaux 6. 5, 6. 6 et 6. 7, respectivement p. 154, 156 et 157.

47. Robert Brym et Bonnie Fox, réfutant les travaux de John Porter et de Wallace Clement à ce sujet, font ressortir l'idée que le Canada et les États-Unis, sur le plan de la mobilité sociale, sont marqués par des tendances similaires. Voir leur ouvrage *From Culture to Power. The Sociology of English Canada,* Toronto, Oxford University Press, 1989, chap. 4.

48. M. Bédard, *La Dynamique du revenu d'emploi de 1967 à 1982 : une étude préliminaire de durée basée sur des données administratives,* Ottawa, Statistique Canada, 1985, n° 85-041F au catalogue; M. Bédard, « Mobilité économique mesurée entre 1978 et 1983, à partir du revenu total des particuliers sur le fichier longitudinal de données fiscales de Revenu Canada, Québec et Canada : rapport préliminaire », Montréal, 1986. Données citées par Simon Langlois, « Inégalités et pauvreté : la fin d'un rêve ? », *loc. cit.,* p. 251.

49. Voir les travaux déjà cités de Madeleine Gauthier.

50. Au milieu des années 1980, la mobilité éducationnelle intergénérationnelle ascendante des enfants par rapport aux parents était plus élevée qu'au milieu des années 1970. À ce sujet, voir Gillian Creese *et al., Mobilité sociale ascendante et descendante au Canada,* Ottawa, Statistique Canada, 1991, n° 11-612F au catalogue. Pour une présentation détaillée de l'enquête de 1973, voir Monica Boyd *et al., Ascription and Achievement : Studies in Social Mobility and Status Attainment in Canada,* Ottawa, Carleton University Press, 1985.

51. En 1986, 48,7 % des hommes et 55,6 % des femmes n'avaient connu aucune mobilité entre leur premier emploi et celui qu'ils détenaient alors. Trente-deux pour cent et 24,4 % avaient respectivement connu une ascension. Le

cinquième environ (19,1 % pour les hommes, 20 % pour les femmes) avaient régressé. Voir G. Creese, *op. cit.*, tableau O, p. 53.

52. P. Anisof, F. Ashbary et A. H. Turrittin, « Differential Effects of University and Community College Education on Occupational Status Attainment in Ontario », *Canadian Journal of Sociology*, 17, 1 (1992), p. 69-88.

53. Wallace Clement et John Myles, *Relations of Ruling. Class and Gender in Postindustrial Societies*, Montréal/Kingston, McGill/Queen's University Press, 1994 ; Robert J. Brym et Bonnie J. Fox, *op. cit.*, chap. 4 et 5.

54. En plus des travaux cités à la note précédente, on consultera Ted Wannell, « L'écart persistant : étude de la différence dans les gains des hommes et des femmes qui ont récemment reçu un diplôme d'études postsecondaires », série « documents de recherche », n° 26, Ottawa, Statistique Canada, Division d'analyse des entreprises et du marché du travail, Direction des études analytiques, 1989.

55. Pierre Foglia, « Les élections en Ontario », *La Presse*, 10 juin 1995, p. A-5.

56. R. Castel, *La Métamorphose de la question sociale, op. cit.*, p. 441, explique de la façon suivante cette apparente antinomie. Nous citons au long son argumentation : « L'histoire du mouvement ouvrier permet de comprendre [...] ce qui peut étonner dans l'actuelle acceptation le plus souvent passive d'une condition salariale de plus en plus dégradée. La constitution d'une force de contestation et de transformation sociale suppose que soient réunies au moins trois conditions : une organisation structurée autour d'une condition commune, la disposition d'un projet alternatif de société et le sentiment d'être indispensable au fonctionnement de la machine sociale. Si l'histoire sociale a gravité pendant plus d'un siècle autour de la question ouvrière, c'est que le mouvement ouvrier réalisait la synthèse de ces trois conditions : il avait ses militants et ses appareils, il portait un projet d'avenir, et il était le principal producteur de la richesse sociale dans la société industrielle. Les surnuméraires d'aujourd'hui [nous pourrions plus largement parler des disqualifiés] n'en présentent aucune. Ils sont atomisés, ne peuvent entretenir d'autre espérance que [celle] d'être un peu moins mal placés dans la société actuelle, et ils sont socialement inutiles. Il est dès lors improbable [...] que cet ensemble hétérogène de situations sérialisées puisse donner naissance à un mouvement social autonome. »

Chapitre 6 • *Flexibilité/déstructurations : l'interface de la société émergente*

1. Alain Lebaube, « Chômage : le scénario catastrophe », *Le Monde*, 8 mars 1993, p. 13.

2. André Gorz, *op. cit.*, p. 90.

3. Gilles Paquet, « Internationalisation de la production et mutation du processus du travail », Program of Research in International Management and Economy, Faculté d'administration, Université d'Ottawa, août 1993, document de travail n° 93-46, p. 9.

4. John Myles, « Post-Industrialism and the Service Economy », *loc. cit.*, p. 353.

5. Anthony B. Atkinson *et al.*, *Pour l'emploi et la cohésion sociale, op. cit.*, p. 17.

6. Conseil des sciences et de la technologie (Canada), *Miser sur le savoir*, Ottawa, 1994.

7. Sur cette question, voir François Eyraud et Patrick Rozenblatt, *Les Formes hiérarchiques : travail et salaires dans neuf pays industrialisés*, Paris, La Documentation française, 1994.

8. À ce sujet, voir Robert Castel, *Les Métamorphoses de la question sociale, op. cit.*, p. 405.

9. *Ibid.*

10. Cette affirmation était présentée sous la forme d'hypothèse dans le travail de R. Morissette, de J. Myles et de G. Picot, « L'inégalité des gains au Canada : le point sur la situation », *op. cit.*, p. 29. Dans leur article déjà cité, P. Bernard et J. Boisjoly écrivent pour leur part, p. 316 : « [...] si les professionnels et techniciens diplômés de l'université connaissent dans l'ensemble un sort enviable, certaines composantes subissent un certain effritement de leur position. Pendant que les sciences naturelles et la pratique autonome de la santé offrent de substantiels bénéfices à des practiciens surtout masculins, l'enseignement, les sciences sociales et la pratique salariée de la santé n'offrent plus à tous les travailleurs une protection d'emploi uniforme et ce, surtout s'il s'agit de travailleuses. »

11. Daniel Cohen, *Les Infortunes de la prospérité, op. cit.*, p. 99.

12. Statistique Canada, *Les transactions internationales de services du Canada, 1992-1993*, Ottawa, n° 67-203 au catalogue. Voir aussi J. Létourneau, « La reconfiguration de l'espace d'accumulation nord-américain », dans *Politique et régulation. Modèle de développement et trajectoire canadienne*, sous la dir. de G. Boismenu et de D. Drache, Montréal/Paris, Méridien/L'Harmattan, 1990, p. 309-355.

13. Claude Turcotte, « Guy Saint-Pierre, le globe-trotter de l'ingénierie », *Le Devoir*, 24 octobre 1994, p. B-1.

14. Nous endossons un idée émise il y a fort longtemps par Harry Braverman, à savoir que plus il y a de riches, de « gagnants » et de « bourreaux de travail » au sein d'une société, plus le nombre de personnes entretenant ces catégories « en refus ou en déficit de temps de reproduction » augmente en conséquence.

15. Bernard Réal, *La Puce et le chômage. Essai sur la relation entre le progrès technique, la croissance et l'emploi*, Paris, Seuil, 1990.

16. Cela serait assez simple en régime d'économie fermée. Mais à l'heure actuelle, les politiques de relance pratiquées par un État peuvent tout aussi bien profiter à son voisin ou à des zones situées aux antipodes. Toute relance devra donc être orchestrée à une échelle macroéconomique et macrogéographique signifiante. À l'ère de l'économie migrante et globale, on peut toutefois s'interroger sur ce qu'est en réalité un espace macroéconomique et macrogéographique signifiant !

17. Théoriquement, il pourrait y avoir une croissance des emplois provoquée par l'augmentation de la productivité dans les industries de la section I de la production économique (biens d'équipement). L'abaissement du coût unitaire

des machines et appareils pourrait favoriser le rééquipement des entreprises appartenant aux sections II et II' (si l'on partitionne le capital global de telle manière que l'on regroupe, sous une section spécifique, toutes les industries et les activités économiques reliées à la prestation de services intangibles). Cette dynamique a certainement contribué à l'expansion des économies capitalistes dans les années 1980, puisque les entreprises ont consacré des sommes astronomiques à l'achat de biens de production. Mais l'on sait par expérience qu'une telle dynamique a des effets d'entraînement limités dans le temps, et ce, pour deux raisons. D'abord, les entreprises produisant des biens de production comptent parmi les plus fortes utilisatrices de haute technologie : leur expansion dépend largement de la substitution du travail par la machine. À l'heure actuelle, leur défi principal n'est d'ailleurs pas de hausser la productivité de la main-d'œuvre, mais d'accroître l'efficacité des autres facteurs de production (biens d'équipement, immeubles, énergie, matières premières, etc.). Ensuite, l'expansion des industries des sections II et II' est très liée à l'évolution de la norme sociale de consommation. Dans la mesure où celle-ci ne se « révolutionne » pas, comme c'est actuellement le cas semble-t-il, des blocages structurels surviennent dans tout le cycle de la reproduction du capital. On se rappellera que c'est ce qui est arrivé à la fin des années 1920.

18. Simon Langlois, « Crise économique et mutations dans les genres de vie des familles », dans *Les Enjeux sociaux de la décroissance,* sous la dir. de Lise Pilon-Lê et de François Hubert, Montréal, Albert Saint-Martin, 1983, p. 119-139.

19. C. Bloskie, « Une vue globale des tendances récentes des dépenses personnelles », *L'Observateur économique canadien,* février 1995, n° 11-010 au catalogue.

20. Cynthia Silver, « L'évolution des dépenses des ménages canadiens de 1969 à 1992 », *Tendances sociales canadiennes,* hiver 1994, n° 11-008F au catalogue.

21. Certains indices laissent penser que cette couche serait bien sûr formée de personnes seules, mais aussi de couples dont les conjoints souffriraient d'un même type d'insertion en emploi, celui du travail précarisé, intermittent ou mal rémunéré. À l'opposé, on trouverait une couche stable de travailleurs « centraux » constituée de personnes seules et de couples dont les conjoints auraient un type d'insertion en emploi qui est avantageux. Ceux-ci travailleraient en outre beaucoup d'heures chaque semaine. La dualisation sociale serait donc en partie fondée sur la « spécialisation » des couples et entretenue par elle. À ce sujet, voir Statistique Canada, *Les Heures de travail des couples,* Ottawa, 1995. Voir aussi Madeleine Gauthier, « Les jeunes, les autres groupes d'âge et l'emploi », *Interventions économiques,* n° 25 (printemps 1994), p. 69-92.

22. Simon Langlois, « L'avènement de la société de consommation : un tournant dans l'histoire de la famille », dans *Familles d'aujourd'hui,* sous la dir. de Denise Lemieux, Québec, IQRC, 1990, p. 89-113.

23. Il est intéressant de constater, à la lumière des informations recueillies lors du recensement de 1991, que c'est au sein des unions consensuelles que l'on retrouve la moyenne d'enfant par famille la plus faible au Canada. On pourrait

expliquer cette situation par le fait que les couples en union consensuelle sont formés par des conjoints plus jeunes. Cela n'est vrai qu'en partie. Au cours des dernières années, la proportion des personnes préconisant ce régime matrimonial et appartenant à des catégories d'âge plus élevées a augmenté. À ce sujet, voir Janet Che-Alford *et al., Families in Canada,* série «Focus on Canada», Ottawa/Toronto, Statistique Canada/Prentice Hall, 1994, tableau 2.2, p. 21, nº 96-307E au catalogue; Cam Stout, «L'union libre : un choix de plus en plus répandu», *Tendances sociales canadiennes,* hiver 1991, p. 18-20, nº 11-008F au catalogue.

24. Renée B.-Dandurand, «La famille n'est pas une île. Changements de société et parcours de vie familiale», dans *Le Québec en jeu. Comprendre les grands défis, op. cit.,* p. 357-383.

25. On objectera que la croissance pourrait redémarrer à la suite d'une expansion du marché mondial et de l'incorporation de consommateurs toujours plus nombreux dans l'espace capitaliste. Malgré sa logique apparente, cet argument ne tient pas. La raison est simple : comme on l'a dit au chapitre 1, les biens offerts à la consommation dans les pays de l'ancienne «périphérie» sont très souvent produits sur place, au sein même de ces pays. Par ailleurs, la concurrence des pays asiatiques représente un défi auquel doivent faire face les anciens pays industrialisés (API) en ce qui a trait à la production des biens approvisionnant les marchés mondiaux. On peut penser que ce défi ira en s'accentuant. En fait, l'expansion des économies des API est fondamentalement attachée à la révolutionnarisation des conditions de production et des modes de vie au sein de leur espace, d'une part, et au fait que les biens et les services entrant dans la nouvelle norme de consommation qui émergera soient conçus et produits chez eux, d'autre part.

26. «The Information Revolution. How Digital Technology Is Changing the Way We Work and Live», *Business Week (Special Bonus Issue),* juin-juillet 1994; «End of the Line. A Survey of Telecommunications», *The Economist,* 23 octobre 1993; «21st Century Capitalism. How Nations and Industries Will Compete in the Emerging Global Economy», *Business Week (Special Bonus Issue),* décembre 1994; Peter Drucker, «The Age of Social Transformation», *loc. cit.*

27. Expression tirée de Michel Serres, *Atlas,* Paris, Julliard, 1994.

Chapitre 7 • *Fragmentation du politique et dispersion civique*

1. L'argumentation qui suit reprend en partie celle que nous avions développée, avec Richard LaRue, dans un article publié dans la *Revue internationale d'études canadiennes* (nº 7-8, printemps-automne 1993, p. 81-94) sous le titre «De l'unité et de l'identité au Canada : essai sur l'éclatement d'un État». Cet article a également paru en espagnol dans un ouvrage intitulé *Globalización, Integración E Identidad Nacional. Análisis comparado Argentina-Canadá,* sous la dir. de Mario Rapoport, Buenos Aires, Grupo Editor Latinoamericano, 1994, p. 289-309.

2. À ce sujet, voir T. H. Marshall, *Citizenship and Social Class,* Cambridge, Cambridge University Press, 1950.

3. Avec cette distinction importante que, dans notre esprit, le développement des sociétés contemporaines ne se fait pas en rupture avec ce qui les précédait. Le travail de Freitag auquel nous nous référons est le suivant : « La métamorphose. Genèse et développement d'une société postmoderne en Amérique », *Société* [Québec], n° 12-13 (hiver 1994), p. 1-137.

4. À ce sujet, voir G. Hage, *Post-Industrial Lives and Relationships in the 21ˢᵗ Century,* Beverly Hills/Londres, Sage, 1992, repris par M. Castells, « *Les flux, les réseaux, les identités...* », *loc. cit.,* p. 353-354.

5. « Hyper-Democracy », *Time Magazine,* 23 janvier 1995, p. 40-46.

6. François Rocher et Daniel Salée, « Démocratie et réforme constitutionnelle : discours et pratique », *Revue internationale d'études canadiennes,* n° 7-8 (printemps-automne 1993), p. 167-185.

7. Voir son ouvrage intitulé *Charter versus Federalism. The Dilemmas of Constitutional Reform,* Montréal/Kingston, McGill/Queen's University Press, 1992.

8. Donald G. Lenihan, Gordon Robertson, et Roger Tassé, *op. cit.*

9. Jill Vickers, « The Canadian Women's Movement and a Changing Canadian Order », *Revue internationale d'études canadiennes,* n° 7-8 (printemps-automne 1993), p. 261-284.

10. Signalons qu'en 1971, 44 % de la population du Canada se déclarait d'origine britannique, 29 % française, 6 % allemande, 3 % italienne et 2 % néerlandaise. Les Canadiens d'autre origine ethnique formaient 16 % de la population. En 1991, les données sont les suivantes : 23 % des Canadiens se déclarent d'origine française, 21 % britannique, 3 % allemande et 3 % italienne. Cinquante et un pour cent disent avoir une origine ethnique autre que celles mentionnées. Voir Michael S. Sezzill, « A Nation Blessed, A Nation Stressed », *Time Magazine,* 20 novembre 1995, p. 22.

11. Dans leur article déjà cité, F. Rocher et D. Salée en viennent aussi à la conclusion que le débat constitutionnel a tourné autour de questions relativement techniques et qu'en dépit de l'omniprésence des discours sur la démocratie, les intervenants, groupes sociaux ou particuliers s'en sont essentiellement tenus au caractère instrumental de la pratique de la démocratie. Cette lecture des faits s'oppose largement à la perspective beaucoup plus enthousiaste de l'action politique des mouvements sociaux que propose Linda Cardinal dans son article intitulé « Les mouvements sociaux et la Charte canadienne des droits et libertés », *Revue internationale d'études canadiennes,* n° 7-8 (printemps-automne 1993), p. 137-152.

12. L. Cardinal, *loc. cit.,* fait remarquer à juste titre que la judiciarisation des débats politiques au Canada est antérieure à l'instauration de la Charte. Cela dit, on ne peut nier que les années 1980 ont coïncidé avec une importante recrudescence de la tendance. S'il ne faut pas voir une antinomie objective entre la judiciarisation du politique et l'élargissement de l'espace démocratique dans les sociétés contemporaines, il demeure qu'en pratique, elle ouvre la porte à

l'instrumentalisation du politique et à sa transformation en un champ publicitaire et médiatique où s'affrontent des intérêts particularisés selon une logique de stratégies d'influences pragmatiques. Sur cette question, qui a engendré deux écoles de pensée, l'une optimiste et l'autre critique, voir M. Freitag, « La métamorphose », *loc. cit.* ; M. Mandel, *The Charter of Rights and the Legalization of Politics in Canada*, Toronto, Wall & Thompson, 1989 ; Charles Taylor, « Des avenirs possibles : la légitimité, l'identité et l'aliénation au Canada à la fin du XXe siècle », dans *Le Constitutionnalisme, la citoyenneté et l'aliénation au Canada*, sous la dir. de A. Cairns et de C. Williams, Ottawa, ministère des Approvisionnements et Services Canada, 1986 ; J.-Y. Thériault, « Mouvements politiques et nouvelle culture politique », *Politique*, 12 (1987), p. 5-36.

13. Formule empruntée à Tzvetan Todorov, *op. cit.*, p. 76.

14. Peter Emberley, « Globalism and Localism : Constitutionalism in a New World Order », dans *Constitutional Predicament. Canada after the Referendum of 1992*, sous la dir. de Curtis Cook, Montréal/Kingston, McGill/Queen's University Press, 1994, p. 199-222.

15. R. Falk, « Evasions of Sovereignty », dans *Contending Sovereignties. Redefining Political Community*, sous la dir. de R. B. J. Walker et S. H. Mendlovitz, Boulder (CO)/Londres, Lyne Rienne Publ., 1990 ; R. B. J. Walker, « Social Movements/World Politics », *Millenium. Journal of International Studies*, 23, 3 (1994), p. 669-700.

16. Benjamin R. Barber, « Jihad vs McWorld », *The Atlantic Monthly*, 269, 3 (mars 1992), p. 53-63.

17. « Globalisation et citoyenneté », dans *L'Ethnicité à l'heure de la mondialisation*, sous la dir. de Caroline Andrew *et al.*, Hull, ACFAS-Outaouais, 1993, p. 48 et suiv.

18. Nous ne nous référons pas ici spécifiquement aux récits historiens, mais aux méta-discours qui sont mis en circulation dans l'espace public et dans lesquels on recycle, à des fins utilitaires, des éléments d'ordre historique que l'on mélange avec des éléments d'ordre non historique, de manière à constituer un texte qui se donne pour vrai.

19. Comme l'a précisé Gilles Paquet dans un article incisif : « En contexte canadien, "l'ethnocentrisme" nous hante » [.] [L]'appartenance ethnique a [une] valeur dominante [bien qu'elle] soit partout déguisée sous des oripeaux largement "culturels" ». Voir son article intitulé « Le kaléidoscope de l'ethnicité : une approche constructiviste », dans *L'Ethnicité à l'heure de la mondialisation*, *op. cit.*, p. 30.

20. Donna Dasko, « Les liens qui nous unissent : l'évolution de la perception qu'ont les Canadiens du système fédéral », *Le Réseau*, 2, 6-7 (juin-juillet 1992), p. 5-11.

21. Il est symptomatique qu'une enquête effectuée pour le compte de l'Association d'études canadiennes ait révélé que les Canadiens avaient du mal à identifier, dans l'histoire ou dans l'actualité de leur pays, plus de deux personnages ou événements qui, par leur envergure ou leur importance, pouvaient être des sources de motivation et de fierté collectives. Cette même enquête soulignait

le fait que, dans leur ensemble, les Canadiens croyaient qu'il était impératif que plus d'efforts soient consentis pour faire connaître l'histoire nationale, ses personnages principaux, ses événements significatifs, etc. Malheureusement, aucune question spécifique n'invitait les répondants (que l'on avait catégorisé par l'appartenance linguistique, par le lieu de résidence et par la tranche d'âge) à préciser ce qui, dans la matière du passé, devait être promu au rang d'histoire nationale. On peut penser que les réponses, donc que les trames historiques proposées, auraient été nombreuses et éclatées, surtout si l'on avait effectué l'enquête auprès de « catégories sociales » moins classiques. Les résultats de l'enquête ont été publiés dans le *Bulletin de l'Association des études canadiennes*, 13, 3 (automne 1991), en même temps que les observations d'un certain nombre de commentateurs, dont les nôtres (p. 14-16).

22. Linda Cardinal, *loc. cit.*, p. 147. Voir aussi Charles Taylor, *Sources of the Self*, Cambridge, Harvard University Press, 1989.

23. Selon l'heureuse expression de Michel Freitag.

24. « L'État omniprésent : les relations entre l'État et la société au Canada », dans *L'État et la société : le Canada dans une optique comparative*, sous la dir. de K. Banting, Ottawa, ministère des Approvisionnements et Services Canada, 1986, p. 75.

25. *Aesthetic Politics : Political Philosophy Beyond Fact and Value*, manuscrit, 1995.

26. Aurions-nous raison d'analyser, à partir de l'idée de « corporation identitaire », le fait qu'une multitude de personnes affichent maintenant leur allégeance, leur appartenance, leur partisannerie, leurs aspirations, leurs revendications individuelles et sociales en arborant ou en faisant imprimer, sur les *T-Shirts* qu'elles portent, le slogan, le logo ou le dessin qui résume l'idéal, noble ou vulgaire, auquel elles croient? Ou le fait qu'un nombre grandissant d'entreprises, voulant créer chez leurs clients un sentiment d'appartenance ou de distinction fondé sur la notion de privilège, se transforment en clubs (Club Price, Club Z, Aéroplan, etc.) où l'on est formellement admis et où la détention d'une carte — d'identité corporatiste? — donne droit à des avantages refusés à ceux qui n'en sont pas titulaires?

27. *Essais sur l'individualisme*, Paris, Seuil, 1983.

28. Gilles Paquet, « Le kaléidoscope de l'ethnicité : une approche constructiviste », *loc. cit.*, p. 24.

29. Formule empruntée à Charles Taylor, *Multiculturalism and the "Politics of Recognition"*, Princeton, Princeton University Press, 1992.

30. *The Modern Social Conflict*, New York, Weidenfeld & Nicholson, 1988.

31. Voir son article « La métamorphose... », *loc. cit.*, p. 131-132.

Conclusion

1. On pourrait discuter longtemps pour savoir si les dispositions particulières dont bénéficient ou peuvent bénéficier les provinces au titre de la présente Constitution ou à la suite d'arrangements administratifs non constitutionnalisés correspondent *en pratique* à un régime de fédéralisme décentré. De

nouveau, ce débat nous paraît ne mener nulle part. La question pertinente est celle de l'adéquation ou non d'un régime avec les défis qui germent au sein d'une société et qui exigent une solution.

2. On fait état avec grand éclat, pour démontrer le caractère décentré du régime fédéral canadien, que la part des dépenses provinciales et municipales dans l'ensemble des dépenses publiques est plus grande au Canada que partout ailleurs dans le monde, et qu'elle continue de croître. Cet argument est trompeur quant à la thèse qu'il prétend soutenir, soit une limitation relative des moyens d'action du gouvernement central. En fait, le gouvernement fédéral reste, et de loin, l'administration publique qui gère individuellement le plus de revenus et qui possède individuellement la plus grande capacité de dépenser. C'est ce critère qui fait foi de l'importance relative des ordres de gouvernement au pays; et c'est sur cette réalité qu'Ottawa fonde effectivement sa prééminence comme institution de pouvoir au sein de l'État canadien. L'argument d'un affaiblissement relatif continuel des dépenses du fédéral par rapport aux autres ordres de gouvernement au Canada est par ailleurs malicieux pour ses promoteurs. Si la tendance qui se manifeste dans cet État est effectivement la décentralisation, avec des économies puisées principalement dans les programmes du gouvernement fédéral, comment justifier l'existence d'un ordre de gouvernement qui ne semble plus avoir d'autre utilité que celle d'agir comme agence de transferts monétaires entre les provinces? À notre avis, l'existence d'un gouvernement fédéral se justifie au Canada. Mais dans le cadre d'un régime aménagé et fonctionnant selon un esprit de finesse et d'accomodement plutôt que de géométrie.

3. Nicolas van Schendel, « L'identité métisse ou l'histoire oubliée de la canadianité », dans La Question identitaire au Canada francophone, op. cit., p. 102.

4. Il serait injuste de donner au lecteur l'idée que la décentralisation des pouvoirs mettrait un terme au processus actuel de fragmentation du sujet politique et de dispersion civique que connaît le Canada. Ces phénomènes traduisent l'affirmation profonde, au cœur du social, d'un esprit concurrentiel et de pratiques de confrontation qui sont constitutives d'un ordre dont la légitimité semble puissamment établi dans l'imaginaire du moment. Proposer un projet alternatif fondé sur la notion de société solidaire ou sur l'idée d'une subjectivation qui ne soit pas un relativisme moral, mais plutôt un rapport enrichi avec l'Autre, reste l'un des défis majeurs de notre époque. En fait, l'idée des micro-régulations différenciées permettrait tout au plus de résoudre certaines antinomies constitutives de la dialectique qui s'est établie entre l'intégration économique et la fragmentation politique en contexte d'économie migrante et gobale.

5. Chose certaine, l'idée du droit au bien-être comme paradigme d'intégration sociale est contestée de toutes parts. Cette critique est d'autant plus facile à justifier que l'expérience historique n'a pas démontré qu'il existe une corrélation entre le volume des dépenses publiques au titre de la sécurité sociale et l'amenuisement durable du phénomène de la pauvreté. Si la gouverne par

le marché n'est pas une solution au dilemme, la recherche du plein-emploi, comme finalité centrale des interventions de l'État, pourrait devenir l'élément majeur du nouveau paradigme d'intégration sociale.

6. Dans notre esprit, l'idée des micro-régulations différenciées ne serait qu'un élément d'une stratégie générale de restauration du Canada. Un autre élément, tout aussi important, consisterait en la promotion d'une économie participative fondée sur l'exploitation du capital communautaire comme moyen d'amenuiser le phénomène de la marginalisation et d'enrayer ses conséquences dévastatrices et coûteuses. Il n'est pas à-propos, dans le cadre de cet ouvrage, de développer nos idées à ce sujet.

7. On pourrait rajouter que la gestion du capital humain constitue, en régime d'économie globale et migrante, l'un des champs d'intervention majeurs par lequel les administrations publiques peuvent encore exercer leur imagination et leur compétence, et, par là, doter leur espace de gouverne d'un avantage compétitif important.

8. Dans son ouvrage déjà cité, André Burelle s'est largement penché sur cette question épineuse.

9. Les termes « régions » et « pays » sont ici équivalents sur le plan de leur « réalité imaginée » (le paradoxe sémantique est voulu). Ils n'impliquent ni une hiérarchie, ni une déconsidération de l'un par l'autre.

BIBLIOGRAPHIE

Abercrombie, N., *et al.*, *The Sovereign Individuals of Capitalism*, Londres, Allen & Unwin, 1986.

Aglietta, Michel, *Macroéconomie financière*, Paris, La Découverte, 1995.

Aglietta, Michel, *Régulation et crises du capitalisme. L'expérience des États-Unis*, Paris, Calmann-Lévy, 1976.

Aglietta, Michel, *et al.*, *Globalisation financière : l'aventure obligée*, Paris, Economica, 1990.

Aglietta, Michel, et Anton Brender, *Les Métamorphoses de la société salariale*, Paris, Calmann-Lévy, 1982.

Amin, Ash, sous la dir. de, *Post-Fordism. A Reader*, Oxford, Basil Blackwell, 1994.

Amin, Ash, et K. Robins, « The Re-Emergence of Regional Economies? The Mythical Geography of Flexible Accumulation », *Environment and Planning D: Society and Space*, 8 (1990), p. 7-34.

Anderson, Benedict, *Imagined Communities. Reflections on the Origin and the Spread of Nationalism*, Londres, Verso, 1983.

Andreff, Wladimir, *Profits et structures du capitalisme mondial*, Paris, Calmann-Lévy, 1976.

Angenot, Marc, *Les Idéologies du ressentiment*, Montréal, XYZ éditeur, 1996.

Anisof, P., F. Ashbary, et A. H. Turrittin, « Differential Effects of University and Community College Education and Occupational Status Attainment in Ontario », *Canadian Journal of Sociology*, 17, 1 (1992), p. 69-88.

Ankersmit, Frank R., *Aesthetic Politics : Political Philosophy Beyond Fact and Value*, manuscrit, 1995.

Atkinson, Anthony B., *et al.*, *Pour l'emploi et la cohésion sociale*, Paris, FNSP, 1994.

Banque mondiale, *Rapport sur le développement dans le monde 1995* (Le monde du travail dans une économie sans frontières), Washington D.C., Banque mondiale, 1995.

Barbalet, J. M., *Citizenship-Rights, Struggle and Class Inequality*, Londres, Open University Press, 1988.

Barber, Benjamin R., « Jihad vs McWorld », *The Atlantic Monthly*, mars 1992, p. 53-63.

Bartlett, Christopher A., et Sumantra Ghoshal, « What is a Global Manager ? », *Harvard Business Review*, 90, 5 (septembre-octobre 1992), p. 124-133.

Bastarache, Michel, « Dualité et multiculturalisme : deux notions en conflit ? », *Revue de l'Association canadienne de langue française*, 16, 2 (1988), p. 36-40.

Beauchemin, Jacques, « Nationalisme québécois et crise du lien social », *Cahiers de recherche sociologique*, 25 (1995), p. 101-123.

Beauchemin, Jacques, Gilles Bourque, et Jules Duchastel, « Du providentialisme au néolibéralisme : de Marsh à Axworthy. Un nouveau discours de légitimation et de régulation sociale », *Cahiers de recherche sociologique*, 24 (1995), p. 15-47.

Beaud, Michel, *Le Système mondial-national hiérarchisé*, Paris, La Découverte, 1987.

Beaudin, Maurice, et André Leclerc, « Économie acadienne contemporaine », dans *L'Acadie des Maritimes*, sous la dir. de Jean Daigle, Moncton, Chaire d'études acadiennes, 1993, p. 247-260.

Bédard, M., « Mobilité économique mesurée entre 1978 et 1983, à partir du revenu total des particuliers sur le fichier longitudinal de données fiscales de Revenu Canada, Québec et Canada : rapport préliminaire », Montréal, 1986.

Bédard, M., *La Dynamique du revenu d'emploi de 1967 à 1982 : une étude préliminaire de durée basée sur des données administratives*, Ottawa, Statistique Canada, 1985, n° 85-041F au catalogue.

Bélanger, Paul R., et Benoît Lévesque, « Le mouvement populaire et communautaire : de la revendication au partenariat (1963-1992) », dans *Le Québec en jeu. Comprendre les grands défis*, sous la dir. de Gérard Daigle, avec la collab. de Guy Rocher, Montréal, PUM, 1992, p. 713-747.

Bélanger, Yves, et Pierre Fournier, *L'Entreprise québécoise*, Montréal, Hurtubise HMH, 1987.

Benko, Georges, et Alain Lipietz, sous la dir. de, *Les régions qui gagnent. Districts et réseaux : les nouveaux paradigmes de la géographie économique*, Paris, PUF, 1992.

Bernard, André, *Problèmes politiques, Canada et Québec*, Sillery, PUQ, 1993.

Bernard, Paul, et Johanne Boisjoly, « Les classes moyennes : en voie de disparition ou de réorganisation ? », dans *Le Québec en jeu. Comprendre les grands défis*, sous la dir. de Gérard Daigle, avec la collab. de Guy Rocher, Montréal, PUM, 1992, p. 297-334.

Bertcherman, Gary, sous la dir. de, *Tertiarisation et Polarisation de l'emploi*, Ottawa, Conseil économique du Canada, 1991.

« Between Two Worlds. A Survey of Manufacturing Technology », *The Economist*, 5 mars 1994.

« Beyond International Society », édition spéciale de *Millenium. Journal of International Studies*, 21, 3 (hiver 1992).

Bird, John, *et al.*, *Mapping the Futures. Local Cultures, Global Changes*, Londres, Routledge, 1993.

Bissonnette, Lise, « Le nouvel Ontario », *Le Devoir*, 6 mars 1995, p. A-6.

Bissoondath, Neil, *Le Marché aux illusions. La méprise du multiculturalisme*, Montréal, Boréal, 1995.

Blakeley, E., et W. Goldsmith, *Separated Societies*, Philadelphie, Temple University Press, 1992.

Blank, Stephen, et Guy Stanley, « Quebec and the Emerging Architecture of North America », *Québec Studies*, 16 (printemps-été 1993), p. 9-22.

Blank, Stephen, Marshall Cohen, et Guy Stanley, « Redefining Sovereignty for the 21st Century : Concluding Comments », *American Review of Canadian Studies*, 21, 2-3 (1991), p. 329-336.

Bloskie, C., « Une vue globale des tendances récentes des dépenses personnelles », *L'Observateur économique canadien*, Ottawa, Statistique Canada, février 1995, n° 11-010 au catalogue.

Bluestone, B., et B. Harrison, *The Great American Job Machine. The Proliferation of Low Wage Employment in the U.S. Economy*, New York, Basic Books, 1988.

Boismenu, Gérard, et Daniel Drache, sous la dir. de, *Politique et régulation. Modèle de développement et trajectoire canadienne*, Montréal/Paris, Méridien/L'Harmattan, 1990.

Boismenu, Gérard, et Alain Noël, « La restructuration de la protection sociale en Amérique du Nord et en Europe », *Cahiers de recherche sociologique*, 24 (1995), p. 49-85.

Bonneville, M., « Une revue des recherches sur la ville et l'internationalisation », *Revue d'économie régionale et urbaine*, 2-1994, p. 133-157.

Bosc, Serge, *Stratification et transformations sociales. La société française en mutation*, Paris, Nathan, 1993.

Bothwell, Robert, Ian Drummond, et John English, *Canada since 1945. Power, Politics and Provincialism*, Toronto, University of Toronto Press, 1981.

Bouchard, Camil, Alain Noël, et Vivian Labrie, *Chacun sa part. Rapport de trois membres du Comité externe de réforme sur la sécurité du revenu*, Montréal, 1996.

Bouchard, Gérard, sous la dir. de, avec la collab. de Serge Courville, *La Construction d'une culture. Le Québec et l'Amérique française*, Québec, PUL, 1993.

Bouchard, Gérard, « L'avenir de la nation comme « paradigme » de la société québécoise », dans *Les Convergences culturelles dans les sociétés pluriethniques*, sous la dir. de Khadiyatoulah Fall, de Ratiba Hadj-Moussa, et de Daniel Simeoni, Sillery, PUQ/CÉRII/CÉLAT, p. 159-168.

Bouchard, Gérard, « La nation au singulier et au pluriel. L'avenir de la culture nationale comme « paradigme de la société québécoise », *Cahiers de recherche sociologique*, 25 (1995), p. 79-97.

Bougrine, Hassan, « The Role of Capital Formation in Economic Disparities Among Canadian Regions, 1961-1990 », *Canadian Journal of Regional Science*, 15 (1993), p. 21-33.

Bourdieu, Pierre, sous la dir. de, *La Misère du monde*, Paris, Seuil, 1993.

Bourgault, Pierre, « Mon pays contre une subvention », *Le Devoir*, 25 octobre 1994, p. A-6.

Bourguinat, Henri, *La Tyrannie des marchés. Essai sur l'économie virtuelle*, Paris, Economica, 1995.

Bourque, Gilles, et Jules Duchastel, *L'Identité fragmentée. Nation et citoyenneté dans les débats constitutionnels*, Montréal, Fides, 1996.

Bourque, Gilles, « Quebec Nationalism and the Struggle for Sovereignty in French Canada », dans *The National Question. Nationalism, Ethnic Conflict and Self-Determination in the 20th Century*, sous la dir. de Berch Berberoglu, Philadelphie, Temple University Press, 1995.

Bouvier, Pierre, *Socio-anthropologie du contemporain*, Paris, Galilée, 1995.

Boyd, Monica, *et al.*, *Ascription and Achievement. Studies in Social Mobility and Status Attainment in Canada*, Ottawa, Carleton University Press, 1985.

Boyer, Robert, *The Regulation School. A Critical Introduction*, New York, Columbia University Press, 1990.

Boyer, Robert, sous la dir. de, *Capitalismes fin de siècle*, Paris, PUF, 1986.

Boyer, Robert, « Internationalization but Contrasted "Regulation" Modes : Still the Century of Nations ? », Paris, CEPREMAP, 1994, manuscrit.

Bower, J. L., et T. M. Hout, « Fast-Cycle Capability for Competitive Power », *Harvard Business Review*, 66, 6 (1988), p. 110-118.

Bressand, A., *et al.*, « Vers une économie de réseaux », *Politique industrielle*, hiver 1989, p. 156-168.

Breton, Gilles, sous la dir. de, « Mondialisation et mutations politiques », édition spéciale de *Études internationales*, 24, 3 (septembre 1993).

Breton, Gilles, et Jane Jenson, « Globalisation et citoyenneté : quelques enjeux actuels », dans *L'Ethnicité à l'heure de la mondialisation*, sous la dir. de Caroline Andrew *et al.*, Hull, ACFAS-Outaouais, 1992, p. 35-55.

Bridges, William, « The End of the Job », *Fortune*, 19 septembre 1994, p. 62-74.

Britton, John N. H., sous la dir. de, *Canada and the Global Economy. The Geography of Structural and Technological Change*, Montréal/Kingston, McGill/Queen's University Press, 1996.

Broadway, Robin, *The Constitutional Division of Powers : An Economic Perspective*, Ottawa, Economic Council of Canada, 1992.

Brodeur, Marie, et Diane Galarneau, « Le virage industriel de trois métropoles », *L'Emploi et le revenu en perspective*, 6, 4 (hiver 1994), p. 44-53, n° 75-001F au catalogue.

Brodie, Janine, *The Political Economy of Canadian Regionalism*, Toronto, University of Toronto Press, 1990.

Brown, Douglas M., et Earl H. Fry, sous la dir. de, *States and Provinces in the International Economy*, Kingston/Berkely, Institute of Intergovernmental Relations/Institute of Governmental University Press, 1993.

Bruneau, Pierre, *Les Villes moyennes au Québec*, Québec, OPDQ/ PUQ, 1989.

Bryan, Ingrid A., *Canada in the New Global Economy. Problems and Policies*, Toronto, John Wiley & Sons, 1994.

Brym, Robert, et Bonnie Fox, *From Culture to Power. The Sociology of English Canada*, Toronto, Oxford University Press, 1989.

Burelle, André, *Le Mal canadien. Essai de diagnostic et esquisse d'une thérapie*, Montréal, Fides, 1995.

Burt, S. L., et J. A. Dawson, « From Small Shop to Hypermarket. The Dynamics of Retailing », dans *Western Europe : Challenge and Change*, sous la dir. de David Pinder, Londres, Belhaven Press, 1990, p. 142-161.

Cable, Vincent, *The World's New Fissure. The Politics of Identity*, Londres, Demos, 1994.

Cable, Vincent, « The Diminished Nation-State. A Study in the Loss of Economic Power », manuscrit, 1993.

Cairns, Alan, *Charter versus Federalism. The Dilemmas of Constitutional Reform*, Montréal/Kingston, McGill/Queen's University Press, 1992.

Cairns, Alan, « L'État omniprésent : les relations entre l'État et la société au Canada », dans *L'État et la société : le Canada dans une optique comparative*, sous la dir. de Kenneth Banting, Ottawa, ministère des Approvisionnements et Services, 1986.

Camilleri, J. A., et J. Falk, *The End of Sovereignty ? The Politics of a Shrinking and Fragmenting World*, Aldershot, Edward Elgard, 1992.

Camp du changement (Le), *Le Cœur à l'ouvrage. Bâtir une nouvelle société québécoise*, (s.l.), 1995.

Campbell, Robert M., *Grand Illusions. The Politics of the Keynesian Experience in Canada, 1945-1975*, Toronto, Broadview Press, 1987.

« Can Canada Survive ? A Special Report with The National », *Maclean's*, 108, 52 (25 décembre 1995/1er janvier 1996), p. 16-33.

Canada West Foundation, « On Track : Canada-U.S. Free Trade Agreement After Two Years », *Western Perspectives,* février 1991.

Caractéristiques des familles comptant 2 soutiens en 1992, Ottawa, Statistique Canada, n° 13-215 au catalogue.

Cardinal, Linda, « Les mouvements sociaux et la Charte canadienne des droits et libertés », *Revue internationale d'études canadiennes,* n° 7-8 (printemps-automne 1993), p. 137-152.

Castel, Robert, *Les Métamorphoses de la question sociale. Une chronique du salariat,* Paris, Fayard, 1995.

Castel, Robert, « Les pièges de l'exclusion », *RIAC-Lien social et Politiques,* 34 (automne 1995), p. 13-21.

Castel, Robert, « De l'indigence à l'exclusion : la désaffiliation », dans *Face à l'exclusion. Le modèle français,* sous la dir. de Jacques Donzelot, Paris, Éditions Esprit, 1991, p. 137-168.

Castells, Manuel, sous la dir. de, *High Technology, Space and Society,* Beverly Hills/Londres, Sage, 1988.

Castells, Manuel, « Les flux, les réseaux, les identités : où sont les sujets dans la société informationnelle ? », dans *Penser le sujet. Autour d'Alain Touraine,* sous la dir. de François Dubet et de Michel Wieviorka, Paris, Fayard, 1995, p. 337-359.

Castells, Manuel, et Yoko Aoyama, « Vers la société de l'information : Structures de l'emploi dans les pays du G-7 de 1920 à 1990 », *Revue internationale du travail,* 133, 1 (1994), p. 5-36.

Caulfield, John, *Toronto's Gentrification and Critical Social Practice,* Toronto, University of Toronto Press, 1994.

Cavalli, Allessandro, et Olivier Galland, *L'Allongement de la jeunesse,* Poitiers, Actes sud/Observatoire du changement social en Europe occidentale, 1993.

Cencini, Alberto, *Money, Income and Time. A Quantum Theoretical Approach,* Londres, Francis Pinter, 1988.

« Change at the Check-Out. A Survey of Retailing », *The Economist,* 4 mars 1995.

« Changing Professions (The) », *U.S. News & World Report,* 1er novembre 1993.

Che-Alford, Janet, *et al., Families in Canada,* série « Focus on Canada », Ottawa/Toronto, Statistique Canada/Prentice Hall, 1994, n° 96-307E au catalogue.

Chesnais, François, *La Mondialisation du capital,* Paris, Syros, 1994.

Chiasson, Herménégilde, « Trente identités sur un nombre illimité », dans *La Question identitaire au Canada francophone : récits, parcours, enjeux, hors-lieux,* sous la dir. de J. Létourneau, avec la collab. de Roger Bernard, Québec, PUL, 1994, p. 267-289.

Chodos, Robert, et Eric Hamovitch, *Quebec and the American Dream,* Toronto, Between the Lines, 1991.

Christie, Keith H., « Globalization and Public Policy in Canada : In Search of a Paradigm », Ottawa, Department of External Affairs and International Trade Canada, Policy Planning Staff Paper, 93-01, janvier 1993.

Clark, Gordon L., *Unions and Communities Under Siege. American Communities and the Crisis of Organized Labor,* Cambridge, Cambridge University Press, 1989.

Clarkson, Stephen, « Des lendemains qui déchantent, I et II », *Le Devoir,* 20 et 21 juillet 1995.

Clement, Wallace, and John Myles, *Relations of Ruling. Class and Gender in Postindustrial Societies,* Montréal/Kingston, McGill/Queen's University Press, 1994.

Code, G. Lewis, « Toronto, Montreal and Processes of Metropolitan Dominance : Financial Services and the Canadian Urban System, 1871-1991 », thèse de doctorat, York University, Department of Geography, 1995.

Code, G. Lewis, « The Canadian Metropolis in the Global Economy : Toronto, Montreal and the Financial Services Industry », « Discussion Paper », n° 46, York University, Department of Geography, janvier 1996.

Coffey, William J., *The Evolution of Canada's Metropolitan Economies,* Montréal, Institute for Research on Public Policy, 1994.

Coffey, William J., « The Role and Location of Service Activities in the Canadian Space Economy », dans *Canada and the Global Economy. The Geography of Structural and Technological Change,* sous la dir. de John N. H. Britton, Montréal/Kingston, McGill/Queen's University Press, 1996, p. 335-351.

Coffey, William J., et Réjean Drolet, « La décentralisation des services supérieurs dans la région métropolitaine de Montréal, 1981-1989 », *The Canadian Geographer,* 38, 3 (1994), p. 215-229.

Coffey, William J., et J. J. McRae, *Services Industries in Regional Development,* Montréal, Institute for Research on Public Policy, 1989.

Coffey, William J., et Mario Polèse, « Le déclin de l'empire mont-réalais : regard sur l'économie d'une métropole en mutation », *Recherches sociographiques*, 34, 3 (1993), p. 417-437.

Coffey, William J., et Mario Polèse, « The Role of Cultural Barriers in the Location of Producer Services : Some Reflections on the Toronto-Montréal Rivalry and the Limits to Urban Polarization », *Revue canadienne de science régionale*, 14, 3 (1989), p. 433-446.

Cohen, Daniel, *Les Infortunes de la prospérité*, Paris, Julliard, 1994.

Cohen, G. L., *Les Canadiens entreprenants : travailleurs autonomes au Canada*, Ottawa, Statistique Canada, octobre 1988, n° 71-536 au catalogue.

Cohen, R., *The New Helots. Migrants in the International Division of Labor*, Aldershot, Avebury/Gower, 1987.

Colgan, Charles S., *Places Left Behind. Regional Development Policies in the United States and Canada, 1945-1990*, Toronto, University of Toronto Press, 1994.

Colgan, Charles S., « Economic Development Policy in Quebec and the Challenges of a Continental Economy », *Quebec Studies*, 16 (printemps-été 1993), p. 69-83.

Conseil des Sciences et de la Technologie (Canada), *Miser sur le savoir*, Ottawa, 1994.

Conseil Économique du Canada, *Les Nouveaux Visages de la pauvreté. La sécurité du revenu des familles canadiennes*, Ottawa, ministère des Approvisionnements et Services, 1992.

Conseil Économique du Canada, *L'Emploi au futur : tertiarisation et polarisation*, Ottawa, ministère des Approvisionnements et Services, 1990.

Conseil Économique du Canada, *Les Marchés financiers canadiens et la mondialisation*, Ottawa, ministère des Approvisionnements et Services, 1989.

Conseil Économique du Canada, *Affermir la croissance — Choix et contraintes. Vingt-deuxième exposé annuel*, Ottawa, ministère des Approvisionnements et Services, 1985.

Conseil québécois des Affaires sociales, *Un Québec solidaire. Rapport sur le développement*, Boucherville, Gaëtan Morin éditeur/Gouvernement du Québec, 1992.

Conseil québécois des Affaires sociales, *Deux Québec dans un. Rapport sur le développement social et démographique,* Boucherville, Gaëtan Morin éditeur/Gouvernement du Québec, 1989.

Constandines, S., « De l'autonomie relative de l'ethnicité en tant que construit idéologique », *Canadian Ethnic Studies,* 18, 2 (1986), p. 102-114.

Cooke, Philip, Frank Moulaert, *et al., Towards Global Localization,* Londres, UCL Press, 1992.

Cornelius, Wayne A., Philip L. Martin, et James F. Hollifield, *Controlling Immigration. A Global Perspective,* Stanford, Stanford University Press, 1994.

Corporation financière MacKenzie, *L'investisseur REER,* 3, 1 (janvier-février 1994).

Côté, Denyse, *et al., Du local au planétaire. Réflexions et pratiques de femmes en développement régional,* Montréal, Les Éditions du remue-ménage, 1995.

Côté, Jean-François, sous la dir. de, *Individualismes et Individualité,* Sillery, Septentrion/CÉLAT, 1995.

Côté, Serge, « L'espace régional, reflet des différences ou miroir de l'unité ? », dans *La Condition québécoise. Enjeux et horizons d'une société en devenir,* sous la dir. de Jean-Marie Fecteau, de Gilles Breton et de Jocelyn Létourneau, Montréal, VLB, 1994, p. 172-205.

Coulmas, Peter, *Les citoyens du monde. Histoire du cosmopolitisme,* Paris, Albin Michel, 1995.

Coupland, David, *Generation X. Tales for an Accelerated Culture,* New York, St. Martin's Press, 1991.

Courchene, Thomas J., « Market Nationalism », *Policy Options,* 7, 8 (octobre 1986), p. 7-12.

Courchene, Thomas J., et A. E. Stewart, *Essays on Canadian Public Policy,* Kingston, Queen's University School of Policy Studies, 1991.

Courchene, Thomas J., « Mon pays, c'est l'hiver », *Canadian Journal of Economics,* 25 (1992), p. 759-789.

Courville, Léon, *Piloter dans la tempête,* Montréal, Québec-Amérique, 1994.

Couture, Yves, *La terre promise. L'absolu politique dans le nationalisme québécois,* Montréal, Liber, 1994.

Cox, K. R., « The Local and the Global in the New Urban Politics », *Environment and Planning D : Society and Space,* 11, 4 (1993), p. 375-396.

Crampton, Thomas, « The End of Jobs ? Labor Analysts Claim the Doomsayers Are Wrong », *International Herald Tribune*, 8 mai 1995, p. 9.

« Craze of Consultants (The) », *Business Week*, 25 juillet 1994, p. 60-66.

Creese, Gillian, *et al.*, *Mobilité sociale ascendante et descendante au Canada*, Ottawa, Statistique Canada, 1991, n° 11-621F au catalogue.

Crompton, Susan, et Leslie Geran, « Les femmes comme principal soutien de famille », *L'emploi et le revenu en perspective*, 7, 4 (hiver 1995), p. 28-32, n° 75-001F au catalogue.

Czernis, Loretta, *Weaving a Canadian Allegory. Anomymous Writing, Personal Reading*, Waterloo, Wilfrid Laurier University Press, 1994.

Dahrendorf, Ralph, *The Modern Social Conflict*, New York, Weidenfeld & Nicholson, 1988.

Daly, M. T., « Transitional Economic Bases : From the Mass Production Society to the World of Finance », dans *Services and Metropolitan Development. International Perspectives*, sous la dir. de P. W. Daniels, Londres/New York, Routledge, 1991.

Dandurand, Renée B., « La famille n'est pas une île. Changements de société et parcours de vie familiale », dans *Le Québec en jeu. Comprendre les grands défis*, sous la dir. de Gérard Daigle, avec la collab. de Guy Rocher, Montréal, PUM, 1992, p. 357-383.

Dandurand, Renée B., et Françoise-Romaine Ouellette, *Entre autonomie et solidarité. Parenté et soutien dans trois quartiers montréalais*, Montréal, IQRC, 1992.

Daniels, P. W., *Service Industries in the World Economy*, Oxford, Blackwell, 1993.

Dasko, Donna, « Les liens qui nous unissent : l'évolution de la perception qu'ont les Canadiens du système fédéral », *Le Réseau*, 2, 6-7 (juin-juillet 1992), p. 5-11.

Dassas, Véronique, *et al.*, « La nation, archaïque et actuelle », *Conjonctures*, 16 (été 1992).

« Database Marketing », *Business Week*, 5 septembre 1994.

Davidow, William H., et Michael S. Malone, *The Virtual Corporation. Structuring and Revitalizing the Corporation for the 21st Century*, New York, Harper/Collins, 1992.

De Benedetti, George J., et Rodolphe H. Lamarche, *Shock Waves*.

The Maritime Urban System in the New Economy, Moncton, Institut canadien de recherche sur le développement régional, 1994.

De Brie, Christian, « Feu sur l'État-Providence », *Le Monde diplomatique*, n° 478, janvier 1994.

De Menthon, Pierre-Henri, « Les dix qui font grimper les taux », *Le Nouvel Économiste*, 6 janvier 1995.

Denis, Claude, « "Quebec-as-a-distinct-society" as Conventional Wisdom : The Constitutional Silence of Anglo-Canadian Sociologists », *Canadian Journal of Sociology*, 18, 3 (1993), p. 251-269.

« Derivatives. The Beauty in the Beast », *The Economist*, 14 mai 1994, p. 21-24.

« Dérive des nouveaux produits financiers (La) », *Le Monde diplomatique*, juillet 1994, p. 20-21.

Derriennic, Jean-Pierre, *Nationalisme et démocratie. Réflexion sur les illusions des indépendantistes québécois*, Montréal, Boréal, 1995.

Dicken, Peter, *Global Shift. The Internationalization of Economic Activity*, New York/Londres, 1992.

Dimension de l'économie souterraine au Canada, 1992. Études de comptabilité nationale (La), Ottawa, Statistique Canada, n° 13-603F au catalogue, hors série.

Dionne-Marsolais, Rita, « The FTA : A Building Block for Quebec », *American Review of Canadian Studies*, 21, 2-3 (été-automne 1991), p. 245-252.

« Discrete Charm of the Multicultural Multinational (The) », *The Economist*, 30 juillet 1994, p. 57-58.

Dobilas, Geoffrey, « The Canadian Financial System in International Perspective », dans *Canada and the Global Economy. The Geography of Structural and Technological Change*, sous la dir. de John N. H. Britton, Montréal/Kingston, McGill/Queen's University Press, 1996, p. 84-95.

« Does it Matter Where You Are ? », *The Economist*, 30 juillet 1994, p. 13-14.

Drucker, Peter, *Au-delà du capitalisme. La métamorphose de cette fin de siècle*, Paris, Dunod, 1993.

Drucker, Peter, « The Age of Social Transformation », *The Atlantic Monthly*, novembre 1994, p. 53-80.

Dudley, Kathryn Marie, *The End of the Line. Lost Jobs, New Lives in Postindustrial America*, Chicago, University of Chicago Press, 1994.

Dumont, Fernand, *Genèse de la société québécoise*, Montréal, Boréal, 1993.

Dumont, Louis, *Essais sur l'individualisme*, Paris, Seuil, 1983.

Dunford, Michael, et G. Kafkalas, *Cities and Regions in the New Europe. The Global-Local Interplay and Spatial Development Strategies*, Londres, Belhaven, 1992.

Dunford, Michael, et Diane Perrons, « Regional Inequality, Regimes of Accumulation and Economic Development in Contemporary Europe », *Transactions of the British Geographers*, 19 (1994), p. 163-182.

Dunning, John H., *Explaining International Production*, Londres, Unwin Hyman, 1988.

Durand, Marie-Françoise, Jacques Lévy, et Denis Retaillé, *Le monde : espaces et systèmes*, Paris, Presses de la FNSP/Dalloz, 1993.

« Économie de proximités », livraison spéciale de la *Revue d'économie régionale et urbaine*, 3-1993.

Ehrenreich, B., *Fear of Falling. The Inner Life of the Middle Class*, New York, Pantheon, 1989.

Elbaz, Mikhaël, Andrée Fortin, et Guy Laforest, sous la dir. de, *Les Frontières de l'identité. Modernité et postmodernisme au Québec*, Sainte-Foy/Paris, PUL/L'Harmattan, 1996.

Elias, Norbert, *La Dynamique de l'Occident*, Paris, Calmann-Lévy, 1975.

Élie, Bernard, « L'évolution du système financier international et son impact dans les années 1990 », dans *Mondialisation et régionalisation. La coopération économique internationale est-elle encore possible ?*, sous la dir. de Christian Deblock et de Diane Éthier, Sillery, PUQ, 1992, p. 221-240.

Elkins, David J., *Beyond Sovereignty. Territory and Political Economy in the Twenty-First Century*, Toronto, University of Toronto Press, 1995.

Emberley, « Globalism and Localism : Constitutionalism in a New World Order », dans *Constitutional Predicament. Canada after the Referendum of 1992*, sous la dir. de Curtis Cook, Montréal/Kingston, McGill/Queen's University Press, 1994, p. 199-222.

Enderwick, Peter, *Multinational Service Firms,* Londres, Routledge, 1984.

« End of the Line. A Survey of Telecommunications », *The Economist,* 23 octobre 1993.

Engberse, Godfried, Kees Schuyt, Jaap Timmer, et Frans van Waarden, *Cultures of Unemployment : A Comparative Look at Long-Term Unemployment and Urban Poverty,* Boulder (CO)/Oxford, Westview Press, 1993.

« Enterprise. How Entrepreneurs Are Shaping the World Economy — And What Big Companies Can Learn (The) », *Business Week,* 6 décembre 1993, p. 50-64.

« Entertainment Economy. America's Growth Engines : Theme Parks, Casinos, Sports, Interactive TV (The) », *Business Week,* 14 mars 1994.

Esambert, Bernard, « L'État et les entreprises », dans *Où va l'État ? La souveraineté économique et politique en question,* sous la dir. de R. Lenoir et de J. Lesourne, Paris, Éditions Le Monde, 1992.

« Être ou ne pas être Québécois », édition spéciale de *Cahiers de recherche sociologique,* 25 (1995).

Ettighoffer, Denis, *L'Entreprise virtuelle ou les Nouveaux Modes de travail,* Paris, Odile Jacob, 1992.

Eyraud, François, et Patrick Rozenblatt, *Les Formes hiérarchiques : travail et salaires dans neuf pays industrialisés,* Paris, La Documentation française, 1994.

Fagan, Robert H., et Richard B. Leherron, « Reinterpreting the Geography of Accumulation : The Global Shift and Local Restructuring », *Environment and Planning D : Society and Space,* 12 (1994), p. 265-285.

Falk, R., « Evasions of Sovereignty », dans *Contending Sovereignties. Redefining Political Community,* sous la dir. de R. B. J. Walker et de S. H. Mendlovitz, Boulder (CO)/Londres, Lyne Rienne Publ., 1990.

Fall, Khadiyatoulah, et Maarten Buyck, *L'Intégration des immigrants au Québec. Des variations de définition dans un échange oral,* Sillery, Septentrion/CÉLAT, 1995.

« Fall of the Big Business (The) », *The Economist,* 17 avril 1993, p. 13-14.

Faucher, Albert, *Histoire économique et Unité canadienne*, Montréal, Fides, 1970.

Featherstone, Mike, sous la dir. de, *Global Culture. Nationalism, Globalization and Modernity*, Londres, Sage, 1990.

Feldman, Seth, « Paying for Power. Digital Television and Class Structure in the 1990s », *Queen's Quarterly*, 99, 2 (été 1992), p. 483-494.

Fitoussi, Jean-Paul, et Pierre Rosanvallon, *Le Nouvel Âge des inégalités*, Paris, Seuil, 1996.

Foglia, Pierre, « Les élections en Ontario », *La Presse*, 10 juin 1995, p. A-5.

Folkerts-Landeau, David, et Alfred Steinherr, « The Wild Beast of Derivatives? To Be Chained Up, Fenced In or Tamed ?, dans *Finance and the International Economy*, n° 8, Oxford, Oxford University Press, 1994, p. 1-27.

« For Richer, For Poorer », *The Economist*, 5 novembre 1994, p. 19-21.

Forbes, E. R., *Certains aspects du régionalisme dans les provinces maritimes, 1867-1927*, Ottawa, Société historique du Canada, 1983.

Forsé, Michel, et Simon Langlois, « Comparative Structural Analysis of Social Change in France and in Quebec », dans *Convergence or Divergence? Comparing Recent Social Trends in Industrial Societies*, sous la dir. de S. Langlois *et al.*, Montréal/Kingston/Francfort, McGill/Queen's University Press/Campus Verlag, 1994, chap. 10.

Fortin, Andrée, « Action et réaction : acteurs et solidarités à l'horizon de l'an 2000 », dans *Québec 2000: Quel développement ?*, sous la dir. de Yves Bélanger et de Pierre Hamel, Sillery, PUQ, 1992, p. 159-175.

Fortin, Bernard, Gaétan Garneau, Guy Lacroix, Thomas Lemieux, et Claude Montmarquette, *L'Économie souterraine au Québec. Mythes et réalités*, Sainte-Foy, PUL, 1996.

Fortin, Pierre, et Francine Séguin, *Pour un régime équitable axé sur l'emploi. Rapport de deux membres du Comité externe de réforme sur la sécurité du revenu*, Montréal, 1996.

Fournier, Pierre, *Le Patronat québécois au pouvoir*, Montréal, Hurtubise HMH, 1979.

Fourquet, François, « La citoyenneté comme subjectivité exogène », dans *Production de l'assentiment dans les politiques publiques. Techniques, territoires et sociétés*, n° 24-25, Paris, ministère de l'Équipement, des Transports et du Tourisme, 1993.

Frankel, Jeffrey A., « Quantifying International Capital Mobility », « Working Paper Series », n° 2856, Washington D. C., National Bureau of Economic Research, février 1989.

Fréchet, Guy, Simon Langlois et Michel Bernier, « Mouvements d'entrée et de sortie sur le marché du travail et précarité de l'emploi », dans *Chantiers sociologiques et anthropologiques. Actes du 51ᵉ Congrès de l'ACSALF*, sous la dir. de André Turmel, avec la collab. de Claude Bariteau et de Gilles Pronovost, Montréal, Méridien, 1990, p. 57-79.

Freeman, Andrew, « The Future of Finance : Capitalism Without Owners ? », dans *Finance and the International Economy*, n° 8, Oxford, Oxford University Press, 1994, p. 29-39.

Freeman, Christopher, et Henri Madras, *Le Paradigme informatique. Technologie et évolution sociale*, Paris, Descartes & Cie, 1995.

Freitag, Michel, « La métamorphose. Genèse et développement d'une société postmoderne en Amérique », *Société* (Québec), n° 12-13 (hiver 1994), p. 1-137.

Freitag, Michel, « L'identité, l'altérité et le politique. Essai exploratoire de reconstruction conceptuelle historique », *Société* (Québec), n° 9 (hiver 1992), p. 1-55.

Frenken, Hubert, « Les REÉR — possibilités inexploitées », *L'Emploi et le revenu en perspective*, 7, 4 (hiver 1995), p. 22-27, n° 75-001F au catalogue.

Frenken, Herbert, « Les REÉR : une aide fiscale à l'épargne retraite ? », *L'Emploi et le revenu en perspective*, 2, 4 (1990), p. 9-21, n° 75-001F au catalogue.

Friedman, Thomas L., « When Money Talks, Government Listens », *The New York Times*, 24 juillet 1994, p. E-3.

Fröbel F., J. Heinrichs, et O. Kreye, *The New International Division of Labour*, Cambridge/Paris, Cambridge University Press/Maison des sciences de l'Homme, 1980.

« From Foreign Workers to Settlers ? Transnational Migration and the Emergence of New Minorities », édition spéciale de *Annals of the American Academy of Political and Social Science*, 485 (mai 1986).

Fry, Earl, et P. Soldatos, sous la dir. de, *New International Cities Era*, Provo, Brigham University Press, 1991.

Fry, Earl, « Canada-U.S. Economic Relations. The Role of the Provinces and the States », *Business in the Contemporary World*, 1 (1990).

Gad, G. « The Paper Metropolis : Office Growth in Downtown and Suburban Toronto », *City Planning Magazine*, 4 (1986), p. 22-26.

Gagnon, Alain G., et Alain Noël, sous la dir. de, *L'Espace québécois*, Montréal, Québec-Amérique, 1995.

Galbraith, John Kenneth, *Brève Histoire de l'euphorie financière*, Paris, Seuil, 1992.

Galipeau, Claude-Jean, « Le contre-courant québécois », dans *The Provincial State. Politics in Canada's Provinces and Territories*, sous la dir. de Keith Brownsey et de Michael Howlett, Toronto, Copp Clark Pitman, 1992, p. 113-145.

Gallissot, René, *et al.*, *Ces migrants qui font le prolétariat*, Paris, Méridiens Klincksieck, 1994.

Gardner, Arthur, *Travailleurs autonomes*, série « Le Canada à l'étude », Ottawa/Toronto, Statistique Canada/Prentice Hall, 1994, n° 96-316F au catalogue.

Gauthier, Madeleine, « L'insertion de la jeunesse canadienne en emploi », série « Rapports de recherche. Tendances socio-culturelles », Québec, IQRC, février 1991.

Gauthier, Madeleine, *Une société sans les jeunes ?*, Sillery, IQRC, 1994.

Gauthier, Madeleine, *La Pauvreté chez les jeunes : précarité économique et fragilité sociale. Un bilan*, Québec, IQRC, 1994.

Gellner, Ernest, *Nations et Nationalisme*, Paris, Payot, 1983.

Gera, Surendra, *Le Chômage au Canada. Une vue rétrospective et prospective*, Ottawa, Conseil économique du Canada, 1991.

Gereffi, Gary, « Mexico's Maquilladora Industries and North American Integration », dans *North America Without Borders. Integrating Canada, the United States and Mexico*, sous la dir. de Stephen J. Randall *et al.*, Calgary, University of Calgary Press, 1992, p. 131-151.

Germidis, D., sous la dir. de, *International Subcontracting. A New Form of Investment*, Paris, OCDE, 1980.

Gershuny, J. I., « The Informal Economy. Its Role in Post-Industrial Society », *Futures* (février 1979), p. 3-15.

Gertler, Len, « High Technology, Societal Change and the Canadian City », dans *Canadian Cities in Transition*, sous la dir. de Trudi H. Banting et de Pierre Filion, Toronto, Oxford University Press, 1991, p. 125-146.

Gertler, Meric, « Regional Dynamics of Manufacturing and Non-Manufacturing Investment in Canada », *Regional Studies*, 20 (1986), p. 523-534.

Ghorra-Gobin, Cynthia, « Démétropolisation en Amérique du Nord ? Quelques observations, *Études canadiennes/Canadian Studies*, 29 (1990).

Gibson, Gordon, *Thirty Million Musketeers*, Toronto, Key Porter, 1995.

Giddens, Anthony, *Modernity and Self-Identity. Self and Society in Late Modern Age*, Cambridge, Polity Press, 1991.

Giddens, Anthony, *The Consequences of Modernity*, Stanford, Stanford University Press, 1990.

Giddens, Anthony, *La Constitution de la société. Éléments de la théorie de la structuration*, Paris, PUF, 1987.

Gilbert, Dannis, et Joseph A. Kahl, *The American Class Structure. A New Synthesis*, Belmont (CA), Wadsworth, 1993.

Girard, Maurice, « Les Québécois font la fine gueule devant les produits locaux », *Le Devoir*, 27 juin 1994, p. B-2.

« Global Investor. World Markets Are Where the Action Is — And It's Easy To Play », *Business Week*, 11 octobre 1993, p. 120-127.

« Global Mafia. They're Ruthless. Stateless. High Tech. And Deadly », *Newsweek*, 13 décembre 1993.

Godbout, Jacques, « Le nouveau visage de la censure », *L'Actualité*, 1er juin 1994, p. 73-75.

Goldberg, M. A., et John Mercer, *The Myth of the North American City*, Vancouver, UBC Press, 1986.

Golding, Peter, « Political Communication and Citizenship : The Media and Democracy in an Inegalitarian Social Order », dans *Public Communication. The New Imperatives*, sous la dir. de M. Ferguson, Londres, Sage, 1990.

Gorz, André, *Les Métamorphoses du travail. Quête de sens*, Paris, Galilée, 1988.

Gouvernement du Canada, *Programme : emploi et croissance — La sécurité sociale dans le Canada de demain*, Ottawa, ministère du

Développement des ressources humaines Canada, octobre 1994.

Gouvernement du Québec, *Projet de loi sur l'avenir du Québec*, Québec, Assemblée nationale du Québec, 1995.

Gouvernement du Québec, *Décentralisation : un choix de société*, Québec, ministère du Conseil exécutif, 1995.

Gower, David, « Le point sur la retraite anticipée chez les hommes », *L'Emploi et le revenu en perspective*, 7, 4 (hiver 1995), p. 33-38, n° 75-001F au catalogue.

Grand'Maison, Jacques, *Une génération de boucs émissaires. Enquête sur les baby-boomers*, Montréal, Fides, 1993.

Grand'Maison, Jacques, *Vers un nouveau conflit de générations. Profils sociaux et religieux des 20-35 ans*, Montréal, Fides, 1992.

Granou, André, *Capitalisme et Mode de vie*, Paris, Cerf, 1974.

Gray, H. P., « The Internationalization of Global Labour Markets », *Annals of the Academy of Political and Social Science*, 492 (1987), p. 96-108.

Green, M., *Mergers and Acquisitions. Geographical and Spatial Perspectives*, Londres, Routledge, 1990.

Grell, Paul, et Anne Wery, *Héros obscurs de la précarité. Des sans-travail se racontent, des sociologues analysent*, Paris, L'Harmattan, 1993.

Griffith-Jones, Stephany, et Barbara Stallings, « New Global Financial Trends : Implications for Development », dans *Global Change, Regional Response. The New International Context of Development*, sous la dir. de Barbara Stallings, Cambridge, Mass., Cambridge University Press, 1995, p. 143-173.

Guttman, Robert, *How Credit-Money Shapes the Economy. The United States in a Global System*, Armonk (NY), M. E. Sharpe, 1993.

Hage, G., *Post-Industrial Lives and Relationships in the 21st Century*, Beverly Hills/Londres, Sage, 1992.

Hakanson, H., *Corporate Technological Behaviour, Cooperation and Networks*, Londres, Routledge, 1989.

Halary, Charles, *Les Exilés du savoir. Les migrations scientifiques internationales et leurs mobiles*, Paris, L'Harmattan, 1994.

Hall, John A., « Nationalisms : Classified and Explained », *Daedalus*, 122, 3 (été 1993), p. 1-28.

Hall, P., « The Geography of the Fifth Kondratieff », dans *Silicon*

Landscapes, sous la dir. de P. Hall et de A. Markusen, Boston, Allen & Unwin, 1985, chap. 1.

Hallsworth, Alan, *The New Geography of Consumer Spending,* Londres, Belhaven Press, 1992.

Hansen, Neil, « Regional Consequences of Structural Changes in the National and International Division of Labor », *International Regional Science Review,* 11, 2 (1988), p. 121-136.

Harris, N., *The End of the Third World. Newly Industrialized Countries and the Decline of an Ideology,* Hardmondsworth, Penguin Books, 1986.

Haskell, T., et R. Teichgraber, *The Culture of the Market,* Cambridge, Cambridge University Press, 1994.

Haut Commissariat aux réfugiés, *Les Réfugiés dans le monde, 1993. L'enjeu de la protection,* Paris, La Découverte, 1994.

Hayter, R., et T. J. Barnes, « Labour Market Segmentation, Flexibility and Recession : A British Columbian Case Study », *Environment and Planning C : Government and Policy,* 10 (1992), p. 333-353.

Heelas, Paul, Scott Lash, et Paul Morris, *Detraditionalization. Critical Reflections on Authority and Identity at a Time of Uncertainty,* Oxford, Blackwell, 1996.

Heilbroner, Robert, *21st Century Capitalism,* New York/Londres, Norton, 1993.

Henderson, J., et M. Castells, sous la dir. de, *Global Restructuring and Territorial Development,* Beverly Hills/Londres, Sage, 1987.

Hepworth, M. E., *Geography of the Information Economy,* Londres, Guilford Press, 1990.

Hepworth, M. E., « The Geography of Technological Change in the Information Economy », *Regional Studies,* 20 (1986), p. 407-424,

Heyser, Noaleen, *et al., The Trade in Domestic Workers. Causes, Mechanisms and Consequences of International Migration,* Londres, Routledge/Asian Pacific Development Centre, 1994.

Higgins, Benjamin, « Halifax, the Maritime's Metropolis : A Fragile Equilibrium », dans *Shock Waves. The Maritime Urban System in the New Economy,* sous la dir. de George J. De Benedetti et de Rodolphe H. Lamarche, Moncton, Institut canadien de recherche sur le développement régional, 1994, p. 161-182.

Hobbs, Heidi H., *City Halls Goes Abroad. The Foreign Policy of Local Politics,* Londres, Sage, 1994.

Hobsbawm, Eric, *Nations et Nationalismes depuis 1780. Programme, mythe, réalité,* Paris, Gallimard, 1992.

Hondrich, Karl-Otto, et Theodore Caplow, « Conflicts and Conflict Regulation », dans *Convergence or Divergence? Comparing Recent Trends in Industrial Societies,* sous la dir. de S. Langlois *et al.,* Montréal/Kingston/Francfort, McGill/Queen's University Press/ Campus Verlag, 1994, chap. 8.

Horsman, Mathew, et Andrew Marshall, *After the Nation-State. Citizens, Tribalism and the New World Disorder,* Londres, Harper-Collins, 1995.

« Hot Spots. America's New Growth Regions Are Blessoning Despite the Slump », *Business Week,* 19 octobre 1992, p. 80-88.

Houle, François, « La pluralité des identités nationales et l'évolution du fédéralisme canadien », manuscrit, 1995.

Houle, François, « La crise et la place du Canada dans la nouvelle division internationale du travail », dans *Le Canada et la Nouvelle Division internationale du travail,* sous la dir. de D. Cameron et de F. Houle, Ottawa, Éditions de l'Université d'Ottawa, 1985, p. 79-102.

Howe, Neil, et William Strauss, « The New Generation Gap », *The Atlantic Monthly,* décembre 1992, p. 67-89.

Howells, Jeremy, et Michelle Wood, *The Globalization of Production and Technology,* Londres, Belhaven Press, 1993.

Huey, John, « Managing in the Midst of Chaos », *Fortune,* 5 avril 1993, p. 38-48.

Ignatieff, Michael, « Québec : la société distincte, jusqu'où ? », dans *Le Déchirement des nations,* sous la dir. de Jacques Rupnik, Paris, Seuil/CERI, 1995.

« Inequality. How the Growing Gap Between Rich and Poor in America is Hurting the Economy », *Business Week,* 15 août 1994.

« Information Revolution. How Digital Technology is Changing the Way we Work and Live (The) », *Business Week (Special 1994 Bonus Issue),* juin-juillet 1994.

Institut français des relations internationales, *Ramses 95. Synthèse annuelle de l'actualité mondiale,* Paris, Dunod, 1994.

« Invasion of the Retail Snatchers », *Business Week,* 9 mai 1994, p. 72-73.

Isin, Engin F., *Toronto Region in the World Economy*, Toronto, York University, 1994.

Jacobs, Jane, *The Question of Separatism. Quebec and the Struggle Over Sovereignty*, New York, Random House, 1980.

Jacquemin, A., *Sélection et Pouvoir dans la nouvelle économie industrielle*, Paris/Louvain-La-Neuve, Economica/Cabay, 1986.

Jacques, Daniel, *Les Humanités passagères. Considérations philosophiques sur la culture politique québécoise*, Montréal, Boréal, 1991.

Jacques, Daniel, « La société québécoise à l'heure du cosmopolitisme », manuscrit, 1995.

Jenson, Jane, et Riane Mahon, sous la dir. de, *The Challenge of Restructuring. North American Labor Movement Respond*, Philadelphie, Temple University Press, 1993.

Jenson, Jane, « La démocratie politique à l'ère de la globalisation », dans *Les Frontières de l'identité. Modernité et Postmodernisme au Québec*, sous la dir. de Mikhaël Elbaz, de Andrée Fortin, et de Guy Laforest, Sainte-Foy/Paris, PUL/L'Harmattan, 1996, p. 135-154.

Jenson, Jane, « Le refus de la dualité. Nouvelles revendications de la citoyenneté au Canada », dans *La Question identitaire au Canada francophone : récits, parcours, enjeux, hors-lieux*, sous la dir. de J. Létourneau, avec la collab. de R. Bernard, Québec, PUL, 1994, p. 189-213.

Jenson, Jane, « Naming Nations. Making Nationalist Claims in Canadian Public Discourse », *Canadian Review of Sociology and Anthropology*, 30, 3 (1993), p. 337-358.

Jenson, Jane, « Different But Not Exceptional : Canada's Permeable Fordism », *Revue canadienne de sociologie et d'anthropologie*, 26, 1 (1989), p. 69-94.

Jewsiewicki, Bogumil, « Les porte-mémoire chrétiens de la nation : Québec, Pologne, Zaïre », dans *Cartes d'identité. Comment dit-on « nous » en politique ?*, sous la dir. de Denis-Constant Martin, Paris, FNSP, 1994, p. 123-143.

Jhappan, Rhada, « Inherency, Three Nations and Collective Rights : The Evolution of Aboriginal Constitutional Discourse from 1982 to the Charlottetown Accord », *Revue internationale d'études canadiennes*, n° 7-8 (printemps-automne 1993), p. 225-259.

Johnston, R. H., David B. Knight, et Eleanore Kofman, sous la dir.

de, *Nationalism, Self-Determination and Political Geography*, Londres, Croom Helm, 1988.

Julien, Pierre-André, « L'économie du Québec en mutation : vers un nouvel équilibre entre les petites et les grandes entreprises », dans *Québec 2000 : Quel développement ?*, sous la dir. de Yves Bélanger et de Pierre Hamel, Sillery, PUQ, 1992, p. 209-228.

Julius, Deanne, *Liberalization, Foreign Investment and Economic Growth*, Londres, Shell Selected Papers, 1993.

Kahn, René, « Facteurs de localisation, compétitivité et collectivités territoriales », *Revue d'économie régionale et urbaine*, 2-1993, p. 309-326.

Kaplan, Robert D., « The Coming Anarchy », *The Atlantic Monthly*, février 1994, p. 44-76.

Kébadjian, Gérard, *L'Économie mondiale, enjeux nouveaux, nouvelles théories*, Paris, Seuil, 1994.

Khavand, Fereydoun A., *Le Nouvel Ordre commercial mondial, du GATT à l'OMC*, Paris, Nathan, 1995.

Khouri, Nadia, *Qui a peur de Mordecai Richler ?*, Montréal, Les Éditions Balzac, 1995.

Khouri, Nadia, « "Nous sommes tous distincts". Heurs et malheurs d'une formule définitionnelle », dans *Mots, représentations. Enjeux dans les contacts interethniques et interculturels*, sous la dir. de Khadiyatoulah Fall, de Daniel Simeoni et de Georges Vigneaux, Ottawa, Presses de l'Université d'Ottawa, 1994, p. 251-281.

Kierzkowski, H., sous la dir. de, *Monopolistic Competition and International Trade*, Oxford, Clarendon Press, 1984.

King, M., et S. Wadhwani, « Transmission of Volatility Between Stock Markets », « Working Paper Series », Washington D.C., National Bureau of Economic Research, mars 1989.

Kolinsky, M., « The Nation State in Western Europe : Erosion from « Above » and « Below », dans *The Nation State : The Formation of Modern Politics*, sous la dir. de Leonard Tivey, New York, St. Martin's Press, 1981.

Krahn, Harvey, « Accroissement des régimes de travail atypiques », dans *L'Emploi et le revenu en perspective*, 7, 4 (hiver 1995), p. 39-47, n° 75-001F au catalogue.

Kresl, Peter Karl, et G. Gappert, *North American Cities and Global Economy*, Thousand Oaks (CA), Sage, 1995.

Kresl, Peter Karl, « Restructuring in Response to the Canada-U.S. Free Trade Agreement : The Case of Quebec Cities », *Quebec Studies*, 17 (automne 1993-hiver 1994), p. 13-29.

Kritz, Mary M., *et al.*, sous la dir. de, *Global Trends in Migration. Theory and Research on International Population Movement*, New York, Center for Migration Studies Press, 1981.

Krueger, Anne O., « Global Trends Prospects for the Developing Countries », *The World Economy*, 15, 4 (1992), p. 457-474.

Krugman, Paul, *Economic Geography*, Boston, MIT Press, 1991.

Krugman, Paul, *Peddling Prosperity. Economic Sense and Nonsense in the Age of Diminished Expectations*, New York/Londres, Norton, 1994.

Kuttner, Robert, *The End of Laissez-Faire. National Purpose in the Global Economy After the Cold War*, New York, Knopf, 1991.

Kymlicka, Will, *Liberalism, Community and Culture*, Oxford, Clarendon Press, 1989.

Lachapelle, Guy, sous la dir. de, *Quebec Under Free Trade. Making Public Policy in North America*, Sillery, PUQ, 1995.

Laclau, Ernesto, *The Making of Political Identities*, Londres, Verso, 1994.

Lacroix, Jean-Guy, Bernard Miège, et Gaëtan Tremblay, sous la dir. de, *De la télématique aux autoroutes électroniques. Le grand projet reconduit*, Sillery/Grenoble, PUQ/PUG, 1994.

Lafay, G., et C. Herzog, *Commerce international : la fin des avantages comparatifs*, Paris, Economica, 1991.

Laforest, Guy, *De l'urgence. Textes politiques, 1994-1995*, Montréal, Boréal, 1995.

Laforest, Guy, *De la prudence*, Montréal, Boréal, 1993.

Laforest, Guy, *Trudeau et la fin d'un siècle*, Sillery, Septentrion, 1992.

Lamonde, Pierre, et Yvon Martineau, *Désindustrialisation et Restructuration économique : Montréal et les autres grandes métropoles nord-américaines, 1971-1991*, Montréal, INRS-Urbanisation, 1992.

Lamorlette, Thierry, et Patrick Rassat, *Stratégie fiscale internationale*, Paris, Laurent du Mesnil éditeur, 1995 (1993).

Lamoureux, Jocelyne, *Le Partenariat à l'épreuve*, Montréal, Saint-Martin, 1994.

Lamphere, Louise, Alex Stepick, et Guillermo Grenier, *Newcomers in the Workplace. Immigrants and the Restructuring of the U.S. Economy*, Philadelphie, Temple University Press, 1994.

Langlois, Richard N., *et al.*, *Microelectronics. An Industry in Transition*, Boston, Unwin Hyman, 1988.

Langlois, Simon, sous la dir. de, *Identité et Culture nationale. L'Amérique française en mutation*, Sainte-Foy, PUL, 1995.

Langlois, Simon, *et al.*, *Convergence or Divergence? Comparing Recent Social Trends in Industrial Societies*, Montréal/Kingston, McGill-Queen's University Press/Campus Verlag, 1994.

Langlois, Simon, « Tendances du travail à temps partiel au Canada, 1975-1991 », série « Rapports de recherche, chantier Tendances socioculturelles », Québec, IQRC, 1993.

Langlois, Simon, « Inégalités et pauvreté : la fin d'un rêve ? », dans *Le Québec en jeu. Comprendre les grands défis*, sous la dir. de Gérard Daigle, avec la collab. de Guy Rocher, Montréal, PUM, 1992, p. 249-263.

Langlois, Simon, « Anciennes et nouvelles formes d'inégalités et de différenciation sociales au Québec », dans *La Société québécoise après 30 ans de changements*, sous la dir. de Fernand Dumont, Québec, IQRC, 1990, p. 81-98.

Langlois, Simon, « L'avènement de la société de consommation : un tournant dans l'histoire de la famille », dans *Familles d'aujourd'hui*, sous la dir. de Denise Lemieux, Québec, IQRC, 1990, p. 89-113.

Langlois, Simon, « La place des jeunes dans la société globale : retournements et divergences », *L'Action nationale*, 80, 4 (1990), p. 494-503.

Langlois, Simon, « Les familles à un et à deux revenus : changement social et différenciation socioéconomique », dans *Culture et Société au Canada en période de crise économique*, sous la dir. de John Carlsen et de Jean-Michel Lacroix, Montréal, Association d'études canadiennes, 1987, p. 147-160.

Langlois, Simon, « Crise économique et mutations dans les genres de vie des familles québécoises », dans *Les Enjeux sociaux de la décroissance*, sous la dir. de Lise Pilon-Lê et de André Hubert, Montréal, Saint-Martin, 1983, p. 119-139.

Larose, Jean, *La Souveraineté rampante*, Montréal, Boréal, 1994.

LaRue, Richard, « La crainte de l'égalité. Essai sur un fondement symbolique de l'État canadien », thèse de doctorat, Université Laval, département d'histoire, 1990.

LaRue, Richard, « Identité et communication. Formulation d'une problématique de la légitimation de l'État canadien », dans *Constructions identitaires : questionnements théoriques et études de cas,* sous la dir. de B. Jewsiewicki et de J. Létourneau, Québec, CÉLAT, 1992, p. 113-125.

Lash, S., et J. Urry, *The End of Organized Capitalism,* Cambridge, Polity Press, 1987.

Laycock, David, *Populism and Democratic Thought in the Canadian Prairies,* Toronto, University of Toronto Press, 1990.

Lebaube, Alain, « Chômage : le scénario catastrophe », *Le Monde,* 8 mars 1993, p. 13.

Legaré, Anne, et Nicole Morff, *La Société distincte de l'État. Québec-Canada, 1930-1980,* Montréal, Hurtubise HMH, 1989.

Lemelin, André, « La logique du développement des activités économiques dans l'espace urbain de Montréal », *L'Actualité économique,* 67, 4 (1991), p. 439-457.

Lemieux, Vincent, « Réseaux et appareils dans la structuration du social », dans *Structuration du social et Modernité avancée. Autour des travaux d'Anthony Giddens,* sous la dir. de Michel Audet et de Hamid Bouchikhi, Québec, PUL, 1993, p. 147-168.

Lemieux, Vincent, « Le positionnement des partis dans les débats sur l'avenir politique du Québec », dans *Le Québec et la Restructuration du Canada, 1980-1992,* sous la dir. de Louis Balthazar, de Guy Laforest et de Vincent Lemieux, Sillery, Septentrion, 1991, p. 267-279.

Lenihan, Donald G., Gordon Robertson, et Roger Tassé, *Canada : La voie médiane,* Montréal, Québec/Amérique, 1995.

Leroy, Catherine, « Précaires périphéries », *Les métamorphoses du travail,* cahier spécial du journal *Le Monde,* 17 mai 1995, p. 9.

Lesage, Marc, *Les Vagabonds du rêve. Vers une société de marginaux,* Montréal, Boréal, 1986.

Létourneau, Jocelyn, avec la collab. de Roger Bernard, *La Question identitaire au Canada francophone : récits, parcours, enjeux, horslieux,* Sainte-Foy, PUL, 1994.

Létourneau, Jocelyn, « *Nous Autres les Québécois.* La voix des manuels d'histoire », *Internationale Schulbuchforschung,* 18 (1996), p. 11-30.

Létourneau, Jocelyn, « *Vox-Clips* fin de siècle. Incursion au cœur de l'espace de la société flexible », *Possibles,* 20, 2 (1996), p. 173-187.

Létourneau, Jocelyn, « La production historienne courante portant sur le Québec et ses rapports avec la construction des figures identitaires d'une communauté communicationnelle », *Recherches sociographiques*, 36, 1 (1995), p. 9-45.

Létourneau, Jocelyn, « Le « Québec moderne » : un chapitre du grand récit collectif des Québécois », *Revue française de science politique*, 42, 5 (octobre 1992), p. 765-785.

Létourneau, Jocelyn, « La nouvelle figure identitaire du Québécois. Essai sur la dimension symbolique d'un consensus social en voie d'émergence », *British Journal of Canadian Studies*, 6, 1 (1991), p. 17-38.

Létourneau, Jocelyn, « La reconfiguration de l'espace d'accumulation nord-américain », dans *Politique et Régulation. Modèle de développement et trajectoire canadienne*, sous la dir. de G. Boismenu et de D. Drache, Montréal/Paris, Méridien/L'Harmattan, 1990, p. 309-355.

Létourneau, Jocelyn, « Accumulation, régulation et sécurité du revenu au Québec au début des années 1960 », thèse de doctorat, Université Laval, département d'histoire, 1985.

Létourneau, Jocelyn, avec la collab. de Anne Trépanier, « La na(rrac)tion du Québec », manuscrit, 1996.

Létourneau, Jocelyn, et Jacinthe Ruel, « *Nous Autres les Québécois.* Topiques du discours franco-québécois sur *Soi* et sur l'*Autre* dans les mémoires déposés devant la commission Bélanger-Campeau », dans *Mots, représentations. Enjeux dans les contacts interethniques et interculturels*, sous la dir. de Khadiyatoulah Fall, de Daniel Simeoni et de Georges Vigneaux, Ottawa, Presses de l'Université d'Ottawa, 1994, p. 282-307.

Lévesque, Jean-Marc, « Travail autonome au Canada ; un examen plus approfondi », *La Population active*, Ottawa, Statistique Canada, février 1985, n° 71-001 au catalogue.

Levine, Mark, *The Reconquest of Montreal. Language Policy and Social Change in a Bilingual City*, Philadelphie, Temple University Press, 1990.

Lévy, Jacques, *Le monde pour Cité*, Paris, Hachette, 1996.

Ley, D., et T. Hutton, « Vancouver's Corporate Complex : Production Services Sector Linkages and Divergences Within a Provincial Economy », *Regional Studies*, 21 (1987), p. 413-424.

Lipietz, Alain, *Crise et Inflation, pourquoi?*, Paris, Maspero, 1979.

Lipietz, Alain, « New Tendencies in the International Division of Labor : Regimes of Accumulation and Modes of Regulation », dans *Production, Work and Territory. The Geographical Anatomy of Industrial Capitalism*, sous la dir. de A. J. Scott et de M. Storper, Boston/Londres, Allen & Unwin, 1986, p. 16-40.

Löfgren, Orvar, « The Nationalization of Culture », *Ethnologia Europea*, XIX, 1 (1989), p. 5-24.

Loomis, Carol J., « The Risk That Won't Go Away », *Fortune*, 7 mars 1994, p. 40-57.

Loomis, Carol J., « Dinosaurs? », *Fortune*, 3 mai 1993, p. 36-42.

Lozano, Beverly, *The Invisible Work Force. Transforming American Business with Outside and Home-Based Workers*, New York, Free Press, 1989.

Luard, E., *The Globalization of Politics. The Changed Focus of Political Action in the Modern World*, Londres, MacMillan, 1990.

Lyon, David, *The Information Society : Issues and Illusions*, Cambridge, Polity Press, 1988.

MacKenzie, S., « Neglected Spaces in Peripheral Places : Women and the Creation of the New Economic Centre », *Cahiers de géographie du Québec*, 31 (1987), p. 247-260.

MacMillan, John, et Andrew Linklater, sous la dir. de, *Boundaries in Question. New Directions in International Relations*, Londres, Pinter, 1995.

MacRedie, Ian, « Travail autonome au Canada : un aperçu », *La Population active*, Ottawa, Statistique Canada, février 1985, n° 71-001 au catalogue.

Maddison, Angus, *L'Économie mondiale au XXᵉ siècle*, Paris, OCDE, 1989.

Magnusson, Warren, « Social Movements and the Global City », *Millenium. Journal of International Studies*, 23, 3 (1994), p. 621-645.

Maheu, Louis, sous la dir. de, *Social Movements and Social Classes. The Future of Collective Action*, Londres, Sage/International Sociological Association, 1995.

Maheu, Louis, « Les mouvements sociaux : plaidoyer pour une sociologie de l'ambivalence », dans *Penser le sujet. Autour d'Alain Touraine*, sous la direction de François Dubet et de Michel Wieviorka, Paris, Fayard, 1995, p. 313-334.

« Making of Global Enterprise (The) », édition spéciale de *Business History*, 36, 1 (janvier 1994).

Mandel, M., *The Charter of Rights and the Legalization of Politics in Canada*, Toronto, Wall & Thompson, 1989.

Manzagol, Claude, « L'évolution récente de l'industrie manufacturière à Montréal », *Cahiers de géographie du Québec*, 27 (1983), p. 237-254.

Marshall, T. H., *Citizenship and Social Class*, Cambridge, Cambridge University Press, 1950.

Martin, Fernand, « L'impact régional de l'accord de libre-échange nord-américain (ALÉNA) selon le paradigme régional-international », Université de Montréal, département des sciences économiques, septembre 1992.

Martin, Patrice, et Patrick Savidan, *La Culture de la dette*, Montréal, Boréal, 1994.

Martin, R., « Stateless Monies, Global Financial Integration and National Economic Autonomy », dans *Money Power and Space*, sous la dir. de S. Corbridge, de R. Martin, et de N. Thrift, Oxford, Basil Blackwell, 1994, p. 253-278.

Maser, Karen, « Qui épargne pour la retraite ? », dans *L'Emploi et le revenu en perspective*, 7, 4 (hiver 1995), p. 15-20, n° 75-001F au catalogue.

Masse, Martin, *Identités collectives et Civilisation : pour une vision non-nationaliste d'un Québec indépendant*, Montréal, VLB, 1994.

Mathieu, Jacques, et Jacques Lacoursière, *Les Mémoires québécoises*, Québec, PUL, 1991.

Matthews, Ralph, et J. Campbell Davis, « The Comparative Influence of Region, Status, Class, and Ethnicity on Canadian Attitudes and Values », dans *Regionalism in Canada*, sous la dir. de Robert J. Brym, Toronto, Irwin, 1986, p. 89-122.

Matustik, Martin J., *Postnational Identity. Critical Theory and Existential Philosophy in Habermas, Kierkegaard, and Havel*, New York, Guilford Press, 1993.

McBride, Stephen, « Renewed Federalism as an Instrument of Competitiveness : Liberal Political Economy and the Canadian Constitution », *Revue internationale d'études canadiennes*, n° 7-8 (printemps-automne 1993), p. 187-205.

McCall, Christopher, *Class, Ethnicity and Social Inequality*, Montréal/Kingston, McGill/Queen's University Press, 1990.

McCall, Christopher, « Les murs de la Cité : territoires d'exclusion et espaces de citoyenneté », *RIAC-Lien social et Politiques*, 34 (automne 1995), p. 81-92.

McGrew, A. C., *Global Politics*, Cambridge, Polity Press, 1992.

McRoberts, Ken, *Quebec. Social Change and Political Crisis*, Toronto, McClelland & Stewart, 1988.

Mead, L., *Beyond Entitlement. The Social Obligations of Citizenship*, New York, Free Press, 1986.

Meadwell, Henry, « The Politics of Nationalism in Quebec », *World Politics*, 45, 2 (1993), p. 203-241.

Melucci, Alberto, *The Nomads of the Present. Social Movements and Individual Needs in Contemporary Societies*, Philadelphie, Temple University Press, 1989.

Melucci, Alberto, « Individualisation et globalisation », *Cahiers de recherche sociologique*, 24 (1995), p. 185-206.

« Men, Women, Computers. The Gender Gap in High Tech », *Newsweek*, 16 mai 1994.

Mentz, Fredric C., et Sarah H. Stevens, *Economic Opportunities in Freer U.S. Trade With Canada*, Albany, SUNY Press, 1991.

Mercer, John, « The Canadian City in Continental Context : Global and Continental Perspectives on Canadian Urban Development », dans *Canadian Cities in Transition*, sous la dir. de Trudi H. Banting et de Pierre Filion, Toronto, Oxford University Press, 1991.

« Métamorphoses du travail (Les) », cahier spécial du journal *Le Monde*, 17 mai 1995.

Michalet, Charles-Albert, *Le Capitalisme mondial*, Paris, PUF, 1976.

Millon-Delsol, C., *L'État subsidiaire*, Paris, PUF, 1992.

Mishel, Lawrence, *The State of Working America*, Washington D.C., Economic Policy Institute, 1990.

Mistral, Jacques, « La diffusion internationale de l'accumulation intensive et sa crise », dans *Économie et finance internationales*, sous la dir. de J.-L. Reiffers, Paris, Dunod, 1982, p. 205-237.

Mistral, Jacques, « Régime international et trajectoires nationales », dans *Capitalismes fin de siècle*, sous la dir. de Robert Boyer, Paris, PUF, 1986, p. 167-201.

Mitter, S., « Industrial Restructuring and Manufacturing Homework », *Capital & Class*, 27 (1986), p. 37-80.

Moati, Philippe, *Hétérogénéité des entreprises et Échange international*, Paris, Economica, 1992.

Mollenkopf, J. H., et M. Castells, sous la dir. de, *Dual City. Restructuring New York*, New York, Russell Sage Foundation, 1991.

Monette, Hélène, *Unless*, Montréal, Boréal, 1995.

Montpetit, Caroline, « Le nombre de travailleuses autonomes en hausse marquée », *Le Devoir*, 8 décembre 1994, p. A-4.

Morin, Jacques-Yvan, et José Woehrling, *Les Constitutions du Canada et du Québec, du régime français à nos jours*, Montréal, Thémis, 1992.

Morris, Lydia, *Dangerous Classes. The Underclass and Social Citizenship*, Londres, Routledge, 1994.

Morissette, René, « Emploi et taille des entreprises au Canada : les petites entreprises offrent-elles des salaires inférieurs ? », série « Documents de recherche », n° 235, Ottawa, Statistique Canada, Division d'analyse des entreprises et du marché du travail, Division des études analytiques, 1989.

Morissette, René, John Myles, et Garnett Picot, « L'inégalité des gains au Canada : le point sur la situation », série « Documents de travail », n° 28, Ottawa, Statistique Canada, Direction des études analytiques, 1993.

Moss, M. L., et J. G. Brion, « Foreign Banks, Telecommunications, and the Central City », dans *Services and Metropolitan Development. International Perspectives*, sous la dir. de P. W. Daniels, Londres/New York, Routledge, 1991, p. 265-283.

Myles, John, « Post-Industrialism and the Service Economy », dans *The New Era of Global Competition. State Policy and Market Power*, sous la dir. de Daniel Drache et de Meric S. Gertler, Montréal/ Kingston, McGill/Queen's University Press, 1991.

Myles, John, et Les Teichroew, « The Politics of Dualism : Pension Policy in Canada », dans *States, Labor Markets and the Future of Old-Age Policy*, sous la dir. de J. Myles et de J. Quadagno, Philadelphie, Temple University Press, 1991, p. 84-104.

Myles, John, René Morissette, et Garnett Picot, « L'inégalité des gains au Canada : le point sur la situation », document de recherche n° 60, Statistique Canada, Direction des études analytiques,

Division d'analyse des entreprises et du marché du travail, 1993.

Myles, John, Garnett Picot, et Ted Wannell, « Les bons et les mauvais emplois et le déclin de la classe moyenne : 1967-1986 », série « documents de recherche », n° 28, Ottawa, Statistique Canada, Direction des études analytiques, Division d'analyses des entreprises et du marché du travail, 1990.

Nader, George A., « An Economic Regionalization of Canada : The Validity of Provinces as Regions for the Conduct of Regional Economic Policy », *Canadian Journal of Regional Science*, 3, 2 (1980), p. 117-138.

Nell, Edward J., *Transformational Growth and Effective Demand*, New York, MacMillan, 1992.

Nemni, Max, « Le « dés-accord » du lac Meech et la construction de l'imaginaire symbolique des Québécois », dans *Le Québec et la Restructuration du Canada, 1980-1992*, sous la dir. de Louis Balthazar, de Guy Laforest et de Vincent Lemieux, Sillery, Septentrion, 1991, p. 167-197.

« New Geography and Sociology of Production (The) », édition spéciale de *Environment and Planning D : Society and Space*, 6, 3 (1988), p. 241-370.

Newman, Catherine, *Falling From Grace. The Experience of Downward Mobility in the American Middle Class*, New York, Free Press, 1988.

Newman, Catherine, *Declining Fortunes. The Withering of the American Dream*, New York, Basic Books, 1993.

Niosi, Jorge, « Du nouveau dans les services internationaux : les multinationales de l'ingénierie », *Revue d'économie industrielle*, n° 43 (1988), p. 70-82.

Noël, Alain, « Les politiques sociales et la polarisation des revenus », *Nouvelles Pratiques sociales*, 7, 1 (1994), p. 215-227.

Noll, Heinz-Herbert, et Simon Langlois, « Employment and Labour Change : Toward Two Models of Growth », dans *Convergence or Divergence? Comparing Recent Social Trends in Industrial Societies*, sous la dir. de S. Langlois *et al.*, Montréal/Kingston/Francfort, McGill/Queen's University Press/ Campus Verlag, 1994, chap. 4.

Nordcliffe, Glen, « Regional Labour Market Adjustments in a Period of Structural Transformation : An Assessment of the Canadian

---

Case », *The Canadian Geographer*, n° 381 (printemps 1994), p. 2-17.

Norrie, Keith, et Doug Owram, *History of the Canadian Economy*, Toronto, University of Toronto Press, 1990.

North, Douglas C., *Institutions, Institutional Change and Economic Performances*, Cambridge, Cambridge University Press, 1991.

O'Brien, Richard, *Global Financial Integration. The End of Geography?*, New York, Council of Foreign Relations Press, 1992.

Offe, Claus, « Challenging the Boundaries of Institutional Politics : Social Movements Since the 1960's », dans *Changing Boundaries of the Political. Essays on the Evolving Balance Between the State and Society, Public and Private in Europe*, sous la dir. de Charles Maier, Cambridge, Cambridge University Press, 1987, p. 63-105.

Ohlin, Bertil, *Interregional and International Trade*, Cambridge, Harvard University Press, 1967 (1933).

Ohmae, Kenichi, *The Borderless World. Power and Strategy in the Interlinked Economy*, New York, Harper Business, 1980.

O'Reilly-Fleming, Thomas, *Down and Out in Canada. Homeless Canadians*, Toronto, Canadian Scholar's Press, 1993.

Osborne, David, et Ted Gaebler, *Reinventing Government. How the Entrepreneurial Spirit is Transforming the Public Sector*, Reading, Mass., Addison-Wesley, 1992.

O'Sullivan See, Katherine, *First World Nationalisms. Class and Ethnic Politics in Northern Ireland and Quebec*, Chicago/Londres, University of Chicago Press, 1986.

Owram, Doug, *The Economic Development of Western Canada. An Historical Overview*, Ottawa, Economic Council of Canada, 1982.

Pal, Leslie, « Sizing Up the State », dans *Un État réduit/A Down-Sized State?*, sous la dir. de Robet Bernier et de James Iain Gow, Sillery/Montréal, PUQ/ÉNAP/PUM, 1994, p. 433-435.

Palloix, Christian, *L'Internationalisation du capital : éléments critiques*, Paris, Maspéro, 1975.

Palloix, Christian, *L'Économie mondiale capitaliste et les Firmes multinationales*, Paris, Maspéro, 1975, 2 vol.

Paquet, Gilles, « Penser la socialité au Québec », manuscrit, 1995.

Paquet, Gilles, « Un pari sur l'État endosseur », dans *La Crise des finances publiques*, Montréal, ASDEQ, 1993.

Paquet, Gilles, « Internationalisation de la production et mutation du processus de travail », Program of Research in International Management and Economy, Faculté d'administration, Université d'Ottawa, août 1993, document de travail n° 93-46.

Paquet, Gilles, « Commentaires (sur les textes de Wils et Lacombe, et de Brown) », dans *Les Défis de la rémunération,* sous la dir. de Michel Audet *et al.,* Québec, Presses de l'Université Laval, 1992, p. 29-37.

Paquet, Gilles, « Le kaléidoscope de l'ethnicité : une approche constructiviste », dans *L'Ethnicité à l'heure de la mondialisation,* sous la direction de Caroline Andrew *et al.,* Hull, ACFAS-Outaouais, 1992, p. 21-33.

Parizeau, Jacques, « Discours d'ouverture de la 35e législature de l'Assemblée nationale du Québec », Québec, 29 novembre 1994.

Parizeau, Jacques, « Interview », dans *Canadian-American Free Trade : Historical, Political and Economic Dimensions,* sous la dir de Austin R. Riggs et de Tom Velk, Montréal, Institute on Public Policy, 1987.

Parti québécois, *Le Québec dans un monde nouveau,* Montréal, VLB Éditeur, 1993.

Pavé, Francis, « Les NTIC et l'organisation des entreprises », dans *Le Paradigme informatique. Technologie et évolutions sociales,* sous la dir. de Christopher Freeman et de Henri Madras, Paris, Descartes & Cie, 1995, p. 77-99.

Peck, J., « *Invisible Threads* : Homeworking, Labour Market Relations and Industrial Restructuring in the Ausralian Clothing Trade », *Environment and Planning D : Society and Space,* 10 (1992), p. 671-689.

Perrin, Roberto, « National Histories and Ethnic History in Canada », *Cahiers de recherche sociologique,* n° 20 (1993), p. 113-128.

Peters, Tom, *Liberation Management. Necessary Disorganization for the Nanosecond Nineties,* New York, Knopf, 1992.

Peterson, Peter G., « Will America Grow Up Before it Grows Old ? », *The Atlantic Monthly,* mai 1996, p. 55-86.

Petit, Pascal, « Formes de services et modes d'internationalisation des économies », dans *Les Relations de services,* sous la dir. de J. de Brandt et de J. Gadrey, Paris, Presses du CNRS, 1994.

Petrella, Ricardo, « Le retour des conquérants », *Le Monde diplomatique,* mai 1995, p. 20.

« Phénomène des générations et la société canadienne (Le) », *Revue internationale d'études canadiennes,* numéro hors-série, hiver 1993.

Philippart, Éric, sous la dir. de, *Nations sans frontières dans la nouvelle Europe,* Bruxelles, Éditions Complexe, 1993.

Picot, Garnett, John Myles, et Ted Wannell, « Les bons et les mauvais emplois et le déclin de la classe moyenne : 1967-1986 », série « Documents de recherche », n° 60, Ottawa, Statistique Canada, Direction des études analytiques, 1990.

Piore, Michael J., *Birds of Passage. Migrant Labour and Industrial Societies,* New York, Cambridge University Press, 1979.

Piore, Michael J., « The Shifting Grounds for Immigration », *Annals of the American Academy of Political and Social Science,* 485 (mai 1986), p. 23-33.

Polèse, Mario, « La thèse du déclin de Montréal, revue et corrigée », *L'Actualité économique,* 66, 2 (1990).

Porter, Michael E., *The Competitive Advantage of Nations,* New York, Free Press, 1990.

« Power to the State. Are They Ready ? », *Business Week,* 7 août 1995, p. 48-56.

Pratt, Larry, et John Richards, *Prairie Capitalism. Power and Influence in the New West,* Toronto, McClelland & Stewart, 1979.

Preston, Richard E., « Central Place Theory and the Canadian Urban System », dans *Canadian Cities in Transition,* sous la dir. de Trudi H. Banting et de Pierre Filion, Toronto, Oxford University Press, 1991, p. 148-177

Proulx, Pierre-Paul, « La décentralisation : facteur de dévelopement ou d'éclatement du Québec ? », *Cahiers de recherche sociologique,* 25 (1995), p. 155-180.

Proulx, Pierre-Paul, « Quebec in North America : From a Borderland to a Borderless Economy », *Québec Studies,* 16 (été-automne 1993), p. 23-37.

Proulx, Pierre-Paul, « Cadre conceptuel pour l'analyse de la localisation et du développement économique. Le cas des villes internationales », *Canadian Journal of Regional Science,* 14, 2 (été 1991).

Quéau, Philippe, *Vertus et Vertiges,* Paris, Champ Vallon/INA, 1993.

Quéau, Philippe, *Éloge de la simulation. De la vie des langages à la synthèse des images,* Paris, Metaxu, 1986.

« Québec de responsabilité et de solidarité (Un) », document préparatoire à la Conférence sur le devenir social et économique du Québec, Gouvernement du Québec, mars 1996.

Ram, Bali, Y. Edward Shin, et Michel Pouliot, *Les Canadiens en mouvement*, série « Le Canada à l'étude », Ottawa/Toronto, Statistique Canada/Prentice Hall, 1994, n° 96-309 au catalogue.

Ramonet, Ignacio, « Pouvoirs fin de siècle », *Le Monde diplomatique*, mai 1995, p. 19.

Randall, Stephen, et Roger Gibbins, sous la dir. de., *Federalism and the New World Order*, Calgary, University of Calgary Press, 1994.

Rapport de la Commission royale d'enquête sur l'union économique et les perspectives de développement du Canada, Ottawa, ministère des Approvisionnements et Services, 1985, 3 vol.

Rashid, Abdul, *Revenu de la famille au Canada*, série « Le Canada à l'étude », Ottawa/Toronto, Statistique Canada/Prentice Hall, 1994, n° 96-307F au catalogue.

Ray, Michael, et Alan Rinzler, *The New Paradigm of Business. Emerging Strategies for Leadership and Organizational Change*, Los Angeles, Jeremy P. Tarcher/Pedigree Books, 1993.

Ray, D. Michael, « Employment Creation by Small Firms », dans *Canada and the Global Economy. The Geography of Structural and Technological Change*, sous la dir. de John N. H. Britton, Montréal/Kingston, McGill/Queen's University Press, 1996, p. 175-194.

Raynauld, J., « Canadian Regional Cycles and the Propagation of U.S. Economic Conditions », *Canadian Journal of Regional Science*, 10 (1987), p. 77-89.

Rea, K.J., *The Prosperous Years. The Economic History of Ontario, 1939-1975*, Toronto, OHSS, 1985.

Réal, Bernard, *La Puce et le Chômage. Essai sur la relation entre le progrès technique, la croissance et l'emploi*, Paris, Seuil, 1990.

Reich, Robert B., *The Work of Nations*, New York, Vintage Books, 1992.

« Regional Change in the International Economy », édition spéciale de *International Regional Science Review*, 11, 2 (1988).

Remiggi, Frank W., sous la dir. de, *Montréal. Tableaux d'un espace en transformation*, Montréal, ACFAS, 1992.

Rendisson, Jeffrey, *The Globalization of High Technology Production. Society, Space and Semi-Conductors in the Restructuring of the Modern World*, Londres, Routledge, 1989.

Resnick, Philip, *Thinking English Canada,* Toronto, Stoddart, 1994.

« Rethinking Work », *Business Week,* 17 octobre 1994, p. 40-66.

Ricard, François, *La Génération lyrique. Essai sur la vie et l'œuvre des premiers-nés du baby-boom,* Montréal, Boréal, 1992.

« Rise of the Overclass (The) », *Newsweek,* 31 juillet 1995.

Riverin-Simard, Danielle, *Carrière et Classes sociales,* Montréal, Saint-Martin, 1990.

Rivlin, Alice, *Reviving the American Dream. The Economy, the States and the Federal Government,* Washington D.C., Brookings Institution, 1992.

Robertson, Matthew, « Long Term Unemployment in Canadian Labor Market : A Longitudinal Perspective », *American Journal of Economics and Sociology,* 45, 3 (1986), p. 277-289.

Robin, Régine, « Défaire les identités fétiches », dans *La Question identitaire au Canada francophone : récits, parcours, enjeux, hors-lieux,* sous la dir. de J. Létourneau, en collab. avec R. Bernard, Québec, PUL, 1994, p. 215-239.

Robin, Régine, « Citoyenneté culturaliste, citoyenneté civique », dans *Mots, représentations. Enjeux dans les contacts interethniques et interculturels,* sous la dir. de Khadiyatoulah Fall, de Daniel Simeoni et de Georges Vigneaux, Ottawa, Presses de l'Université d'Ottawa, 1994, p. 179-200.

Robles, Alfredo C., *French Theories of Regulation and Conceptions of the International Division of Labour,* New York, St. Martin's Press, 1994.

Roche, Maurice, *Rethinking Citizenship. Welfare, Ideology and Change in Modern Society,* Cambridge, Polity Press, 1992.

Rochefort, Robert, *La Société des consommateurs,* Paris, Odile Jacob, 1995.

Rocher, François, et Miriam Smith, sous la dir. de, *New Trends in Canadian Federalism,* Peterborough, Broadview Press, 1995.

Rocher, François, et Daniel Salée, « Discours et pratique de la démocratie au Canada : autour des débats sur la constitution », *Revue internationale d'études canadiennes,* n° 7-8 (printemps-automne 1993), p. 167-186.

Rodal, Berel, « The Canadian Conundrum : Two Concepts of Nationhood », dans *State and Nation in Multi-Ethnic Societies. The Breakup of Multinational States,* sous la dir. de Uri Ra'anan *et al.*, Manchester/ New York, Manchester University Press, 1991, p. 156-174.

Rokkan, Stein, et Derek W. Urkin, sous la dir. de, *The Politics of Territorial Identity*, Londres, Sage, 1982.

Roseneau, James, « Le processus de mondialisation : retombées significatives, échanges impalpables et symboliques subtiles », *Études internationales*, 24, 3 (septembre 1993), p. 497-512.

Ross, Robert J. S., et Kent C. Trachte, *Global Capitalism. The New Leviathan*, Albany, SUNY Press, 1990.

Ross, R., et K. Trachte, « Global Cities and Global Classes : The Peripheralization of Labor in New York City », *Review*, VI, 3 (1993), p. 393-431.

Rotstein, Abraham, « Populism and Quebec Nationalism in the Last Canadian Election (octobre 1993) », conférence présentée au 10ᵉ colloque annuel de l'Association indienne d'études canadiennes, Goa, Inde, mai 1994.

Ruffin, Jean-Christophe, *L'empire et les nouveaux barbares. Rupture Nord/Sud*, Hachette, 1992.

Rugman, Alan M., et Joe R. D'Cruz, « Théorie des réseaux d'entreprises », dans *Multinationales en Amérique du Nord*, sous la dir. de Lorraine Eden, Calgary, University of Calgary Press, p. 119-134.

Rumberger, R. W, et H. M. Levin, *Forecasting the Impact of New Technologies on the Future Job Market*, rapport de recherche, Stanford, Stanford University School of Education, 1984.

Rutherford, Tod, « Socio-Spatial Restructuring of Canadian Labour Markets », dans *Canada and the Global Economy. The Geography of Structural and Technological Change*, sous la dir. de John N. H. Britton, Montréal/Kingston, McGill/Queen's University Press, 1996, p. 407-432.

Sadler, D., *The Global Region*, Oxford, Pergamon Press, 1992.

Salais, Robert, et Michael Storper, *Les Mondes de production. Enquête sur l'identité économique de la France*, Paris, Éditions de l'ÉHÉSS, 1993.

Salée, Daniel, « Espace public, identité et nation au Québec : mythes et méprises du discours souverainiste », *Cahiers de recherche sociologique*, 25 (1995), p. 125-153.

Sassen, Saskia, *The Mobility of Labor and Capital. A Study in Inter-*

national Investment and Labor Flow, Cambridge, Cambridge University Press, 1988.

Sassen, Saskia, *The Global City : New York, London, Tokyo*, Princeton, Princeton University Press, 1991.

Sassen, Saskia, *Cities in a World Economy*, Thousand Oaks (CA), Pine Forge Press, 1994.

Savoie, Donald J., *Mondialisation et Gestion publique*, Ottawa, Centre canadien de gestion, 1993.

Savoie, Donald J., et Ralph Winter, *Les Provinces maritimes : un regard vers l'avenir*, Moncton, Institut canadien de recherche sur le développement régional, 1993.

Savoie, Donald J., « Atlantic Region : The Politics of Dependency », dans *Perspective on Canadian Federalism*, sous la dir. de R. D. Olling et de M. W. Westmacott, Scarborough, Prentice-Hall, 1988.

Scardigli, Victor, « Les technologies de l'information changent-elles les structures de la vie en société ? », dans Christopher Freeman, et Henri Madras, *Le Paradigme informatique. Technologie et évolution sociales*, Paris, Descartes & Cie, 1995, p. 61-75.

Schecter, Stephen, *Zen et le Canada post-moderne. La transcanadienne conduit-elle toujours à Charlottetown ?*, Montréal, L'Étincelle, 1994.

Schecter, Stephen, « De la stratification sociale dans la société post-moderne », *Société* (Québec), n° 11 (été 1993), p. 57-94

Schmandt, Jürgen, et Robert Wilson, *Growth Policy in the Age of High Technology. The Role of Regions and States*, Boston, Unwin Hyman, 1990.

Schmidt, Vivian, « The New World Order, Incorporated : The Rise of Business and the Decline of the Nation-State », manuscrit, 1993.

Schnapper, Dominique, *La France de l'intégration : sociologie de la nation en 1990*, Paris, Gallimard, 1991.

Scott, Allen J., *New Industrial Spaces. Flexible Production Organization and Regional Development in North America and Western Europe*, Londres, Pion, 1988.

Serieyx, Hervé, *L'Effet Gulliver*, Paris, Calmann-Lévy, 1994.

Serres, Michel, *Atlas*, Paris, Julliard, 1994.

Serrill, Michael S., « A Nation Blessed, a Nation Stressed », *Time Magazine*, 20 novembre 1995, p. 20-43.

Shaw, Martin, « Global Society and Global Responsibility : The Theoretical, Historical and Political Limits of "International

Society" », *Millenium. Journal of International Studies,* 21, 3 (hiver 1992), p. 421-435.

Silver, Cynthia, « L'évolution des dépenses des ménages canadiens de 1969 à 1992 », *Tendances sociales canadiennes,* hiver 1994, n° 11-008F au catalogue.

Simard, Jean-Jacques, « L'identité comme acte manqué », *Recherches sociographiques,* 36, 1 (1995), p. 103-111.

Simeon, Richard, « Globalization and the Canadian Nation State », dans *Canada at Risk. Canadian Public Policy in the 1990's,* sous la dir. de G. Bruce Doern et de Bryne B. Purchase, Toronto, C.D. Howe Institute, 1992.

Simmons, James W., « The Canadian Market and Activities Oriented to Consumers », dans *Canada and the Global Economy. The Geography of Structural and Technological Change,* sous la dir. de John N. H. Britton, Montréal/Kingston, McGill/Queen's University Press, 1996, p. 316-334.

Singh, Ajit, « Mutation de l'économie mondiale, qualifications et compétitivité », *Revue internationale du travail,* 133, 2 (1994), p. 181-199.

Sklair, Leslie, *Sociology of the Global System,* Baltimore, John Hopkins University Press, 1991.

Smith, Philip, « Évaluation de la dimension de l'économie souterraine : le point de vue de Statistique Canada », *L'Observateur économique canadien,* 7, 5 (mai 1994), p. 3. 16-3. 31, n° 11-010 au catalogue.

Soja, E.W., *Postmodern Geographies,* Londres, Verso, 1989.

Soldatos, Panayotis, *Les Nouvelles Villes internationales. Profil et planification stratégique,* Aix-en-Provence, Serdeco, 1991.

« Sovereignty at Bay : An Agenda for the 1990's », édition spéciale de *Millenium. Journal of International Studies,* 20, 2 (1991).

« Spaces of Citizenship », édition spéciale de *Political Geography,* 14, 2 (février 1995).

Stalk, G., et T. M. Hout, *Competing Against Time. How Time Based Competition is Re-Shaping Global Markets,* New York, Free Press, 1990.

Stevenson, Garth, « The Decline of Consociational Democracy in Canada », dans *Canadian Politics : Past, Present and Future,* St. Catherines (Ont.), Brock University, Department of Politics, 1992.

Stevenson, Garth, « Federalism and the Political Economy of the Canadian State », dans *The Canadian State : Political Economy and Political Power,* Toronto, University of Toronto Press, 1977, p. 71-100.

Stout, Cam, « L'union libre : un choix de plus en plus répandu », *Tendances sociales canadiennes,* hiver 1991, p. 18-20, n° 11-008F au catalogue.

Strange, Susan, *Casino Capitalism,* Oxford, Basil Blackwell, 1986.

Strange, Susan, « The Hollow State », manuscrit, 1993.

Strassman, W. Paul, et Jill Wells, *The Global Construction Industry,* Boston, Unwin Hyman, 1987.

Taylor, Charles, *Multiculturalism and the "Politics of Recognition",* Princeton, Princeton University Press, 1992.

Taylor, Charles, *Sources of the Self,* Cambridge, Harvard University Press, 1989.

Taylor, Charles, « Des avenirs possibles : la légitimité, l'identité et l'aliénation au Canada à la fin du XXe siècle », dans *Le Constitutionnalisme, la citoyenneté et l'aliénation au Canada,* sous la dir. de A. Cairns et de C. Williams, Ottawa, ministère des Approvisionnements et Services, 1986.

Taylor, M. J., et N. J. Thrift, sous la dir. de, *Multinationals and the Restructuring of the World Economy,* Londres, Croom Helm, 1986.

« Tendances de l'emploi selon la profession : 1976-1993 », dans *Moyennes annuelles de la population active, 1993,* Ottawa, Statistique Canada, n° 71-20 au catalogue.

Thériault, J.-Yvon, « Mouvements politiques et nouvelle culture politique », *Politique,* 12 (1987), p. 5-36.

Thériault, J.-Yvon, « L'individualisme démocratique et le projet souverainiste », *Sociologie et sociétés,* 26, 2 (automne 1994), p. 19-32.

Thérien, Gilles, « *Memoria* et imaginaire dans la culture québécoise », dans *La Mémoire dans la culture,* sous la dir. de Jacques Mathieu, Sainte-Foy, PUL, 1995, p. 331-340.

Thurow, Lester, *Head to Head. The Coming Economic Battle Among Japan, Europe and America,* New York, Morrow, 1992.

Timberlake, M., sous la dir. de, *Urbanization in the World Economy,* New York, Academic Press, 1985.

Todorov, Tzvetan, *La Vie commune. Essai d'anthropologie générale,* Paris, Seuil, 1995.

Toyne, Brian, *et al., The Global Textile Industry,* Boston, Unwin Hyman, 1986.

« Toward the Millenium. The Economic Revolution Has Begun »,
Time Magazine, 13 mars 1995.

« Transactions internationales de services au Canada (Les) », *L'Observateur canadien,* Ottawa, Statistique Canada, septembre 1988,
n° 11-010 au catalogue.

Tremblay, Diane-Gabrielle, *L'Emploi en devenir,* Québec, IQRC, 1990.

Tully, James, *Strange Multiplicity. Constitutionalism in an Age of Diver-
sity,* Cambridge, Cambridge University Press, 1995.

Turcotte, Claude, « Guy Saint-Pierre, le globe-trotter de l'ingénierie », *Le Devoir,* 24 octobre 1994, p. B-1.

Turcotte, Claude, « Naître ou ne pas naître entrepreneur ? », *Le
Devoir,* 15 décembre 1993, p. B-3.

« Twenty-First Century Capitalism. How Nations and Industries Will
Compete in the Emerging Global Economy », *Business Week
(Special 1994 Bonus Issue),* décembre 1994.

Van Schendel, Nicolas, « L'identité métisse ou l'histoire oubliée de
la canadianité », dans *La Question identitaire au Canada francophone : récits, parcours, enjeux, hors-lieux,* sous la dir. de J. Létourneau, en collab. avec R. Bernard, Québec, PUL, 1994, p. 101-
121.

Vatin, François, *La Fluidité industrielle. Essai sur la théorie de la production et le devenir du travail,* Paris, Méridiens Klincksieck, 1990.

Vaugham, Lyon, « Stalemated Democracy. The Canadian Case »,
Revue d'études canadiennes, 26, 3 (1991), p. 120-139.

Venne, Michel, « L'art de se passer d'Ottawa », *Le Devoir,* 25 octobre
1994, p. A-1.

Vickers, Jill, « The Canadian Women's Movement and a Changing
Constitutional Order », *Revue internationale d'études canadiennes,*
n° 7-8 (printemps-automne 1993), p. 261-284.

Villeneuve, Paul, « Les métropoles canadiennes : ambivalences postmodernes », *Études canadiennes/Canadian Studies,* n° 29 (1990),
p. 47-57.

Vincent, Guy, « Une nouvelle centralité urbaine au Canada », thèse
de doctorat, Université Laval, département de géographie, 1992.

« Virtual Corporation (The) », *Business Week,* 8 février 1993, p. 98-103.

Walker, R., « The Geographical Organization of Production-Systems »,
Environment and Planning D : Society and Space, 6, 4 (1988),
p. 377-408.

Walker, R. B. J., « Social Movements/World Politics », *Millenium. Journal of International Studies*, 23, 3 (1994), p. 669-700.

Walker, R. B. J., « Sovereignty, Identity, Community : Reflections on the Horizons of Contemporary Political Practice », dans *Contending Sovereignties. Redefining Political Science Community*, sous la dir. de R. B. J. Walker et de S. H. Menlovitz, Boulder (CO), Lynne Rienner Publs., 1990.

Wallerstein, Immanuel, *The Modern World System*, New York, Academic Press, 1974.

Wallerstein, Immanuel, *Unthinking Social Science. The Limits of Nineteenth-Century Paradigms*, Cambridge, Polity Press, 1991.

Wannell, Ted, « L'écart persistant : étude de la différence dans les gains des hommes et des femmes qui ont récemment reçu un diplôme d'études postsecondaires », série « documents de recherche », n° 26, Ottawa, Statistique Canada, Division d'analyse des entreprises et du marché du travail, Direction des études analytiques, 1989.

Webber, Alan M., « What's So New About the New Economy ? », *Harvard Business Review*, 71, 1 (janvier-février 1993), p. 24-42.

Webber, Jeremy, *Reimagining Canada : Language, Culture, Community and the Canadian Constitution*, Montréal/Kingston, McGill/Queen's University Press, 1994.

Wilden, Anthony, *Le Canada imaginaire*, Québec, Presses Coméditex, 1979.

Williams, Shirly, « Sovereignty and Accountability in the European Community », dans *The New European Community : Decision Making and Institutional Change*, sous la dir. de R. O. Keohane et de Stanley Hoffman, Boulder (CO), Westview, 1991.

« Wired Democracy », *Time Magazine*, 23 janvier 1995, p. 41-46.

Woehrling, José, « La crise constitutionnelle et le réaménagement des rapports entre le Québec et le Canada anglais », *Revue internationale d'études canadiennes*, n° 7-8 (printemps-automne 1993), p. 9-40.

Wright, Erik Olin, « Exploitation, Identity and Class Structure », *Critical Sociology*, 15, 1 (1988), p. 91-111.

Wyatt, Sylvie, « Les nouvelles technologies de l'information à la maison », dans *Le Paradigme informatique. Technologie et évolution sociales*, sous la direction de Christopher Freeman et d'Henri Madras, Paris, Descartes & Cie, 1995, p. 101-121.

LISTE DES TABLEAUX

LISTE DES SCHÉMAS
ET DES ENCARTS

TABLE DES MATIÈRES

MISE EN PAGES ET TYPOGRAPHIE :
LES ÉDITIONS DU BORÉAL

ACHEVÉ D'IMPRIMER EN AOÛT 1996
SUR LES PRESSES
DE AGMV, À CAP-SAINT-IGNACE (QUÉBEC).